MW00583130

NY PUBLIC LIBRARY
THE BRANCH LIBRARIES

Carmen Laforet
Al volver la esquina

Carmen Laforet

Al volver la esquina

Edición a cargo
de Cristina Cerezales, Agustín Cerezales
e Israel Rolón Barada

Ediciones Destino
Colección
Áncora y Delfín
Volumen 1001

Diagonal, 662-664. 08034 Barcelona
www.edestino.es

Primera edición: mayo 2004
ISBN: 84-233-3613-1
Depósito legal: M. 16.202-2004
Impreso por Artes Gráficas Huertas, S. A.
Camino Viejo Getafe, 60. 28946 Fuenlabrada (Madrid)
Impreso en España - Printed in Spain

HISTORIA DE UNA NOVELA

En 1963, en el prólogo a *La insolación,* Carmen Laforet declaraba tener ya escritas *Al volver la esquina* y *Jaque mate,* los dos siguientes títulos de la trilogía *Tres pasos fuera del tiempo.* Las tres novelas, ambientadas respectivamente en las décadas de los cuarenta, los cincuenta y los sesenta, venían a componer, entre otras cosas, una indagación en los mecanismos de la memoria. De hecho, los dos primeros títulos no habrían nacido de un plan determinado, sino de la necesidad de investigar, averiguar el mar de fondo que latía en *Jaque mate,* la obra de donde habría surgido el resto: «*Durante tres años he trabajado mucho para una sola novela, la que en esta* Trilogía *lleva el nombre de* Jaque mate. *El material acumulado para esta obra estaba, en mi imaginación, destinado al fuego. Era un material que debía servirme de base, sólo a mí, para comprender ciertas reacciones psicológicas y ambientales necesarias. Un día vi que en estos datos tenía, terminadas, tres novelas diferentes. Tres novelas que constituyen, cada una de ellas, un mundo cerrado y acabado*».

Diez años después, sin embargo, la autora seguía, o volvía a trabajar en el proyecto, abandonado hasta entonces por causas que actualmente no nos es dado discernir, y que acaso importen poco. El caso es que el 18 de marzo de 1973 comenta, en una carta a Ramón J. Sender escrita desde Roma: «*No sé si te escribí desde la tierra de las Sabinas —Castel nuovo di Farfa— donde estuve una temporada sola, en una casa vacía —estupenda— en lo alto de una colina de viñedos y con una familia de búhos que me acompañaban con sus ruidos nocturnos en el desván.*

Escribí mucho, pero sobre todo enfoqué la novela de otra manera porque tuve un "arranque" y volví a leer La insolación. *Como pasaron tantos años y por las circunstancias, había tomado yo tanta manía a mi trabajo y al libro, resulta que también le había tomado antipatía a los personajes y los estaba haciendo en este libro de otra manera. Pero les he tomado simpatía otra vez y ya sé que no pueden ser como los estaba haciendo. Claro que tienen otra edad y han cambiado, pero hay cosas esenciales en la personalidad que no cambian. Bueno, pues ahora me divierto escribiendo y va deprisa todo...*» De aquel nuevo impulso creador surge el presente texto, que estuvo a punto de publicarse a finales de ese mismo año. De hecho, la presente edición reproduce fielmente las pruebas de imprenta que le remitió José Manuel Lara, su editor entonces. Sólo faltaba, como es usual, que la autora revisara el texto, que hiciera las últimas correcciones y lo devolviera, para que la imprenta pudiera imprimir el libro, ya compuesto, y saliera al mercado la novela anunciada.

La autora hizo numerosas correcciones, que ahora se han incorporado, pero no cumplió lo prometido. Lo más verosímil —y alguna corrección o añadido apunta a ello— es que, dedicada como estaba, simultáneamente, a la redacción de *Jaque mate,* quisiera esperar un poco para introducir ajustes que permitieran una más clara articulación con el libro siguiente. Los años habían propiciado nuevas perspectivas, y ello no podía sino influir, enriquecer y acaso complicar su ambiciosa indagación de la misteriosa danza que trenzan los recuerdos. Lo cierto es que un cúmulo de circunstancias, personales o no personales, iban a retrasar de nuevo la publicación del libro (aunque hoy no resulte fácil de entender, las continuas huelgas de correos y transportes que afectaron a Italia en esos años fueron, por ejemplo, uno de los motivos que la obligaron a interrumpir su estancia en Roma).

De regreso a Madrid, tras varios años de vagabundeo por hoteles y casas de amigos, buena parte de sus papeles se habían extraviado, y aunque hizo varios esfuerzos por recuperarlos, no lo consiguió. Atrás quedaban obras en curso como *Jaque mate,* un volumen titulado *Encuentros en el Trastevere,* y otro cuyo tema central era «el mundo del Gineceo», proyecto ambicioso y de largo aliento, del que ya hablaba, nada menos que en 1967, en otra carta a Sender: «*En verdad, es el mundo que* domina secretamente *la vida. Secretamente, instintivamente, la mujer se adapta y organiza unas leyes inflexibles, hipócritas en muchas situaciones para un dominio terrible... Las pobres escritoras no hemos contado nunca la verdad, aunque queramos. La literatura la inventó el varón y seguimos empleando el mismo enfoque para las cosas. Yo quisiera intentar una* traición *para dar algo de ese secreto, para que poco a poco vaya dejando de existir esa fuerza de dominio, y hombres y mujeres nos entendamos mejor, sin sometimientos, ni aparentes ni reales, de unos a otros... tiene que llover mucho para eso. Pero, ¿verdad que está usted de acuerdo, en que lo verdaderamente femenino en la situación humana las mujeres no lo hemos dicho, y cuando lo hemos intentado ha sido con lenguaje* prestado, *que resultaba falso por muy sinceras que quisiéramos ser?*». No me he resistido a incluir esta cita porque, pese a que se refiere a un proyecto muy distinto, es evidente que alude a un criterio, un pensamiento —un genuino amor a la libertad— central en Carmen Laforet y desde luego presente, aunque no de forma explícita, también en *Al volver la esquina*.

Poco a poco, lo que unos años antes se había manifestado en forma de simple apartamiento de la vida pública española empezó a convertirse en abandono de la propia actividad literaria (aunque siguiera manteniendo copiosa correspondencia privada, sus artículos fueron espaciándose, y el último data de diciembre de 1983), y ya mucho después, sin solución de continuidad, en una dejación total de cualquier responsabilidad y en un mutismo no sólo literario, sino oral, casi absoluto.

Este largo proceso supuso, a efectos de su proyección pública, que Carmen Laforet vino a sufrir —o disfrutar— en vida de lo que en la jerga del oficio se llama el «purgatorio», ese periodo de relativo olvido que suelen pasar los escritores famosos tras su muerte. Y así, para una o dos generaciones, su perfil quedó reducido a la de la mítica autora de *Nada*, el clásico de nuestra posguerra por excelencia, y poco más. Ahora bien: tras el purgatorio, hay autores que desaparecen definitivamente del mapa y otros, por el contrario, que vuelven con más fuerza que nunca: su visión del mundo no sólo no se ha desgastado con el cambio de circunstancias, sino que adquiere nuevos significados, ilumina aspectos que antes pasaban desapercibidos. Carmen Laforet pertenece, sin duda, a esta segunda clase. Desde su distancia fue testigo, en sus últimos años, del creciente interés que suscitaba su obra en ensayistas, estudiosos y lectores de todo género. Recibió con agrado la noticia de la reedición de *La mujer nueva,* y el proyecto que tenía la editorial Destino de reeditar todos sus títulos. Y cuando llegó el momento de plantearle la difícil cuestión de sus papeles inéditos —difícil para nosotros, que suponíamos que no querría ni oír hablar del asunto— nos sorprendió dándonos de inmediato, y en reiteradas ocasiones, su consentimiento. Un consentimiento que a mi juicio (y esto es quizá una apreciación subjetiva, pero no veo motivo para obviarla) iba acompañado de cálida gratitud. Del mismo modo que, pese a su silencio y su presunta indiferencia por el mundo, nunca dejó de establecer con quienes la rodeaban una intensa comunicación afectiva, incluso humorística, creo que en relación a su obra, si bien había renunciado por completo a su prosecución o defensa, guardaba incólume el orgullo legítimo de ser su autora y la conciencia clara, aunque desapasionada, de su belleza e importancia.

Así fue como se decidió dar a la imprenta, primero, su correspondencia con Ramón J. Sender, bajo el título de *Puedo contar contigo,* y luego esta última versión de *Al volver la esquina,* en un proyecto editorial escalonado, alternando con las reediciones de *La mujer nueva,* primero, y de *La insolación,* después.

¿Habríamos actuado de otro modo si ella hubiera manifestado rechazo? Sin duda. Pero hubiera sido injusto. En primer lugar, con la obra misma, que no sólo está, por su calidad e interés, a la altura del resto de sus libros, sino que arroja una luz nueva, por no decir maravillosa, sobre *La insolación,* que a juicio de más de un cualificado lector era hasta hoy su obra cumbre; y en segundo lugar, con sus lectores en general, tanto aquellos que tenían noticia de su existencia y llevaban años esperando, como aquellos, la mayor parte, para quienes ha de constituir una total sorpresa.

Nuestra madre murió hace poco más de treinta días, el 28 de febrero de este año. No puede decirse que su adiós llegara inesperadamente, porque en los dos últimos meses su declive físico había sido pronunciado e irreversible. Pero la esperanza nunca falta, y todos hubiéramos querido que llegara a tener este volumen entre sus manos, como tuvo los de *La mujer nueva* y *Puedo contar contigo*; éste y todos los demás que se anuncian de sus otras novelas, de sus cuentos, artículos y viajes.

AGUSTÍN CEREZALES
Madrid, 1 de abril de 2004

AL VOLVER LA ESQUINA

Primera parte

LA NOCHE TOLEDANA

Julio de 1950

En este libro se cuentan, en forma de diario, las pesquisas, primero en la ciudad de Toledo y después en Madrid, que quien esto escribe y algunos familiares suyos han hecho respecto a la desaparición misteriosa de un hombre: Martín Soto Castello, natural de Alicante, y vecino de Madrid, soltero, de profesión artista pintor, y de veinticuatro años de edad, joven sin parientes cercanos que se le conozcan y muy unido por amistad a nuestra familia.

El susodicho Martín Soto, en la tarde del sábado 15 de abril de este año, visitó a mis sobrinas Amalia y Paloma. Vestía el traje de pana negra con chaqueta de cuatro bolsillos que él llama su traje de pintor, y por el que le conoce todo el barrio, ya que atrae la atención con un punto de originalidad que algunos creen excéntrico y porque además quien lo lleva es un muchacho de estatura más alta de lo corriente —si no me equivoco, un metro ochenta y tres— y con ese traje no se pone nunca ni corbata ni camisa, sino un jersey de los que llaman «cuello de cisne». Llevaba también al brazo una gabardina y a mano la maleta de madera donde guarda su equipo para pintar. Martín anunció a mis sobrinas que se marchaba a Toledo aquella misma tarde, con un encargo mío referente a un mueble antiguo que mi agente en Toledo me había ofrecido para un cliente. Bromeó con las chicas y consoló a Paloma, la pequeña, por no poder asistir a su cumpleaños, que se celebraba el día siguiente. Le prometió traerle una caja de mazapán, que a la chica le gusta. Se marchó cuando aún no había llegado el fluido eléctrico, que en el barrio estaba cortado por las restricciones. Mis sobrinas se asomaron a la ventana que da, como el portal de su casa, a la calleja que desemboca en Embajadores. Le vieron cruzar la calzada sorteando los charcos de lluvia recientes y en la esquina se detuvo, se volvió hacia la ventana de ellas y las saludó. Después de volver esa esquina, nadie hasta hoy ha vuelto a verle ni vivo ni muerto.

Como se irá viendo en este diario, a principios de mayo tuvimos noticias de que un hombre misterioso, viejo y encapuchado, se presentó en la pensión Jerónimo, donde se había alojado Martín, a recoger las cosas de éste que allí quedaron, con un mandato que el dueño de la pensión afirma estaba escrito de puño y letra de Martín. Hemos hecho cábalas desde las más negras de muerte y accidente grave, hasta las más pintorescas, como la sugerencia irónica de mi cuñada Amalia de que a Martín lo raptaron los marcianos en un platillo volante al volver la esquina. Hoy, cumplidos los tres meses de su desaparición, sólo puedo adelantar como seguro un hecho: Martín Soto, tuviera o no intención de hacerlo, no llegó a Toledo la noche del sábado 15 de abril ni ningún otro día o noche a partir de esa fecha.

(Del diario policiaco escrito por Luis López.)

I

El despertar de un sueño. El diario policiaco me da la fecha exacta de este amanecer. Fue el domingo 16 de abril de 1950.

El sueño se me está escapando como el humo de una hoguera. (Humo de hogueras. San Juan, las vacaciones de la infancia. Saltos sobre el fuego.) En el sueño estoy en mi casa: puertas blancas, cortinas blancas del techo al suelo, pasillos empapelados con papeles de rosas rojas o rosas azules sobre fondo gris.

Aquel ambiente único en el mundo, el de mi casa, aquel crujido de la madera de los pasillos, aquella alegría. No quiero despertar del todo. No quiero olvidarme. Recuerdo al caballero de raza negra que salió para abrirme la puerta vestido de etiqueta con chistera en la cabeza y con bandas y condecoraciones. Yo lo reconocí inmediatamente en el sueño y ahora no lo reconozco. Él me llevó a través de la niebla del pasillo y las luces encendidas hasta la luz del sol poniente en el comedor. Yo sabía que me esperaban. Me esperaban todos. Todos alborotamos alrededor de la mesa ovalada del comedor con ese señor de color, tan importante, presidiendo, y nos hemos reído. Reconozco las risas pero ¿de quién? En el sueño he vuelto a sentir la ligereza de las bromas, las claves de nuestro lenguaje familiar. Y sobre todo esa insoportable ternura que amenaza hacer estallar el corazón a la vista de los muebles sólidos, ni feos ni hermosos, pero vividos, usados, nuestros. Si he soñado ha sido sobre algo que existe, que permanece, que podré encontrar aquí o donde sea cuando despierte. El tresillo de cuero donde nuestras botas dejaron arañazos, el ladrido de los perros, la radiogramola en el cuarto de estar, los tres lavabos excavados en una vieja pieza de mármol en el cuarto de baño, y sobre todo, las cortinas blancas, el mirador de cristales, el Retiro frente a los balcones, el olor primaveral de tierra mojada mezclada a la de la madera encerada del viejo entarimado.

Estoy despierto ahora. ¡Ya no recordaré nada más! No tengo deseos de abrir los ojos. Me duelen al apretarlos. Supongo que estoy en Toledo con la luz de la Fonda Vieja de Toledo rodeándome. Pero no acabo de creer que estoy allí, me siento en mi casa. Hasta sigo percibiendo los olores del parque... Tanto rodar por el mundo para soñar después este regreso. Pero ¿qué mundo he recorrido? Un mundo estrecho: pensiones, casas de huéspedes de Madrid. Despertares de noche en invierno. Cuántas veces me ha sucedido, al timbre del despertador, levantarme en la oscuridad intentando salir de la cama por el lugar donde está adosada a la pared; o buscar la puerta en la sombra del armario, o confundir el agua de un espejo con la ventana... Tuve muchas veces que esperar, la cabeza entre las manos, a que el bulto de los muebles se parase en su lugar exacto mientras yo, Martín Soto, trataba de recordar por qué escaleras había arrastrado mi maleta en la tarde anterior, buscando el alojamiento nuevo y más barato, y en qué calle, en qué lugar de la ciudad encontrado mi nueva madriguera. Tengo que abrir los ojos y ver la nueva madriguera a donde he llegado hoy. No me fío de mis sensaciones. Me han engañado muchas veces. Por ejemplo, ahora me siendo rígido, los ojos no los puedo abrir.

Por un instante tengo miedo. Se me ocurre que a lo mejor voy a despertar en una caja de muerto; que algo extraño ha ocurrido conmigo: estoy vestido. Noto el cinturón, la incomodidad de la chaqueta... Mis pies están helados y tengo la sensación de que no me puedo mover.

El hielo se deshace, me late el corazón cuando oigo la algarabía de los pájaros en el Retiro y unas voces en la calle, cinco pisos más abajo. Es muy temprano. Muy cerca oigo a una bandada de pájaros. Sobre el rumor apagado de la ciudad, sus llamadas primaverales, esa nota sensual, ese despertar de la vida en una serie de trinos hacen correr mi sangre por las venas. Huelo la tierra de enfrente, mojada y chupada por el sol. Oigo el motor de un camión, su paso por la Avenida de Menéndez Pelayo, la familiar vibración de los cristales en el mirador. La vida empieza lentamente en mi calle, en mi casa, en este piso grande y un poco destartalado del que conozco todos los ruidos y donde he visto con emoción hasta los deterioros del tiempo: esas manchas del techo, el trozo desprendido de las molduras del techo en el cuarto de estar... La emoción de algo muy real.

Además, me muevo, estoy muy vivo. Palpo mis ropas. Estoy tumbado boca arriba en una cama y completamente vestido. Los pies enfundados solamente en los calcetines. Tengo frío en los pies. Oigo a los pájaros, oigo una campana pequeña, la del convento de monjas llamando a misa, oigo la manguera del riego de la calle, el rebuzno que lanza el borriquillo del carro de la basura y el rodar de ese carro sobre el asfalto. Todo eso lo oigo.

Sólo falta un esfuerzo: lo hago, abro los ojos y veo las cortinas blancas del techo al suelo que cubren los cristales del mirador redondo de la esquina. He soñado esta misma casa donde estoy acostado en el diván forrado de cretona floreada, a un extremo del cuarto de estar frente al mirador. La habitación amplia y larga me recibe envuelta en la luz de un amanecer que me parece una maravilla. Las otras cortinas blancas, las del balcón, están descorridas, el balcón entreabierto deja pasar el fresco de la mañana de abril, el olor del parque de enfrente, y dando la espalda a ese balcón veo el tresillo de cuero. Recuerdos de toda una vida, de toda una infancia, de un calor, de una dicha perdida permanecen en este cuarto. La radiogramola también, las estanterías con álbumes de discos y revistas extranjeras, los pequeños grabados sin valor que adornan las paredes, el espejo grande sobre la consola, al otro extremo de la habitación. Y en el techo una mancha de humedad. Y en el rincón preciso la moldura de yeso que está rota.

No sé ya si es emocionante. No sé nada más que una cosa cierta: he vivido una vida entera en esta casa de Madrid, en este piso, y he regresado a esta dicha perdida después de un largo abandono y eso ha ocurrido en sueños. Me levanto. Mis pies notan el suelo encerado a través de unos calcetines viejos y hasta con agujeros. Tengo que comprar ropa interior —me digo—. Es una de las cosas que pienso todas las mañanas durante esta última temporada y se me olvida luego hacer esa compra. Y luego vuelvo al sueño: me repito que he soñado toda una vida en esta casa. Yo nunca viví una infancia en Madrid frente al Retiro en este piso.

La esquina mojada de la calleja al volver la cual me hace desaparecer el señor Luis en su diario, está muy lejos de mi mente. Se ha borrado por completo. No volveré a recordarla, pertenece a un tiempo del que me he salido sin darme cuenta. Pero estoy recuperando otros recuerdos: la llegada de noche a esta Avenida de Menéndez Pelayo. Los faros del automóvil que iluminaron las calles vacías de Madrid, mojadas por lluvias recientes: las hojas tiernas y goteantes del arbolillo cercano a este edificio en la Avenida, cuando la luz de los faros lo convirtieron en una imagen temblorosa de la primavera sobre el asfalto de la ciudad. Y Anita a mi lado, su mano sobre la mía. Y mi emoción cuando vi los cinco miradores redondos de la esquina. Reconocí la casa entonces. Era como jugar a los dados y que saliera el seis una y otra vez. Aquella noche todo resultaba así. Y se lo dije a Anita. «Si vives en esa casa, creo que hemos resuelto la preocupación mayor. Tenemos un médico al alcance de la mano. Un amigo además. No te preocupes. Todo sale...» «No te preocupes» era la frase, la que me hacia sentirme tan poderoso.

La llegada fue en plena noche. Esta luz de la mañana en el cuarto de estar es la primera vez que la veo. Me cuesta creerlo, pero mis zapatos gruesos de las excursiones me confirman que no han pasado más que unas horas desde mi llegada. Cuando me los calzo, toco el barro aún húmedo que los mancha. A pesar de la humedad de mis zapatones, dudo un poco: ya sé que no toda una vida, pero unos días, dos, tres, una semana... Me parece que he oído esos sonidos del amanecer muchas veces; esas voces, esos pasos tan nítidos en la primera hora me resultan demasiado conocidos: la vibración de los cristales cuando pasa un vehículo es algo que vibra también en mí a través de toda mi vida. Al fin lo acepto: el sueño ha cambiado las medidas del tiempo; quizá en otra vida he estado aquí entre estas cortinas blancas, este viejo tresillo, estos grandes espacios vacíos que me emocionan como algo tan mío.

El caso es que llegamos anoche. Tuvimos mucho que hacer. Las luces eléctricas no pudieron darme tantos detalles como he soñado... La mesa ovalada del comedor, con aquel reflejo del sol poniente en un espejo y el caballero negro, tan solemne, tienen que ser inventos del sueño. Y otras cosas también.

Me acerco, cruzando la habitación, al espejo grande de sobre la consola. Distraído, froto mi cara bajo los pómulos y noto la necesidad de afeitarme al roce de la barba.

Veo la mesita que centra el tresillo, aún están las tazas de café que usamos. La cafetera de cristal con infernillo de alcohol me hace ver de nuevo las manos de Anita manipulándola. La cafetera la dejamos en el suelo y también la botella de coñac francés. Sobre la mesa, la copa donde bebió el coñac el doctor Tarro. En el cenicero, dos colillas de puro y varios de los cigarrillos ingleses que fuma Anita. Vuelvo hacia atrás la vista y veo, sobre la otra mesa de mármol, la que está junto al diván donde he dormido, una de mis piñas y la bolsa de tabaco.

Así que llegamos anoche sábado, 15 de abril. No. Llegamos ya en la madrugada de este domingo. He dormido profundamente pero he dormido muy poco tiempo. ¿Y Anita? Charlaba con el doctor cuando yo tuve que echarme en el diván. Dice que no hay quién la despierte por las mañanas. Es temprano aún. Me da alegría saber que tengo que despertarla de todas maneras dentro de un rato.

¿Y si estoy todavía metido en un sueño? ¿Y si todo esto, esta casa, estas cortinas, esta alegría de vivir, esta sensación de ser imprescindible, no es más real que el sueño que se ha ido?

No importa. Es una aventura, si es un sueño da lo mismo. Es algo que aumenta la seguridad en mí mismo, único hombre despierto y vigilante. Tengo ganas de silbar de alegría.

Con cierta ansiedad de corazón abro la puerta y casi llego a dar un suspiro cuando me encuentro en la confluencia del pasillo de las rosas rojas de las alcobas con el de las rosas azules que lleva al vestíbulo donde dejé mi gabardina anoche. En uno de los bolsillos de mi gabardina tengo la bolsa de aseo con los útiles de afeitar. Despacio, con miedo de despertar con mis pasos a la casa dormida, voy al recibidor. La gabardina cuelga en el perchero junto a un abrigo desconocido y en el suelo está mi caja de madera donde llevo el caballete portátil y los trebejos de pintar.

Al vestíbulo da una puerta en la que no me fijé la noche anterior. La empujo y me encuentro en una habitación que no tiene el mismo aire familiar que las demás de la casa. Es un despacho amueblado —como el del doctor Tarro en el ático—, con muebles de falso estilo Renacimiento. A pesar de la luz que entra a través de los visillos del balcón, me parece una habitación oscura y fría. No me gusta. Esa habitación no ha entrado para nada en mi sueño. Esa escribanía tiene un aire estúpido. Esas sillas talladas e incómodas y esas cortinas oscuras adamascadas me dan ganas de huir. Retrocedo un paso, pero me detengo porque he sentido una mirada en mi nuca. Creo que inicio una sonrisa, admirado, cuando encuentro fija en mí la mirada del caballero negro de mi sueño. Allí está con su chistera, sus bandas, sus condecoraciones, muy quieto y vigilante en una enorme fotografía ampliada que preside la habitación. Oigo mi propia voz en un susurro: «¿Quién diablos?...». Pero me fijo en un pergamino enmarcado y colgado también en la pared, y me acerco. En lengua francesa se declara allí que *Monsieur* Carolo Corsi es en Madrid cónsul honorario de la República africana de Nguma.

De pronto me echo a reír. Allí solo, como un tonto. Como en el sueño, como desde hace unas horas, los detalles pequeños de la vida, los detalles en los que antes no me fijaba, me divierten, los veo, los vivo.

Cuando llego al cuarto de baño que está frente a las alcobas reconozco, como a viejos amigos, los tres lavabos, y los saludo con una mueca mirándome en sus tres espejos enmarcados en madera tallada con guirnaldas blancas y rosas. Ningún cuarto de baño se parece a éste, tan grande y destartalado, con el armario de donde sacamos las toallas anoche y la ventana que por fortuna deja pasar el sol desde el gran patio central, tan silencioso. Por fortuna, porque debe de tocar un turno de restricciones eléctricas en este barrio a esta hora, y las luces no funcionan y el calentador eléctrico con ducha tampoco. Me ducho con agua fría metido, como en un barco, en la enorme bañera sostenida por garras de hierro pintadas con purpurina. Tengo costumbre de afeitarme con navaja y con agua fría. Nada de eso me molesta. Este piso, con su lujo anticuado y destartalado, es el lugar más confortable en que he vivido, con restricciones eléctricas o sin ellas.

Mientras me afeito me parece que oigo ruidos en el interior de la casa. Puertas. El clic-clic de las patas de los perros que se pierde luego en el tercer pasillo estrecho con alfombra de linóleo, que lleva al mundo ignorado de las habitaciones y la puerta de servicio. Otra puerta. Quizás unas voces. Luego, silencio. Me alegra que la casa despierte. Tengo necesidad de comprobar que Anita existe, que habla con ese indefinible acento extranjero que sólo recordaba yo en la voz de su hermano. Tengo ganas de verla. Me hago un pequeño corte. Sigo afeitándome más despacio, con cuidado. Pero estoy alerta. Cuando me quito el jabón sobrante, oigo pasos de mujer en el pasillo. Y los pasos se acercan.

Es curioso. No son los pasos de Anita. No reconozco esos pasitos torpes, ese taconeo pesado y corto. Escucho tan intensamente que no puedo pensar. Los pasos llegan. Se detienen. Silencio ahora. Dejo sin limpiar la navaja y la brocha. Doy dos zancadas hasta la puerta y la abro de un tirón.

En el pasillo, apoyada contra la pared de las rosas rojas, está Soli. Es una niña que debe de tener diez años, pero parece más pequeña porque es bajita y menuda. Hace poco que le raparon el cabello, pero empieza a salirle ya en forma de gorro de piel negra y lustrosa. Me parece muy pequeña cuando la veo así, de pronto, y sin embargo su estatura ha aumentado porque tiene los pies metidos en unas raras chinelas bordadas de lentejuelas de colores, con tacón alto; Soli parece disfrazada, con esas chinelas y el chaleco gris de punto de mangas largas —recogidas con imperdibles, por más señas— que debe de pertenecer a don Carolo y que a ella le sirve como abrigo que la cubre hasta las rodillas. Es la primera vez que me resulta una niña de aspecto descuidado y feliz, una niña que juega a los disfraces, que puede jugar a cualquier cosa, y me divierte verla en vez de producirme esa áspera compasión que otras veces ha sido el impulso que me ha acercado a ella en todos nuestros encuentros. Me asombro de no haber recordado a Soli esta mañana. No tengo la menor idea de que su figurilla haya estado mezclada para nada en mi sueño. No me produce compasión, pero sí unos vagos remordimientos por mi olvido. Y cuando me sonríe, la levanto en mis brazos hasta acercar su cara a la mía. Las chinelas caen al suelo y durante unos segundos nos asustamos y luego nos reímos juntos. Le pregunto en voz baja si no ha tenido miedo de despertar en casa extraña.

Soli no tiene miedo. Ha dormido muy acompañada en un extremo de la cama grande de don Carolo y con *Tali* y *Chuchi*, los dos *cocker* enanos. Don Carolo se ha portado muy bien. Ha dormido gracias a los calmantes, pero ahora está muy raro, y Soli cree que está «en delirio». ¿No te acuerdas de que me quedé con él para avisar si se ponía peor? Ahora dice que se está muriendo y quiere que vayáis todos a su cuarto: Anita y el médico y mucha gente que no está aquí, muchos hombres que son sus hijos y una señora que tiene un nombre muy raro que no recuerdo, y Zoila y todos...

Soli ha sido muy lista —según me cuenta—, ha abierto la puerta de servicio a los perros para que salgan a la calle, ha alargado la colonia a don Carolo para que se frote las manos y don Carolo mismo le ha dado permiso para que ella se eche colonia en el pelo. Y por cierto que el olor de Soli se parece al del caballero negro en mi sueño: el olor a colonia que llenaba la alcoba del enfermo anoche.

Ahora veo como si lo hubiera dibujado el cuarto del enfermo en penumbra, la lamparita eléctrica con pantalla y la lamparilla de aceite que producía sombras movibles. Los muebles grandes, las cortinas corridas sobre el balcón, oscuras. Los perros que subían sobre la cama, y que acabaron escondiéndose bajo ella y gruñendo cuando entró el doctor Tarro. Las orejas doradas de la perrita *Tali*. El rabo entre las patas de *Chuchi* a quien el médico dio un puntapié en el pasillo. El vómito y la colonia. La cara desencajada de don Carolo. Sus cabellos grises revueltos. Las sábanas limpias que dejó Anita sobre un espacio libre de aquella cama cuando llegamos y la voz de Soli «Yo sé hacer las camas. ¿Te ayudo?...».

Soli me observa.

—¿Por qué no me haces caso? ¿Esta casa es una pensión o un hotel? —Soli cree firmemente que en Madrid todo el mundo vive siempre en hoteles o en pensiones—. Hay muchas alcobas con dos camas. Pero no las ocupa nadie. Los colchones están recogidos con sábanas por encima... Como es de día, no da miedo... Encontré la alcoba de Anita y la llamé como me dijo don Carolo, y ella me insultó y me tiró la almohada, pero luego, cuando se dio cuenta de que le gritaba que su papá se muere, se sentó y se espabiló y se está vistiendo. Tiene un genio muy malo Anita. Pero no hay nadie más en la casa. Tampoco está Zoila. ¿Cuándo se fue? Yo no me acuerdo...

—¿Zoila? —Y creo que repetí este nombre mientras dejaba en el suelo a la niña—. ¿Zoila?

Soli se calzaba las chinelas que debían de pertenecer a una mujer con el pie muy pequeño, pero a Soli le quedaban grandes a pesar de todo. Se calzaba las chinelas y me miraba de reojo.

—Sí, la artista se llama Zoila. ¿No? ¿No vive aquí? ¿Verdad que vino con nosotros anoche? Pero ¿es que no te acuerdas de Zoila, Martín? ¿No te acuerdas de que cuando entró en el café, con su impermeable blanco y tan guapa, dijiste tú que entonces empezaba la noche toledana aunque la noche toledana había empezado antes y tú no lo creías?

II

La noche toledana, según dice Soledad, comenzó para mí cuando Zoila se acercó a nuestra mesa en el café grande de Zocodover. Para Soli, empezó cuando el coche de línea nos dejó en la plaza toledana junto a los soportales y ella corrió hacia las luces de ese café y apoyó la nariz en los cristales de una ventana para contemplar el espectáculo que le ofrecía un interior caldeado por respiraciones humanas y humo de tabaco. A sus ojos resultaba interesante la animación del local a la hora del aperitivo vespertino del sábado, que había hecho concurrir a gente de la burguesía de la ciudad a pesar del mal tiempo. La niña tenía sus ideas propias sobre lo que iba a encontrar en Toledo y me dijo que Toledo era precioso con tantas señoras con abrigos negros de piel y tantas señoritas muy bien peinadas, y los militares y los «señores ricos».

Soli me hacía reír. Allí, pegada a la vidriera, tenía cierto aire de insecto: una cigarra de color verde chillón, con el abrigo nuevo que le había comprado su padre, dos tallas mayor de lo que la niña necesitaba, y la cabeza rapada. ¡Soli con la cabeza rapada! No podía acostumbrarme aún a verla así.

—Soli —le expliqué seriamente—, eso no es Toledo. Mañana verás Toledo. Ahora vamos a la Fonda Vieja.

Noté que la niña quería entrar en el café. Lo deseaba mucho. No sé por qué la idea de complacerla me parecía absurda y la arranqué de su contemplación y la llevé a vagar bajo la lluvia. El café grande de Zocodover no entraba en mi programa de Toledo. El hecho insólito de que aquella noche, en vez de ir solo a Toledo, hubiese llevado conmigo a la hija del viejo Pérez, no iba a alterar mis costumbres.

Porque yo en Toledo tenía mis costumbres, una inercia que me servía de encubridora de mis citas secretas con la ciudad. Durante todos los años que llevaba viviendo en Madrid y excepto la primera vez que fui a Toledo, llegué siempre allí solo en la noche de un sábado. Siempre me alojé en la Fonda Vieja y fui a un cine a ver cualquier película, no importaba cuál, para que pasase el tiempo en aquella última sesión de cine y Toledo quedase luego vacío de gentes y lleno de alma para mí. Si alguien me hubiese avisado de que un rato más tarde volvería a aquel lugar del que apartaba a la niña tan enérgicamente y que Toledo seguiría siendo un lugar casi desconocido para mí aquella noche, me hubiera encogido de hombros como quien escucha un absurdo. Yo estaba seguro de que cenaría en la Fonda Vieja con la niña, y que el anciano fondista y sus para mí también ancianas hijas, se harían cargo de Soli, la acomodarían en una habitación y yo la dejaría durmiendo. Daría mi paseo nocturno como de costumbre. Por entonces sólo la lluvia resultaba insólita...

Llovía a estilo de Diluvio Universal. Yo nunca había visto Toledo bajo una lluvia así. Zocodover, solitario, parecía hervir en aquel continuo y furioso caer del agua contra sus piedras. Una vez leí que un escritor creo que fue Valle-Inclán, dijo que si lloviese con fuerza sobre Toledo, Toledo se desharía en barro. Toledo se deshacía en agua. Con la niña de la mano aún esperé unos minutos bajo las arcadas a que cediese la violencia del aguacero. Pero no cedió y al fin me decidí a echar a correr con Soli. Vimos, desenfocadas, las luces de los escaparates de la calle del Comercio y las escobas de agua barrieron hacia nosotros los paraguas de los escasos transeúntes. Aquella carrera se parecía a todo menos a una de mis caminatas por las calles toledanas. Nos llenó los oídos al subir por las calles en cuesta un rumor de arroyos, se metían en los ojos sombras deshechas por las cataratas del cielo, también deshecho en aguas vivas y golpeantes. Y cuando alcanzamos la luz en el portal de la Fonda Vieja, el ruido de mar embravecido que salía de su interior, llegó a hacerme pensar en una catástrofe. O la casa estaba inundada o me había equivocado de lugar.

Toledo no parecía Toledo y la Fonda Vieja tampoco era la Fonda Vieja. Creo que murmuré algo de esto mientras la niña y yo nos sacudíamos en el portal. La Fonda Vieja había sido para mí siempre el lugar más silencioso del mundo. Una casa de portada estrecha y de interior hondísimo, de pasillos y escaleritas que salvaban desniveles, y un comedor muy triste donde escasos huéspedes me acompañaban a la hora de la cena. Pero en aquel momento la fonda desbordaba de vida. El pequeño recibidor estaba lleno de mochilas y mantas cuarteleras. Y el comedor y el pasillo, hasta donde alcanzaba la vista, estaban llenos de muchachos inquietos vestidos de falangistas. Cadetes de falange. Una expedición provincial —me dijo uno de ellos— que iba a Madrid a los campeonatos deportivos juveniles. Habían venido los chicos en dos camiones desde los pueblos de la provincia. Iban a cenar en la fonda, pero además muchos de ellos quizá tuvieran que quedarse a dormir. Uno de los camiones se había averiado cerca ya de la ciudad y habían hecho una buena caminata bajo la lluvia. Como no estaban los mandos para poner orden, jugaban, cantaban, alborotaban de mil maneras todos ellos. El mostrador de recepción aparecía vacío. El teléfono sonaba inútilmente. Las criadas desconocidas que servían el primer turno de la cena, aturdidas, ni me contestaron cuando intenté preguntarles por el dueño de la casa.

A mí se me había metido el agua por el cuello de la gabardina, pero Soli, la pobrecilla, chorreaba. Su abrigo nuevo había empapado la lluvia y parecía haberse alargado hasta casi llegarle a los pies. Además, desteñía.

—No sé, no sé... —decían los chicos de falange a mis preguntas—. No, los mandos tampoco están. No hay nadie ahora.

No me hacían mucho caso. Miraban a la niña como si no hubieran visto nada tan raro en toda su vida.

Soli parecía contenta. Seguía diciéndome que le gustaba mucho Toledo. De pronto los chicos que estaban sentados en el suelo del pasillo, se pusieron a cantar la vieja canción dedicada a las mujeres del mercado negro y a las prostitutas sin cartilla, a las que rapaban en el cuartelillo cuando las pillaban los guardias. «Pelona, sin pelo, cuatro pelos que tenías los vendiste de estraperlo...»

Decidí no esperar al fondista por el momento. Dejar allí mi pesada caja de madera, junto a las mochilas de los muchachos, y llevarme a Soli a cenar a cualquier parte mientras se calmaba el alboroto.

Sí, es posible que la noche toledana hubiera comenzado ya, pero aún no me daba cuenta de que aquella serie de pequeños incidentes casuales iban modificando todas mis decisiones. Todavía seguía siendo el hombre despistado entre las realidades de la vida, ninguna sacudida interior me había abierto el espíritu y ni siquiera se me ocurrió que podríamos encontrar otro alojamiento en Toledo, la niña y yo, aquella noche. Mi pensamiento seguía, tan seguro como un tranvía sobre sus carriles, mis pequeños planes.

Cuando de nuevo me lancé con la criatura a aquel vagabundaje incierto entre los gruesos hilos de la lluvia, no había pensado adónde la llevaría a cenar. Toledo no era para mí un lugar en que pudiese pensar en restaurantes, en comercios, en vida cotidiana. Nunca había pensado en esas cosas cuando iba a aquella ciudad. Supuse que de una manera o de otra nos encontraríamos frente a algún bar o una tasca donde nos diesen algo caliente que reanimase a Soli. Pero no sé por qué fuimos por lugares tan oscuros y cerrados, sintiéndonos tan perdidos como si estuviéramos en una balsa en medio del océano. Al fin me encontré en una calle más céntrica y la niña me señaló la luz de una ventana y la muestra de un restaurante.

Revivo en la lejanía de los años todas aquellas andanzas que fueron un preludio de lo que Soledad y yo hemos llamado siempre la noche toledana, periodo de tiempo comprendido entre la noche del sábado 15, en que tanto me hice ver en Toledo, sin que nadie recordase después haberme visto, y el amanecer del lunes 17 de abril.

Antes de esas fechas algo se puso en marcha: ocurrió el encuentro con el viejo estrafalario Amando Pérez, mi antiguo compañero de hospedaje en la pensión de la calle de la Luna, y con su hija Soli, y este encuentro fue el primer eslabón de una cadena de casualidades que al fin me llevaría al café grande de Zocodover a la hora precisa para mi encuentro con Zoila.

El encuentro ocurrió el día anterior, viernes por la mañana. Tenía yo tiempo de sobra para ir despacio, en plan de paseo, de un lado para otro en aquella temporada. Aunque sólo había estado ausente de Madrid dos o tres meses me sentía sin encajar en la ciudad, sin rumbo en ella, sin obligaciones. Se me ocurrió sacar con antelación mi asiento del coche de línea que había decidido tomar el sábado para ir a Toledo. Últimamente me había vuelto comodón. Me hacía poca gracia pensar en los trenes abarrotados a los que había subido tantas veces a última hora por la ventanilla, de cabeza, después de un impulso gimnástico, y recibiendo las maldiciones de los ocupantes del pasillo sobre los que caían mi larga persona y la dura caja de madera que guardaba mi equipo de pintor. Había soportado de buen humor, incluso en aquellos tiempos pasados, todos los regresos a Madrid entre el ajetreo de mujeres que llevaban comestibles de contrabando para surtir el mercado negro, y hasta en una ocasión ayudé galantemente a tirar, desde una plataforma, un enorme saco de harina cuando el tren disminuía su velocidad, cierta curva que era un lugar convenido por aquella gente con sus asociados madrileños. Había tragado mucha carbonilla, de pie, apretado entre masas que se trasladaban en aquellos tiempos del hambre, de Madrid a las cercanías en un constante ajetreo. Había subido otras veces a última hora a los coches de línea formando parte de los viajeros «sobrantes», quiero decir de pie y en ciertos momentos agachado por orden del cobrador si se temía que la guardia civil de las carreteras estuviese haciendo una ronda. Todos estos recuerdos de mi turismo artístico-heroico me empujaron a sacar el billete del auto de línea para asegurarme asiento, aunque ya empezaba a haber más facilidad en los transportes.

Era una mañana ventosa y brillante. Yo bajo la cuesta de Atocha y me fijo en la carrera de las nubes sobre el telón del cielo allá, al fondo, en la cuesta de Moyano. De pronto el aire se vuelve oscuro de polvo y forma remolinos, levantando papeles y quitando la gorra a un individuo, que se vuelve tropezando conmigo en su afán de alcanzarla. Me detengo y entonces los veo en la otra acera, al viejo Pérez y a su hija.

Amando Pérez va, como siempre, envuelto en su capa española. Se sujeta con las dos manos el abollado sombrero de fieltro bajo el que revuelan las greñas entrecanas de su melena «al estilo bohemio», y su niña va agarrada a la capa paterna quizá para que no la lleve el viento que infla su, para mí, desconocido abrigo verde. Desde mi marcha a Alicante no he vuelto a ver a aquella pareja. Sé que el edificio de la calle de la Luna, en cuyo último piso habíamos tenido nuestro albergue común en casa de las Martínez, ha sido derruido al fin en mi ausencia, cumpliéndose una sentencia de desahucio que pesaba sobre aquella finca hacía mucho tiempo. Lo primero que se me ocurre al ver por la calle y desde lejos al menudo Amando Pérez es echar a correr. Si me ve estoy perdido; se agarra a mis solapas para no dejarme marchar y me cuenta todas sus desgracias quiera o no quiera oírlas. Pero a Soli, la niña, le tengo afecto.

Y hasta si puede hablarse de amistad entre una chiquilla de aquella edad y un hombre, había amistad entre nosotros. Nunca pude olvidar el día en que la enviaron desde el pueblo en que la habían criado a la casa de huéspedes donde se alojaba su padre. Era entonces una criatura temblorosa, vestida con ropas teñidas de negro y con unas trenzas gruesas y apelmazadas que parecían teñidas también de un luto pobre y polvoriento. Aquella imagen del desamparo que me pareció la niña en un rincón de la cocina, me impresionó, me hizo intentar vencer su miedo huraño de los primeros días en aquella casa desconocida para ella y amaestrarla en mi amistad: era como a un perrillo vagabundo.

Al verla subir la cuesta de Atocha colgada de su padre, la vieja compasión revivió. Incluso me pareció más miserable la niña con aquel abrigo tan feo y tan largo, y sobre todo con su irreconocible cabeza rapada: ella estaba orgullosa de sus trenzas. Yo recordaba ese detalle.

En vez de huir del viejo Pérez crucé la calzada y alcancé a los dos cuando entraban en el refugio de un portal. Siguieron los abrazos de Pérez, el recontar sus lástimas, la penosa impresión de ver a la chiquilla escondiendo su cabeza desguarnecida detrás de la capa del viejo, quien me explicó con cierta confusión que habían tenido que raparla a causa de unas fiebres. Naturalmente, Pérez decidió acompañarme hasta la administración de los coches de línea y la chica se fue tranquilizando y acostumbrándose otra vez a mi presencia. Inesperadamente, cuando iba a sacar mi billete, oí su voz diciéndome que le había prometido llevarla conmigo a Toledo un sábado. Sí —vi que me miraba de reojo—, se lo había jurado. Sí.

—Y tú también eres mentiroso. Te fuiste a tu pueblo y no me llevaste nunca.

Yo estaba seguro de no haber prometido tal cosa a la chiquilla, pero como don Armando la llamó insolente y corrió detrás de ella para darle uno de sus acostumbrados coscorrones, yo detuve aquella mano y le dije que si me daba permiso llevaría a la niña conmigo. Así sucedieron las cosas.

Si no hubiera hecho esa promesa a Soli, si no me hubiera sentido incapaz de decepcionarla, yo no habría ido a Toledo aquél sábado de mal tiempo. No es que me importase mucho la fiesta de las sobrinas del señor Luis, pero sé que hubiera aceptado la invitación. Aceptarla hubiera sido menos molesto que una negativa.

Y allí estábamos, en Toledo, y bajo el aguacero de aquella noche negra. Era lamentable nuestro aspecto al entrar en el restaurante. El abrigo de la niña goteaba agua verde, sus zapatos dejaban charcos fangosos en el suelo y ella temblaba de frío entre las corrientes de aire que llegaban desde lugares misteriosos a aquella habitación y hacían ondular los manteles blancos de las mesas. No había nadie. Sólo nosotros en el pequeño comedor. Empecé a dar palmadas. Nadie acudía. La niña estornudó.

—Este sitio es muy raro, Soli. ¿No te parece?

—No sé... ¿Es que tampoco parece Toledo este sitio? Yo creo que todo esto es la noche toledana, Martín. Mi papá dijo que íbamos a pasar la noche toledana... ¡Mi papá sabe mucho!

El pañuelo, con el que intentaba secar la cabeza empapada de la chiquilla, estaba tan mojado que tuve que escurrirlo. La habitación en que nos encontrábamos no tenía nada de particular, sólo aquel frío de las corrientes de aire, aquel frío de los azulejos que adornaban las paredes, el frío del suelo, el frío de los manteles como fantasmas en las mesitas preparadas para comensales ausentes.

III

Cuando más tarde volvimos al café grande de Zocodover, el local ya no parecía el mismo que la niña había encontrado tan atractivo al mirar por el ventanal. Las señoras con abrigos de garras de astracán negro, las jóvenes con sus peinados «de peluquería» milagrosamente conservados a pesar de la lluvia, los militares... Toda aquella gente «tan rica» había desaparecido. Durante nuestra estancia en el restaurante fantasma, había llegado la hora sagrada de la cena en la ciudad, y aquellos personajes estaban sin duda alrededor de una mesa bajo la pantalla familiar, frente al plato de sopa o de verdura, o lo que quiera que acostumbrasen a tomar los sábados por la noche.

El cambio de escena no me disgustó. Las cosas se normalizaban. Conseguí una aspirina además de la leche caliente con un poco de coñac para Soli sin ninguna dificultad. Le dije que la lluvia pararía muy pronto y que entonces saldríamos de allí. Recordé a Toribio Díaz, el amigo del señor Luis que debía enseñarme al día siguiente el mueble que le interesaba a mi amigo, y fui al teléfono para concertar una cita. En aquel momento se deslizó la sombra de otra pequeña casualidad para borrar mis pasos en Toledo: el teléfono de Toribio estaba estropeado. No vi en eso ninguna premonición. No era un inconveniente grave. Tenía tiempo de comunicar con Toribio al día siguiente. Tiempo de sobra. Tomé una copa de coñac y pedí otra. Zoila, mucho más tarde, me contó que, al entrar en el café, nada más verme, comprendió que yo era el hombre que le había predicho una echadora de cartas: el hombre alto y moreno que iba a encontrar después de un largo viaje, y que por eso me eligió sin titubeos entre todos los que estaban en el local. Pero al revivir esos momentos de calma que precedieron a su llegada, me doy cuenta de que si fue cosa del destino, el destino hizo forzosa su elección: la gran sala del café, con sus luces a medio tono, parecía un cementerio de veladores de mármol y sillas abandonadas. Y aparte de la pareja singular que hacíamos la niña y yo, sólo quedaban en un rincón un grupo de hombres maduros que, según me informó el camarero viejo, eran buenos muchachos, empleados de comercio que tomaban aperitivos extraordinarios (la abundancia de bebida les hacía reír muy fuerte y dar palmadas a cada instante para llamar al mozo —como ellos decían— y contar en voz alta chistes escatológicos), pero que en seguida se marcharían a la venta, a la cena de despedida de soltero de uno de ellos. Además de ese grupo estaban jugando al dominó en su lugar fijo —una mesa junto a una determinada ventana— unos señores venerables que habían llegado envueltos en grandes bufandas y abrigos bajo sus paraguas, y estaba el muchacho grueso que esparcía perezosamente puñados de serrín sobre el suelo sucio. Para completar la lista de los hombres sólo quedaba detrás del mostrador, junto al anaquel de las botellas, el camarero joven escuchando en la radio la retransmisión de un partido de fútbol.

Zoila encontró este panorama cuando empujó la puerta de cristales, y permaneció unos segundos quieta, cerca de aquella puerta, mirándonos a todos. En aquellos momentos de tristeza suave, de tiempo detenido, de luz amarillenta, su llegada causó sensación. Los alborotadores callaron durante un minuto al menos, los señores del dominó interrumpieron su partida y miraron con disgusto aquella figura esbelta sobre los tacones demasiado altos, aquel impermeable cuya materia plástica posiblemente era aún novedad en España y sobre la que resbalaban pequeñas gotas de lluvia. Soli me llamó la atención tirándome de la manga y me dijo en un cuchicheo extasiado: «¡Es una artista de película, Martín!».

La «artista» llamó al camarero, y los cuatro gatos que estábamos en el café seguimos sus menores movimientos. La mirábamos con el mismo asombro que hubiéramos sentido si en vez de una mujer hubiera aparecido un cocodrilo goteando agua del Tajo, y perdido en la fría primavera castellana.

Ésas son las imágenes que tengo de Zoila aquella noche: el blanco impermeable goteante y, cuando el camarero la ayudó a quitárselo, el traje de chaqueta blanco también y muy ceñido a su delgado cuerpo, la melena lisa y larga de color platino, el brillo de una joya en su mano, el pañuelo de seda de colores vivos que le protegía el cuello. Era «de película», como decía Soli. No parecía posible allí.

Pude ver los gestos de desagrado de los viejos señores del dominó. Uno de ellos hasta señaló el cartel amarillento en que se anunciaba que aquel local se reservaba el derecho de admisión. Debían de encontrarla indecentemente provocativa. Y los del grupo de la despedida de soltero también. De allí llegó un silbido seguido de risas. El camarero viejo estaba apurado.

A mí me parecía aquella mujer, con su traje demasiado impoluto y su cara maquillada a la última moda, uno de los maniquís que yo había vestido en mis tiempos de escaparatista de unos grandes almacenes. Comúnmente no me atraen ni me emocionan los maniquís de madera ni los trajes que lucen y ahora sé muy bien que de ninguna manera era yo el tipo que Zoila imaginaba cuando salió del hotel en busca de una *boîte* de moda o una sala de fiestas, «donde se encuentra siempre esa clase de hombres amables y bien portados que pueden inspirar confianza y ayudar a una señora». Pero no había elección posible. Cuando su mirada se fijó en mí me sentí nervioso, quizá hasta envanecido.

Zoila dudó un momento entre ir directamente al teléfono y considerarse vencida, suplicando a su cuñada que le enviasen el coche apenas volviese el chófer a recibir órdenes después de la cena, o dirigirse hacia aquel joven que era yo, vestido de negro «con aire de existencialista, de esos que conocí en París cuando fuimos el otoño pasado para la presentación de *Pulque*». La niñita de cabeza rapada, con aquel abrigo que despedía un ligero vapor de humedad, la hizo vacilar un momento más. Pero Zoila era decidida. La vi cambiar unas palabras con el camarero mirándonos, y me avergoncé. Aparté los ojos. Me dediqué a hurgar en la cazoleta de la pipa. Oí su taconeo decidido y me sentí ligeramente trastornado. Enredé mis piernas en las patas del velador al levantarme y creo que mi piel morena me libró del apuro de que ella me viese sonrojado cuando la saludé y, claro, acepté inmediatamente que se sentase a nuestra mesa para descansar un momento así, acompañada.

De ese modo recuerdo la llegada de Zoila, pero aún faltaba un poco para que comenzase verdaderamente la noche toledana... ese cambio mío, ese desenfoque de la realidad... La noche toledana. Sé cuándo ocurrió: fue en el momento en que aquella mujer, con su voz sorprendentemente cálida y su acento lánguido de Sudamérica, se presentó diciendo que ella se llamaba Zoila Corsi. Creo que entonces me eché a reír y pedí otro coñac mientras servían a Zoila una copa de jerez dulce.

No sé qué dije para disculparme de mi risa, pero ella sonreía también. Desde luego charlábamos porque Zoila estaba muy dispuesta a hablar. Incluso hablaba con la niña, que le preguntó amistosamente si era o no era artista de cine. Y yo intervenía en la conversación dando datos míos que me fueron preguntados. La nueva copa de coñac me sentaba muy bien, me llenaba de alegre diversión. Pero ya no veía yo las luces y el vacío del café provinciano. Estaba viendo un espejismo. Una vez me había ocurrido, cuando hice con Perucho una excursión por tierras gallegas, en la montaña. Cuando menos lo esperaba, entre los montes neblinosos, entre una inesperada apertura de nubes y sol, vi una playa grande, espléndida, solitaria y llena de oleaje y color. Perucho también pudo verla desde mi mismo punto de mira. Reconoció la playa, que, según me dijo, era la playa de la Lanzada y existía realmente al otro lado de la montaña: eso era un espejismo.

Ni Zoila ni nadie podían ver que aquella mención de su apellido me había trasladado a mi otro mundo también de playa, de vacaciones de adolescencia, de chicharras entre los pinos rojizos; al ambiente, para mí tan singular, de la familia de mi amigo Carlos Corsi. Todo ese mundo se había perdido en mi recuerdo, sólo había quedado la imagen de mi amigo admirado y perdido de pronto en un mal recuerdo en el que procuraba no pensar nunca y en el que en los últimos años no pensaba ya nunca. Pero aquel ambiente, aquellas gentes originales que se movían por el jardín y por la casa —unos cuantos personajes que se me antojaban ahora muchos y llenos de colorido, entre los que la vida tenía otro ritmo—... en todo eso pensé mientras Zoila hablaba.

Cuando me di cuenta de ella otra vez, traté de que no se notase mi distracción. ¿No había dicho Soli que ella era artista? Y sí, resultaba que lo era. Artista de la canción, porque para el cine no resultaba fotogénica. Su marido sí que era artista de cine, un artista conocidísimo que estaba nada menos que en la selva ecuatorial venezolana trabajando en una película dirigida por el gran Rilcki. Era increíblemente divertido que las historias de esa señorita o señora Corsi pareciesen continuar las historias de los otros Corsi de mi espejismo. Mientras hablábamos, ella me miraba con cierto recelo, mezclado a una coquetería vanidosa.

—Claro, es posible que usted haya oído el apellido Corsi, es un apellido italiano. ¿Dice que conocía a una familia medio española medio francesa que se llamaba así? Es fácil; los apellidos, como hay tanta gente en el mundo, se repiten. Corsi es de la familia de mi marido, pero al casarnos me gustó más que el mío y además tengo derecho a usarlo, ¿no cree? Pero mi nombre artístico es Zoila solamente; antes me había inventado el nombre de Zoila Dublín, pero fue Rilcki, que es un genio como usted tiene que saber, quien me convenció de que quedaba más lindo el nombre solamente. Mi marido también usa sólo un nombre, pero si se lo digo, como es tan conocido, no lo va a creer. Quizá lo haya adivinado al hablarle de Rilcki... Zoila hizo ademán de taparse la boca, con un azaramiento no sé si real o fingido por haber hablado de Rilcki.

Yo no tenía la menor idea de quién era aquel señor Rilcki. En el mundo del cine era totalmente profano. Cine mexicano, decía Zoila; su marido era mexicano, ella también tenía la nacionalidad, pero era cubana de origen y había vivido en Puerto Rico y en Venezuela. Muchos viajes... ¿A mí no me gustaba viajar?

Hablaba mucho y al mismo tiempo con esa mirada de reojo, esa pausa, ese recelo de no decir cosas antes de tiempo, que a mí me divertía tanto... Soli la escuchaba mientras tomaba a sorbos su leche, me fijé en que la niña miraba, con un entusiasmo de urraca que me sorprendió, la sortija que Zoila llevaba en el dedo: una gran esmeralda que parecía buena y estaba bien montada. El aspecto de aquella señora Corsi era próspero.

A mí más que todas aquellas historias recelosas sobre el

mundo del cine y el nombre no pronunciado de su marido, me interesaba saber cómo aquel pájaro exótico había llegado a esa noche toledana de la lluvia y el café grande de Zocodover. Y ella estaba ansiosa por contarlo. Había llegado a Toledo un rato antes, en un automóvil de alquiler que tenía su amiga Obdulia; sí, alquilado con chófer el auto y a su disposición durante todo el tiempo que durase su estancia en Madrid. Obdulia era una señora importante, riquísima; Zoila la había conocido en el barco; porque embarcaron en Venezuela y llegaron a Barcelona hacía no más de diez días. Se alojaron en el Palace de Madrid las dos, aunque Zoila tenía familia en Madrid (parientes del marido), pero era independiente y quería tener su apartamento propio durante el tiempo que durase su estancia en la ciudad. Porque había venido a España con un contrato profesional. Iba a inaugurar una nueva sala de fiestas en la Cuesta de las Perdices... Pero Obdulia estaba en un apuro y todas estaban en un apuro; tres señoras (aún existía otra señora, sí). Las otras dos esperaban en el mejor hotel que había entonces en Toledo, a ver si se resolvían las cosas... Ya me explicaría.

Tres mujeres en aquel hotel al que habían llegado hacía unas horas en plena lluvia y las tres exasperadas por el encierro y porque en Toledo no se conocía el rastro de alguien a quien había ido a buscar para descubrir, al fin, que aquella dirección que tenían, la de Pepito Díaz Paramera, en la finca Villahermosa, en Toledo, que creían era un chalet propiedad de doña Romualda Paramera, la tía de Pepito, no existía. Pero había un lugar en la provincia que se llamaba Villahermosa. Debía de ser un sitio chiquitito, sin más teléfono que el de la guardia civil. ¿Y qué hacían? Tenían que ir a Villahermosa... El chófer se negaba a llevarlas, aquella noche de lluvia, por carreteras y caminos que no conocía. Se negaba a llevarlas hasta el día siguiente. Y era tan urgente encontrar a Pepito. Por eso ella había apostado con Anita que era capaz de hallar en Toledo a un caballero, un amigo que las aconsejase y en caso necesario les proporcionase un chófer de allí, que conociese bien los caminos. Anita se empeñó en que Zoila era una ilusa si creía que iba a encontrar una *boîte* o una sala de fiestas donde trabar conversación con un caballero así. Además, Anita quería salir a dar un paseo, con lluvia y todo, pero no para nada sino para estirar las piernas, algo inconcebible en aquella noche, y por eso Zoila se adelantó sin esperar al chófer, que había ido a cenar y más tarde quizá podía haberla conducido a donde ella quería. Preguntó al conserje del hotel y le dijo que lo más céntrico de Toledo estaba allí, al alcance de la mano, a dos pasos, y era la plaza de Zocodover. Anita se había quedado riéndose de ella.

De toda aquella confusa historia retuve el nombre de Anita.

—Es mi cuñada, ya le dije, la hermana de Alexis... Y ahora que le he dicho lo de Alexis ya sabe usted todo; yo no quería mezclar en eso el nombre de su marido. Pero ya está, ya lo sabe. ¿Dice que usted no ha oído el nombre de Alexis? ¡Eso no es posible! ¡Si recibe todos los días cartas por centenares desde todo el mundo...! ¿Y de *Pulque*, la película que es medalla de oro interamericana, y que tuvo tanto éxito en París, tampoco ha oído hablar? Pero ¿qué dice? Un hombre culto como usted... Un pintor, un artista... Es el primer caso que encuentro... usted está de guasa... ¿no?

A mí me había chocado el nombre de Anita. Porque era el de la hermana de mi amigo Carlos Corsi, nuestra compañera en algunas correrías; una chica mandona, llena de vitalidad y que sólo en eso se parecía a Carlos. Una chica morena y feúcha, según mi vago recuerdo, en contraste con aquel muchacho que parecía un dios nórdico o poco menos. A mi amigo hubiera sido capaz de dibujarlo: tan claramente recordaba su aspecto; de ella se me habían borrado las facciones, pero se llamaba Anita, y por un momento se me ocurrió que pudiera darse la casualidad de que el espejismo del ambiente Corsi que se me había aparecido en la noche toledana no fuese espejismo y que mis olvidados Corsi resucitasen de pronto. Pero aquel Alexis era un desconocido. Zoila seguía empeñada en no poder creerlo. Repitió a todos que todo el mundo conoce a Alexis. Estaba tan decepcionada que casi me dio pena.

—Bueno, estoy seguro de eso, pero es que yo no sé nada de cine. Tiene que perdonarme, pero de cine mexicano sólo me suena el nombre de Jorge Negrete y el de María Félix, y eso porque es imposible que no suene en los oídos. Yo no sé quién es Alexis, ni quién es usted, ni nada de nada, de verdad. Pero es una ventaja. Usted tiene miedo de que fuese indiscreto. Bueno, pues ya no recuerdo cómo se llama su esposo, Boris o Alexis o el padrecito Stalin para mí resultaría lo mismo. Y me gustaría mucho ayudarla y hablar con esa otra Anita y con la señora distinguida, con Obdulia. Yo sé conducir y podría llevarlas al pueblo ese. Si tienen un mapa de carreteras, no necesito más.

Un rato antes me hubiera parecido increíble estar dispuesto a conducir esa noche, por malos caminos, a tres desconocidas, una de las cuales (aquella Obdulia) debía de ser una histérica o una loca furiosa, ya que Zoila en su charla había contado que no se la podía dejar sola en el hotel porque había intentado suicidarse dos veces aquella tarde. Deseaba encontrarme frente al volante, en la noche, lanzado a aquellos absurdos. Yo el cauto, el desconfiado Martín. Y además me había olvidado de la niña, Soli, a quien vi de pronto entusiasmada.

—Sí, vamos en coche, Martín; vamos en coche.

Vacilé.

—No sé. Bueno, no sé. Tú podrías quedarte tranquila si te acomodásemos en la Fonda Vieja; mis amigos cuidarían de ti.

—No, Martín, yo quiero ir...

Zoila también consideraba el asunto. Miraba a Soli y me sonreía luego vacilante. Me parece que sólo le importaba de momento ganar su apuesta.

—Vengan al hotel, hablen con Anita. Ella les explicará mejor. Tal vez sea más razonable esperar a mañana si se puede convencer a Obdulita, pero más podrá usted convencerla que nosotras. ¡Es una suerte tan grande tener un hombre que nos aconseje!... Las mujeres solas no hacemos más que enloquecernos unas a otras. ¿Verdad? ¿Quiere que llame al hotel para que nos envíen el auto en cuantito llegue el chófer?

La idea de esperar a un coche para que nos llevase dos manzanas más allá de Zocodover me dio risa. Zoila me explicó suspirando que para ella había sido una agonía llegar hasta el café con aquellas piedras del pavimento de las calles, en las que resbalaban los tacones. Todo el camino agarrándose a las paredes incluso, para no romperse un tacón, y hasta rezando. ¿Podía creerlo? En aquel pueblo, Toledo, le había dicho Anita que se rezaba mucho, que lo que había que ver en Toledo no era ninguna *boîte* sino la catedral, que era magnífica, y Zoila lo tomó como broma de mal gusto. ¿Por qué me extrañaba yo? Las catedrales no le gustaban a ella. Cada cual tiene sus gustos. Sin embargo, había rezado. Cuando tenía miedo creía en todo.

Salimos de aquel local seguidos de la expectación de algunas tranquilas familias que habían ido llegando para tomar un café antes de la última sesión de cine. Nuestro trío no era corriente. Creo que hasta hoy día habría llamado la atención aquella llamativa joven del impermeable blanco, y la niña de la cabeza rapada y abrigo húmedo y desteñido apretadas contra mí. Y sin embargo, nadie me vio en el Toledo de aquella noche lluviosa, de aquel año en que no ocurría nada en Toledo sin que se enterasen desde el último mono hasta el señor arzobispo. Buscaban las huellas de otro Martín seguramente; cuando me buscaban, a nadie se le ocurrió preguntar por un hombre acompañado por una niña de cabeza rapada. Soli era quien fijaba la atención sobre ella.

Bajo las arcadas la niña me dio la mano cuando Zoila se agarró fuertemente a mi brazo. Aspiré profundamente el aire de la noche. La placita tranquila y solitaria con sus piedras mojadas donde se reflejaban los faroles, me volvió por un momento a mi vieja sensación del encanto de Toledo. La lluvia había cesado, pero el aire fresco que hacía agujeros en las nubes nos trajo a la cara algunas gotas de agua. Me sentía muy contento.

Allá arriba, al fondo de un pozo, entre nubes de gasa negra, aparecía una luna viuda, en cuarto menguante. La luna de la inicial de los Corsi. De otros Corsi. Le hice una ligera mueca a la luna en forma de ce. Daba lo mismo el cambio de personajes. Al parecer, lo que volvía todo al revés era aquel nombre. De todas maneras, pensé, aquella Anita de los años de mi bachillerato me hubiera sido una desconocida total: ni siquiera recordaba sus facciones. Sólo recordaba su cuerpecillo de bailarina de ballet, sus gestos al atarse las alpargatas estirando una pierna, doblando la cintura.

Pero aquel vagar por Toledo con la niña y aquel encuentro con el frío del restaurante del duelo y la fantasma que nos hizo correr a Zocodover y encontrar a Zoila me hizo encontrar a Anita Corsi. No otra Anita, sino la que había aparecido en mi espejismo.

IV

La noche toledana. Soli me contó aquel cuento en el restaurante donde nos recibió una camarera asustada; una mujer flaca que, en seguida, nos habló de muertos. Antes nos dijo que no era hora de cenar. Después echó una mirada a Soli y a sus zapatos, y a las huellas fangosas que había dejado la niña en el pavimento, y al ver que yo estaba decidido a quedarme allí, a esperar lo que fuese antes de volver a la lluvia con la chiquilla, pidió con voz lamentosa que nos fuésemos, que aquella noche sólo habían abierto para unos clientes, pero que había un muerto en la casa.

—¿De cuerpo presente?

—No, señor, está enterrado, pero... Váyanse, no habrá bastante cena...

Noté el miedo de la niña, encogida contra mi gabardina, y dije que no nos asustaban los fantasmas, que ya habíamos corrido demasiado bajo la lluvia y que nos quedábamos. Queríamos cenar lo que hubiese. Queríamos, si era posible, que nos trajesen un brasero, algo para calentar aquella nevera. En un rincón había una chimenea sin leña ni rastros de haber tenido fuego nunca, y hacía falta un poco de fuego.

La camarera me miró con más susto que antes y dijo que consultaría con el ama.

Esperé mientras la mujer iba a hacer su consulta. Me quité la gabardina, di unos cuantos paseos hacía la ventana, y vi que seguía cayendo el agua. Soli se acercó a mí y preguntó si el muerto enterrado que estaba en la casa, no se nos aparecería, entre tanto llover y tanto llover...

—Soli, todo eso son bobadas. No sé qué pasa esta noche, que las cosas se complican tanto pero aquí no hay más fantasma que esa camarera que parece que gime al hablar.

—Eso es la noche toledana. Yo me quiero marchar... Me da miedo la noche toledana...

La mujer flaca del delantal blanco apareció de nuevo haciendo sonar los nudillos de sus manos al estirarse los dedos. Sus palabras eran bruscas, como las de cualquier castellano que se precie cuando está confuso. Su tono seguía siendo un lamento.

—Que se vayan, dice el ama, que esto está abierto por orden de don Julián, pero que no recibe más que a gente conocida, a ustedes no les conocemos.

Me enfadé sin hacer caso de Soli, que tiraba de mí, y corrí detrás de la camarera que se escapaba por un largo pasillo en busca del ama otra vez. Así llegué hasta la cocina, de la que vi salir un reflejo de luz temblorosa en la revuelta de aquel pasillo.

Me alegré de que Soli hubiera quedado en el comedor porque en aquella cocina, en efecto, había una reunión de duelo. Un corro de mujeres vestidas de negro, sentadas rezando el Rosario, y en el centro, donde no había túmulo ni mesa alguna, una serie de velas encendidas pegadas al suelo con su propia cera. Una de las mujeres —seguramente el ama— se levantó al verme y me mandó al comedor.

—Si no le da respeto el difunto, vuelva a su mesa y se le servirá. Pero confórmese esta noche con lo que se le dé...

¡Qué mujer! Me hizo pensar en salir corriendo otra vez, pero recordé los estornudos de Soli.

—Señora, es por la lluvia. Necesitamos unas toallas para secarnos un poco en los lavabos... No se puede despedir a nadie así, en un lugar público.

—Vaya al comedor si quiere, pero esto es una casa de comidas, decente y nada más. Aquí no hay lavabos; si quiere pasar al corral, la sirvienta le indicará. Pero otra cosa no hay.

No me dio ningún gusto pensar en el corral. No tenía necesidad de ir a recibir más agua en la cabeza entre cacareos de gallinas. Lo que necesitaba era secarme.

—¡Qué noche! —le dije a la niña—. Pero no te asustes, es mejor tomar algo aquí, resguardados, que buscar otro sitio para cenar mientras llueva tanto... ¿No crees? A ver, ¿ya no estás asustada?

Nos secamos las cabezas con las servilletas adamascadas y hasta nos reímos. Pero la niña me habló otra vez de su papá, que ya le había advertido que íbamos a pasar una noche toledana que dura dos noches con un día en medio... Y ella no sabía muy bien si eso iba a ser bueno o a ser malo. Parecía más bien malo, más bien aburrido, pero qué íbamos a hacer.

A mí también me había advertido aquel histrión de Amando Pérez: «Usted, Soto, no sabe lo que es llevar a una criatura a cuestas todo un día. Dios le proteja. Quizá comprenda lo que es mi vida después de ese fin de semana. Tengo que advertirle: está a tiempo de volverse atrás. Esa criatura es de lo que no hay. Mala. Se lo digo a usted. Y hay que estarla cuidando para que no se meta debajo de un coche, para que no enferme... En fin, allá usted, pero comprenda que sobre sus hombros recae la responsabilidad de lo que pueda ocurrirle a mi hija. Tenga en cuenta que es lo único que tiene en este mundo, un pobre viejo desgraciado si los hay».

La pobre Soli no me parecía mala en absoluto; se había portado con una docilidad conmovedora. Y si estaba asustada no era para menos entre aquel aire frío con aquellos fantasmas hablando de muertos. Además de asustada estaba resfriada y estornudaba, moqueaba y se sonó con una servilleta. Desde luego, yo no la había cuidado bien. Su nariz estaba afilada. Parecía una cigüeñita triste.

—¿Qué decías antes, Soli, de la noche toledana?

—Pues eso. ¿Tú no lo sabes? Cuando mi papá se levanta tosiendo o con dolor de muelas, dice que ha pasado una noche toledana. ¿Tú sabes por qué se dice eso cuando se ha pasado una noche que parece muy larga, larga?

Sí. Yo sabía la leyenda del gobernador árabe Amru, que mandó cortar en Toledo trescientas cabezas de enemigos en una noche perdida en los siglos y que es el supuesto origen de esa frase de «una noche toledana» como sinónimo de mala noche. Se lo conté muy orgulloso. Así la distraía. Se animó, pero me contradijo.

—¡No lo sabes! ¡No es así! Si te cortan la cabeza no pasas una noche larga sino corta, porque te mueres y se acabó. Mi papá me lo contó. La noche toledana dura lo mismo que dos noches con un día en medio, así que...

A Soli le gustaba mucho hablar, como al viejo Pérez, pero mientras que el viejo me había resultado siempre insoportable, la chiquilla me conmovía. Y la dejé hablar y la escuché entre escasas interrupciones de la camarera, que nos sirvió un pisto tibio y grasiento, y mucho más tarde unos aceitosos huevos fritos. No era cosa de protestar, y no protesté. Aquellos momentos de la noche fueron todos para Soli, conseguí verla no sólo tranquila sino a gusto, con los ojos espabilados y sintiéndose importante. Me hacían gracia sus disparates y sus pantomimas. Y ella lo notaba, y le brillaban los ojos.

—Es que mi papá lo sabe todo. Como es poeta y escribe todo lo que la demás gente no sabe, en los periódicos, por eso sabe tanto, y es amigo del emperador Carlos Quinto y tiene una fotografía en que el emperador está con sus pantalones bombachos y todo.

El cuento que don Amando había contado a Soli lo ambientó en la época en que Toledo era corte imperial, y resultaba una confusa mezcla de comedia grotesca y novela de la picaresca del hambre.

En ese tiempo vivía en Toledo un caballero (también con pantalones bombachos, anchos así y sujetos con medias. «Ya sé, Soli, cómo se vestían en aquel tiempo») que tenía un palacio muy grande, «pero muy vacío porque era pobre».

—Pero nadie podía saber que era pobre porque entonces no se hubiera podido casar con una señorita rica, ¿sabes? Y los criados se disfrazaban de mendigos y salían a pedir limosna para que comiera el caballero y comer ellos también, y para que cuando se casase les pagara el sueldo. En mi pueblo también había un hombre así. Y se casó con la viuda de don Marcial, ¿sabes?

¿Cómo iba a imaginar yo que el restaurante de los fantasmas y el sorprendente duelo que encontré en la cocina se iban a borrar inmediatamente de mi mente y, en cambio, el cuento disparatado de la chiquilla iba a calar en mi recuerdo y la frase aquella de la noche toledana me seguiría como una musiquilla pegadiza imposible de olvidar?

El caballero tenía un pariente, un hidalgo campesino que

le mandaba todos los años, por Navidad, «por lo menos un jamón», y el caballero le mandaba a su vez con el recadero una carta dándole las gracias y diciéndole que cuando quisiera podría disponer de su casa de Toledo.

—Él se creía que no iba a venir nunca a Toledo el hidalgo, pero una tarde se presentó montado a caballo y dijo que venía a pasar una temporada muy larga en la corte, porque eso de corte quiere decir que vivía el emperador entonces aquí. ¿Lo sabías? Ah, bueno...

Soli, que había dejado la mitad del primer plato sin comer, decidió hacer comedia en mi honor; se levantó de la silla y empezó a hacer gestos desesperados llevándose las manos a la cabeza: eran los gestos del caballero toledano y sus criados, hasta que se les ocurrió la idea de ahuyentar al huésped indeseable con la invención de la noche toledana.

—Trajeron mucho vino que tenían en la bodega y reunieron todas las limosnas de pan y aceite y sardinas en lata y todas esas cosas buenas que les habían dado, y le dijeron al hidalgo que ellos ya habían cenado porque en Toledo se cenaba tempranito. Y en el vino le pusieron a aquel hombre unas yerbas para dormir, y en seguida tuvo sueño. Lo metieron en una habitación sin ventanas, y lo acostaron. Y cuando fue el día siguiente, ya a mediodía, el hidalgo se despertó y estaba a oscuras como si fuera de noche y llamó muchas veces porque tenía hambre.

Soli se había aprendido de memoria todos los detalles del relato y contó la escena las tres veces que según ella se repitió. El huésped llamaba y aparecía un criado tembloroso en camisa de noche y con un farol en la mano y pedía por Dios que se calmase el hidalgo, porque faltaba mucho para amanecer y el emperador había prohibido que durante la noche hicieran ruidos en las casas y también que nadie saliese a la calle y que nadie encendiese las cocinas.

—Y eso no era verdad, pero el pobre hidalgo se lo creyó porque era tonto y decía al final, desesperado, que llamasen a su primo el caballero toledano, y cuando ya era otra vez de noche llegó el primo, también en camisa de dormir, y le dijo lo mismo que los criados: que faltaba muchísimo para amanecer.

Soli volvió a levantarse de la mesa en el momento en que

entraba la camarera con la bandeja de los huevos fritos, pero estaba tan entusiasmada que no vio a la mujer, sino que se puso de rodillas para imitar el ruego del hidalgo de provincias de que al menos le llevaran a algún sitio donde pudiese ver ese amanecer tan deseado.

La camarera se santiguó y murmuró algo así como: «cómicos tenemos en la casa», dejó la bandeja sobre la mesa y se marchó. Yo quise que la niña comiese algo. Pero no quería más que contar su cuento.

—Y entonces llevaron al hidalgo a una galería abierta que daba a un jardín interior y le dejaron allí sentado en un sillón muy duro, muy duro, sin cojines ni nada y se quedó con la boca abierta porque era de campo y entendía el cielo y veía que faltaba mucho para amanecer. El dueño de la casa le dijo que tuviera paciencia porque las noches de Toledo no eran como las noches de otros lugares. «Primo mío —decía Soli accionando—, primo mío, la noche toledana es distinta, es una noche muy larga, muy larga...» Una noche que duró dos noches con un día en medio —recalcó Soli—, y al amanecer del segundo día el caballero del pueblo no quiso saber más de Toledo, dijo que nunca más volvería a pasar una noche toledana y se montó en su caballo y se fue a galope, y no quiso desayunar y todos se alegraron y todos se rieron. Y fin.

Soli no había comido casi nada, y eso me preocupaba. En los tiempos de nuestra amistad en el hospedaje de la calle de la Luna la había visto devorar condumios mucho peores que el que nos habían servido aquella noche. Además, estornudaba continuamente. Me resultaba muy desagradable imaginar la cara del viejo Pérez si yo le llevaba a la niña con una pulmonía. Había oído contar a unas mujeres que los niños cogen una pulmonía al menor descuido: en cuanto se mojan, «las madres siempre están temblando».

Por primera vez notaba las angustias de la responsabilidad maternal o paternal. ¡El abrigo de la niña estaba tan mojado...! Miré con inquietud hacia la ventana. Me pareció que la lluvia había amainado, pero yo quería hacer algo por la criatura antes de volver a la Fonda Vieja. Si aquel restaurante no hubiera sido tan poco propicio, habría pedido consejo a la camarera. Pero resultaba imposible. Recordé al fin que mi abuela me cortaba los resfriados en mi niñez con un vaso de leche muy caliente con azúcar y un chorro de coñac. Y después de dar muchas palmadas y hasta voces, empujando la puerta misteriosa y asomando la cabeza al pasillo oscuro, conseguí que volviese la camarera y le pedí lo que necesitaba la niña.

—Aquí no hay de eso. Si quieren mazapán de postre se lo serviremos, pero esto no es una lechería ni un bar. Vayan a un café si quieren leche. Ahí a lo mejor le sirven de eso.

Era el momento. Quizá estaba escrito, como dicen los mahometanos. La niña y yo pensamos al mismo tiempo en el café grande de Zocodover.

La lluvia era mucho menos fuerte cuando corrimos de nuevo. En este preludio de la noche toledana siempre me veo corriendo bajo los hilos del agua. Siempre rechazados la niña y yo: dos siluetas grises entre la lluvia gris y el cielo negro. Dos pájaros atontados y con la orientación perdida. Pero en aquella última carrera ya llevábamos rumbo fijo. Después del frío del restaurante, las palabras heladas de la fantasma me hicieron desear de pronto la luz y la tibieza y hasta las voces y el calor de seres humanos y vivientes del interior del café, que un rato antes había evitado con toda decisión.

Como es natural, la niña no sabía el camino. Yo la llevaba, pero su impaciencia iba dos pasos delante tirando de mi mano como si fuese ella mi lazarillo en ese Toledo extraño y rezumante de humedad, en el que yo me movía vacilante y como ciego.

V

«Tan loco, paseando a esa niña que tiene cara de gnomo astuto, bajo la lluvia... Te reconocí en seguida. Supe que eras de la familia. Un verdadero Quijote. Dispuesto a hacer ganar a Zoila su apuesta llevándonos al fin del mundo... No es que te reconociese a ti, Martín, porque claro, yo no pensaba en aquella playa de la infancia, y además te has hecho un hombre tan diferente de aquel chiquillo... pero supe que eras como nosotros, una persona nuestra.»

Nadie me consideró loco en el sentido que lo decía Anita, hasta la noche toledana. En realidad yo era loco, si ser loco quiere decir tener un mundo íntimo distinto al de los demás, pero mi locura terminaba en los límites de mi frente. En la vida era cauto, tranquilo, y no me había batido nunca con los molinos de viento. Prefería escaparme de la gente que oponerme a ella con una lógica mía que sabía diferente de la de las personas que me rodeaban. Quizá no me gustara el mundo ni el tiempo que me había tocado en suerte vivir, pero tampoco acababa de darme cuenta de ello si era así. Pasaba distraído entre la gente de la calle y entre gentes que veía a menudo también. A veces, los notaba tan seguros con sus intereses pequeños, tan felices con sus logros, que pensaba que quizá tuvieran razón todos menos yo.

«Tan loco, dispuesto a todo...»

Quizá considerara yo lejano y fantasmal el mundo de la gente que se sostenía con los pies bien puestos sobre la tierra, que se regía y que invocaba las leyes sociales escritas y las no escritas de lo que es bueno y lo que es malo, esté admitido o no admitido. Y en cierta manera yo llevaba en mi educación, en mi sangre, algunas normas de aquéllas grabadas hondamente. No, no fui rebelde. Claro que Anita no dijo rebelde, sólo eso: loco como don Quijote.

Pero fue más tarde. En el momento en que Zoila entró a buscarnos al café grande de Zocodover, la niña aún no había recibido su sobrenombre de Gnomo Astuto, y yo era aún un joven reservado y amable, el joven a quien nunca nadie exceptuando el señor Luis le había conocido líos ni escándalos, ni siquiera excentricidades de artista, como apuntó el señor Luis en su desconcertante diario policiaco.

El señor Luis, a pesar de saber cosas que casi me sonrojaron cuando el diario me las hizo recordar, me consideraba incapaz de «esas locuras propias de la edad». No me creía ningún don Quijote dispuesto a batirse con los molinos de viento. Anita sí.

«Ningún asunto que pudiera haber provocado una huida —dice ese diario—. Lo más que se podía decir de él, en contra, era su poca paciencia para conservar los empleos malos y eventuales que siempre se las arreglaba para conseguir. Y ninguna ambición para labrarse un porvenir. Y una timidez que casi era enfado cuando se le indicaba que debería conocer a gente que pudiese ayudarle en su camino, que era, según él, el de su pintura. Entre mis clientes tengo yo buenas amistades y le ofrecí a aquel chico presentarle a algún señor de los que otros se darían con un canto en el pecho por conocer. Pero él rehuía todos esos encuentros. Decía que hasta que no estuviese satisfecho con su obra, no quería enseñarla. Quitando algún amiguete estudiante de los del Ateneo, parecía que los intelectuales y los artistas le daban miedo. Ni siquiera cultivó la amistad con los compañeros de la escuela de Bellas Artes. En eso era muy especial. Pero de su honradez no se podía decir nada. En eso era como un funcionario de los de mi época. De los que decíamos probo funcionario. "Probo artista", le llamaba yo. No sé cómo se las arreglaba para no tener deudas nunca. Era una mezcla de cosas interesantes el muchacho, pero ninguna de ellas peligrosa. Y era educado y agradecido a nuestra familia. Decía siempre que habíamos hecho mucho por él y pagaba como podía el plato de comida que siempre tuvo en la mesa de mi hermano Joaquín: más de cuatro paisajes que hubiera podido vender, se los regaló a mis sobrinas, allí los tienen adornando la sala. A mí me correspondió también con cuanto pequeño favor podía hacerme y sirvió de mucho en muchas ocasiones cuando se trataba de peritaje en la antigüedad de muebles o de cuadros, porque es entendido en eso. Lo comprobé muy bien y le dije que su porvenir estaba en el peritaje artístico y que podía ayudarle, pero no me hizo caso.

»Empecé a tomarle confianza al fin y al cabo. Al principio me parecía demasiado santo para que fuera verdad. Un chico que no se emborracha nunca, que no se divierte siquiera en una juerga —todo lo más que supe en ese sentido fue lo de las comidas, de cuando en cuando en una tasca con los amigos, estudiantes tan sosos como él, y algunas muchachas de esas también estudiantes y, si me apuran, con gafas gordas y algo marimachos—. No tenía novia y me confesó con inocencia que no quería casarse y que por eso no había intentado ningún noviazgo. Quería ser libre para poder vivir así, sin cargas ni preocupaciones, con su pintura y su pobreza. Una especie de santo o de ave fría.

»Tengo amigos por todas partes y como pensé que, aunque no lo parecía, bien pudiera tener tendencias hacia los hombres en vez de tenerlas hacia las mujeres, quise averiguarlo. Si era así, aunque él mismo no supiera nada y me parecía que no lo sabía, llegaría un momento en que se le conociese algún asunto. Lo que averigüé me hizo tacharlo de la lista.

»Averigüé que no era tan santo. Dos veces me avisaron que le habían visto en el bar de Lavapiés, un sitio de los más tirados, un antro para coger enfermedades, para vomitar de asco. El muchacho tuvo allí sus desahogos detrás de la cortina. Comprobado. ¡Vaya lugar que eligió! Pero no fue con hombres, sino que se atrevió con esas tías de a perra chica que a mí en mis tiempos me hubieran hecho correr dando berridos de miedo de sus cataduras. Hubiera preferido yo cualquier otra debilidad en el muchacho, y al pronto me decepcionó. Luego lo comprendí. Y me callé como un muerto. Ni le menté el asunto, y además me quedé tranquilo de que no fuera tan santo y me entró confianza de que, aparte de que si se descuidaba podía pescar algo malo —y hoy se cura todo eso con la penicilina—, aparte de eso, Martín no era atrapable por las debilidades corrientes. Él, en eso, a lo bestia. Y que yo supiese tampoco tenía enviciamiento. Soy viejo y he corrido mucho dentro de mi modestia y sin dar escándalos. Yo, cuando recuerdo lo del bar y el rincón mugriento detrás de la cortina, estoy seguro de que Martín no se escapó a estilo romántico con una mujer casada como pretenden mis sobrinas, las inocentes. Lo más tirado sirve a veces de contrapeso a lo más puro. Yo me entiendo. Ahora dice mi sobrina Paloma que eran novios en secreto ellos dos y que el muy sinvergüenza se libró del compromiso abandonándola de pronto. Y no lo creo. Pienso que el muchacho no tenía por qué tener secretos de noviazgo cuando a mí me hubiera complacido mucho ese asunto. Y que de haber noviazgo hubiera sido para matrimonio a las claras, que Martín, si podía apencar con las tipas que consienten en el bar al que me refiero, es que no quería compromisos y no tenía necesidad de buscar desahogos más románticos y más peligrosos que las enfermedades. Porque si creo en algo que él no es capaz de hacer, es eso de causar una deshonra de familia. Líos de mujeres, ni buenas ni malas, no creo que los tuviera. Asuntos políticos, por lo menos que se hayan podido averiguar, tampoco. Pero de todo lo que he sabido después de la desaparición —y que es bien poco para quien como yo suele averiguar todo lo que le interesa—, iré dando cuenta en este diario, tomándolo del libro de notas donde apunté lo que hice por saber su paradero, día a día.»

Transcribo estos párrafos del prólogo del diario policiaco porque repentinamente se inmiscuyen entre las imágenes de la noche toledana en mi propio recuerdo algo idealizado, lo reconozco, de mi juventud y sobre todo porque me produce asombro que no averiguase el señor Luis mis nada ocultos pasos de aquel tiempo, cuando antes llegó hasta encontrar mis más secretos pozos negros, las andanzas encubiertas a todos y casi a mí mismo —mis pasos olvidados como malos sueños, pero que fueron ciertos, desahogos bestiales y esporádicos en contrapeso de una vida quizá demasiado inocente— según también la expresión del señor Luis. Pero que él averiguara tales cosas y que después del día 15 de abril perdiera mis huellas, resulta incomprensible.

¿Le hubiera contado yo al señor Luis, cuando volví a

verle, una aventura de tipo negro si hubiese sido la causa de mi desaparición? Nuestras cordiales relaciones eran amistosas, pero totalmente superficiales. Jamás sospeché que su interés por mí estuviese teñido de una curiosidad tan aguda y clarividente, ni creí psicólogo a aquel hombre. Ni con tanta inteligencia, ni siquiera comprensivo...

Después de su muerte, cuando el notario me envió el diario en un paquete lacrado que guardaba para mí, fue cuando la personalidad del tendero me inquietó.

Sólo hace un año que recibí el diario y me hizo pensar por primera vez que algo misterioso al estilo de las novelas de ficción científica parecía haber intervenido en mi vida: un cambio que supuso un paso fuera del tiempo. No sé. Pero ¿quién o qué me hizo invisible y me ocultó a persona tan preparada en averiguaciones de las vidas ajenas como el señor Luis? Quizá se desinteresó pronto por mí. El diario comienza en julio, cuando ya había dejado de hacer averiguaciones, y junto a este misterio está el de mi olvido, tan difícil de explicar.

Si realmente hubiera habido misterio, secreto, aventura en el hecho de mi olvido de amistades y costumbres adquiridas en mi vida anterior a la noche toledana, quizás el día en que volví a ver al señor Luis le habría contado lo que fuese. Si no pude hacerle un relato de mis andanzas era porque yo mismo no entendía entonces aquel olvido repentino; un olvido que no tenía justificación porque nada había ocurrido que lo justificase. Y que me hacía sentirme incómodo en presencia del señor Luis. Preferí hacerle creer que había estado en Venezuela; que tuve amnesia... Lo que él quiso. Y así me aparté, a fuerza de equívocos, de su amistad, sin pena de su parte ni de la mía.

Yo mismo cerré la memoria a todas las nimiedades de mis primeros pasos en la noche toledana y lo demás que siguió, o al menos una gran parte de todo aquello. Hechos sin sustancia, naderías. Detalles que me parecieron idiotas una vez perdido el incomprensible encanto que tuvieron para mí. Esos desechos de celuloide, esos sobrantes en la película del recuerdo de mi vida son los que hoy intento proyectar en la pantalla de la memoria, los que hoy me parecen, aun en su confusión, tan vívidos y tan cercanos.

Yo a Anita la reconocí inmediatamente. No había cambiado tanto. Aunque era poca nuestra diferencia de edad las mujeres se hacen antes. Ella era una mujer ya cuando dejé de verla. La reconocí aunque cinco minutos antes me parecía que no recordaba sus facciones.

¿Por qué cuando aparece Anita en la puerta del saloncillo donde la esperábamos se interpone otra figura, como en esas fotografías en que el cliché ha sido impresionado dos veces?

Es un absurdo de la memoria. Una película estropeada. Pero aquí están las dos imágenes. La más antigua es la de Soli en la cocina de las Martínez. Se une a la otra, no sé por qué.

Doña María y doña Matilde Martínez eran las dueñas de la pensión; los huéspedes las llamábamos las Emes, a sus espaldas, aunque creo que ellas lo sabían de sobra. La casa donde vivíamos, creo que lo he dicho, era un edificio ruinoso. Las escaleras crujían, olían a las comidas de los últimos inquilinos resistentes. Eran unas escaleras temblequeantes y apuntaladas con grandes vigas negras. El piso de las Emes quedaba bajo el tejado. Además de ellas y Paca, la criada patizamba que parecía sacada de un dibujo de Eduardo Vicente sobre tipos populares madrileños, resistíamos valientemente allí tres huéspedes. Los otros dos eran: un viejo alto de voz bronca y barbas blancas al que llamaban don Vicente el carlista y otro viejo menudo, astroso y charlatán, que se llamaba don Amando Pérez. Eran enemigos políticos y casi siempre, al levantarme de la mesa para salir corriendo a la calle, los dejaba yo discutiendo (a gritos y puñetazos en la mesa el carlista, y con voz incisiva don Amando) sobre las atrocidades de la guerra civil. Pero aunque parezca raro no se aborrecían en el fondo y el carlista había firmado avales a favor de don Amando. A pesar de eso, a don Amando todo le iba mal y todos lo sabíamos porque sus desdichas eran el centro de su conversación: en el periódico *La Tarde*, donde trabajaba, no le ponían en nómina porque aún no estaba depurado políticamente. Sus enemigos, envidiosos, le acechaban; los reportajes que a veces le encargaba el director eran escamoteados por los compañeros y se publicaban cuando ya habían perdido vigencia. Y mil cosas más. También contaba la historia de su viudez. Había estado casado con una tal doña Soledad, una señora inmensamente gorda, que conocí en una fotografía. Como en los cuentos, vivieron muchos años felices, sin una sola discusión. Suponíamos todos que sólo hablaría don Amando en un monólogo animado y continuo cuando estuvieran juntos. Cuando aún no habían empezado sus desdichas. ¿De qué hablaría? ¿Contra quién se enfadaría aquel hombrecito menudo? Doña Soledad conservaba el piso, que era, según don Amando, un pisito «coquetón y bien alhajado», limpio como una patena, y dejaba hacer a su marido la «vida bohemia» de cafés y amigos, sin una sola queja. Sin hijos que los estorbaran, vivían «como reyes». Luego llegó la catástrofe. Durante la guerra perdieron el piso en un bombardeo, lo perdieron todo. Don Amando sólo conservaba de sus pasadas glorias una capa española, y eso gracias a la costumbre de la bendita doña Soledad de empeñar aquella capa en el Monte de Piedad cada verano, porque decía que era la mejor manera de conservarla libre de polilla. «Pues bien» —don Amando usaba esta expresión en sus relatos—, a los veinte años de matrimonio feliz sin hijos, recién terminada la guerra, cuando estaban viviendo como realquilados en una habitación miserable y sin más entradas que las que proporcionaba el trabajo de doña Soledad, que llegó hasta a hacer faenas de asistenta además de las de costurera a domicilio, en aquel periodo espantoso en que doña Soledad estaba enferma y hecha un esqueleto, se quedó embarazada.

—¡Dantesco, Soto, dantesco!... Llegué a pensar mal de aquella santa, dije que lo que iba a venir no era mío. Pasábamos hambre, llorábamos. El dueño de la casa donde estábamos realquilados nos quiso echar, y no nos denunció porque él tenía más cargos que yo, si se va a ver, en cuestión política; pero un día sacó un cuchillo para amedrentarme y mi mujer, doña Soledad, acudió con una tranquilidad pasmosa y se interpuso entre el cuchillo y yo, y sin hablar palabra le quitó al hombre el cuchillo de las manos. Escenas infernales, Soto. Infernales del Infierno de Dante. Y de pronto, al final de aquel embarazo de pesadilla, llego yo un día a mi casa, es decir, al miserable cuarto aquel donde se acumulaban nuestros trastos y el infernillo de petróleo para hacer la comida, donde no cabíamos ni nosotros dos, y me encuentro a mi cuñada Juana la del pueblo que dicen que es una santa, pero como todas las santas, más mala que la quina, más seca que un cardo y yo no la pude tragar en mi vida. Estábamos peleados, no nos hablábamos, yo no la había visto en años... La encuentro allí, tiesa, instalada como una reina, y me dice que se queda con nosotros para atender a su hermana. Las dos mujeres dormían en la cama, y yo en el suelo en un colchón; y además la bruja aquella, con sus decencias, complicaba las cosas cada noche atando un cordel a dos clavos de la pared para colgar una cortina y que así no se viese la cama desde mi colchón. Yo estaba como loco y ella, encima, rezaba el rosario en voz alta detrás de la cortina. Yo la llamaba bruja, ignorante, tragasantos, y le decía que rezara porque muriera aquel aborto infernal que iba a venir.

»Pues a Dios tengo que dar gracias que estuviera con nosotros la bruja esa que tanto me hizo sufrir, que odié como a nadie en aquellos tiempos; porque la hubiera matado si hubiese podido, ésa es la verdad. Porque yo no estaba bueno de la cabeza. Ni de nada. Yo estaba muriéndome, sí, muriéndome. Pero tengo que humillarme y reconocerle gratitud a Juana y sé que se portó bien. Porque Dios me castigó en mi locura y el aborto infernal no murió al nacer y en cambio murió mi santa doña Soledad, que Dios tenga en su gloria; y si me tengo que quedar con aquella criatura, aquella niña que era como un conejo desollado, yo hago un crimen, una tragedia, porque mato a la criatura y me mato. Pero la Juana se llevó la chica al pueblo, y en eso estoy agradecido. Por mucho que me fastidie, le estoy agradecido a esa bruja.

Esta historia, cambiando los detalles, adornándola de mil maneras y con grandes dramatismos, don Amando se la contaba a todo el mundo. Tanto la contaba que mucha gente le llamaba el viudo Pérez. Era imposible no conocer esa historia de la viudez si se había vivido cerca de don Amando algún tiempo. Pero lo que había sido de la niña, la pequeña Soledad, yo no sabía nada más, ni me importaba. En realidad, en casa de las Emes, aparte de para dormir y comer, yo no estaba nunca. La pensión, por las circunstancias del desahucio, era muy barata y estaba en la calle de la Luna, en el centro de Madrid. Fue una de las muchas pensiones en que viví. Si sus personajes se me han quedado grabados en la memoria, creo que se debe a mi encuentro con Soli.

Fue un mediodía de invierno. Nada más entrar en la casa,

el largo tubo del pasillo me trajo a los oídos los gimoteos de don Amando y voces apaciguadoras que le contestaban. No sabía yo qué nueva tragedia le había ocurrido al viejo Pérez, pero me detuve en el pasillo y escuché lo suficiente para darme cuenta de por qué el señor Pérez andaba tan preocupado desde hacía algún tiempo y se escondía cuando llegaba el cartero, como si esperase una bomba en el correo. La cuñada santa (o bruja) del pueblo había muerto de repente. El párroco había escrito a don Amando varias veces para que fuese a recoger a su hija, que había quedado abandonada. Ahora lo estaba contando.

—Y yo le contesté, sí, señores, le contesté a la primera carta con otra que habría ablandado a una piedra; por caridad, le pedí en esa carta que me metiese a la niña en un hospicio o donde fuese; que yo soy un pobre viejo que no tengo donde caerme muerto. Y ahora, sin más, la manda con dos señoras que dice en su carta que tenían que venir a Madrid y que más valdría que se hubiesen quedado en su casa, digo yo. Dos señoras caritativas, dice. Me río yo de las caridades y de los papeles en regla. Dice que está perfectamente demostrado que es mi hija legítima, ¿y qué culpa tengo yo, Dios mío, para este castigo? ¡Ojalá no fuera legítima...! Morirá bajo un puente abrazada a mí, la infeliz, si ustedes no me socorren, si usted, Vicente, que es un carca y un carlista y un santurrón, no me busca un colegio gratuito para ella, usando en bien, por una vez en su vida, sus influencias con los curas y las monjas. ¡Esa desgraciada criatura morirá de hambre!

Así, con altibajos, seguía aquella declamación cuando me asomé a la puerta de la cocina.

La cocina de las Emes era la habitación donde se hacía la vida en invierno. Era el único lugar caliente de la casa y estaba dividida por la altura del techo en dos partes, la que las Emes llamaban «servil» y en la que el techo descendía y estaba colocada la cocina de hierro, el fregadero, la artesa de lavar y la silla de paja de Paca, la sirvienta, y la que las Emes llamaban «parte noble», donde teníamos un gran aparador y una mesa camilla con una lámpara de pantalla verde pendida del techo, con su contrapeso para levantarla o acercarla a gusto. En aquella mesa se nos servía la comida, y alrededor de ella discutían los viejos y hacía sus labores de encaje para ornamentos de iglesia la más gorda de las Emes, doña Matilde, que vestía un traje como monjil, un hábito de no sé qué Virgen, y además tenía una profesión rara: decía ella que era santera. En verdad no era una profesión, sino una ocupación. De cuando en cuando llevaba imágenes de santos metidas en caja de madera en forma de capilla a ciertas casas de personas que estaban suscritas a la «visita» del santo; pagaban por tener la imagen en casa una semana o quince días. Después doña Matilde iba a recoger la imagen y la llevaba a otra casa. Doña María, la hermana de nariz aguileña y pelo blanco, se ocupaba de todo lo de la casa y de las cuentas y las preocupaciones, y su índice de energía y de inteligencia parecía mayor.

Cuando me asomé a la puerta de la cocina vi que todos los habitantes de la casa, incluida Paca y también el gato, estaban alrededor de don Amando, que accionaba sentado junto a la mesa camilla, ya preparada la comida del mediodía. Tan pronto levantaba los brazos invocando al cielo como se mesaba las greñas de su cabellera. Por la redonda cara de doña Matilde caían gruesas lágrimas. Todos estaban conmovidos. Todos le consolaban.

—Mi hija, mi pobre hija —gritaba—. ¡Qué castigo, Señor, qué castigo!

Entonces me fijé en la puerta ventana que daba al terradillo frente a la entrada, y la vi a contraluz apoyada contra los cristales. Una figurilla vestida de negro. Una especie de ratoncito con trenzas. No sé, algo muy pequeño y muy solitario. Sobre aquel fondo de luz y de las sábanas blancas tendidas en el terradillo, tiesas de escarcha a pesar del sol, estaba alejada de todos y escuchando aquellos lamentos de un padre al que veía por primera vez. Nadie le hacía caso.

Me acerqué a la criatura y ya he dicho que quizá por primera vez en mi vida sentí verdadera compasión, ese sentimiento áspero que casi destroza. Intenté acariciar su cara y en un ademán instintivo la niña levantó un brazo para protegerse como si le fuese a pegar. Nunca lo olvido. Ésta no es una imagen desechada en el cuento de mi vida.

Sobre esta imagen de Soli tengo la cara de Anita cuando la vi en la noche toledana. Es un absurdo, pero... ¿por qué aquella cara de Anita, con sus ojos llenos de luminosidad y fuerza, una cara tan expresiva y natural, me pareció desamparada?

Es un misterio que no llego a entender. Y entonces no tuve tiempo ni de pensarlo porque, con la llegada de Anita, la noche toledana se volvió casi vertiginosa en su ritmo. No es que pasase nada, es que nos movíamos o esa impresión me daba a mí.

Antes de su aparición, Zoila nos hizo esperar en el saloncillo porque la línea del teléfono de la habitación de Obdulia comunicaba. Ella subió a buscar a Anita y un botones nos llevó a través del patio, de puro estilo toledano —suelo de mármol y macetones con plantas de hojas grandes y verdes—, hasta la salita «íntima», con su lámpara de pie de hierro forjado y su tresillo de felpa y una alfombra que Soli tuvo miedo de manchar con aquellos sus zapatos, hinchados por el agua hasta romper las costuras y que soltaban fango. Cuando el botones se retiró, la niña se sintió más a gusto y me dijo con una voz extraña:

—Ya he visto un hotel, Martín. Es casi como en las películas. Es precioso, ¿verdad? ¿En Toledo también vive la gente como en Madrid, siempre en hoteles los que son ricos, y en las fondas y las pensiones los que no son ricos?

Desde que don Amando le contó que en Madrid, después de la guerra, nadie tenía piso para una familia sola, todas las casas eran pensiones porque no cabía la gente. No había quien hiciera creer a Soli otra cosa.

A mí me fastidiaba que el viejo, cuando no estaba de mal humor y armaba escándalos sobre su tragedia por tener aquella carga de la hija a cuestas, se dedicara a contar a la chiquilla las mentiras que ella creía artículos de fe y que eran tan difíciles de contrarrestar. Yo no quería decirle continuamente que su padre era un mentiroso.

Esperamos bastante tiempo hasta que oí la voz de Anita en el patio —hablaba con todo descuido en voz alta y clara—. Y reconocí antes de verla el indefinido acento extranjero. No era posible ese acento en otros Corsi.

Venía discutiendo con Zoila, que en cambio hablaba muy bajo y trataba de que ella bajase la voz. Anita decía que si el asunto se había resuelto bien con su llamada a la Guardia Civil, no comprendía el susto de Zoila. Y Zoila debió de pararla en medio del patio para decirle algo en un cuchicheo. Se detuvieron. Cesaron durante un momento el taconeo de Zoila y los pasos de Anita. Luego la voz de Anita en unas frases que también detuvo Zoila con un siseo.

—Sí, tengo ganas de ver la cara de ese tipo que has encontrado por la calle. ¿Dices que lleva a una niña que parece recién salvada de ahogarse en algún sitio? Es original, ¿no?

Yo me había puesto de pie al oír la voz de Anita Corsi. Ella apareció en la puerta con su cara de curiosidad: con una sonrisa preparada y las cejas ligeramente fruncidas sobre aquella mirada llena de fuerza que ha tenido siempre. Llevaba el pelo recogido sobre la cabeza como en la playa, y como en la playa se le había soltado un peinecillo de los que le sujetaban el cabello, y lo llevaba en la mano tratando de recoger el mechón suelto. No sólo la reconocí, sino que supe que la habría reconocido en cualquier lugar que la hubiese visto, en cualquier ocasión. Anita no se parecía a nadie. Y no era feúcha como yo había pensado. Ni guapa. Nunca he podido encontrar puntos de comparación para describirla. Llegaba radiante con su ocurrencia de llamar a la Guardia Civil de Villahermosa a ver si sabían el paradero del emigrante a Venezuela Pepito Díaz Paramera. Zoila estaba reconcentrada y dentro de cierta reserva, disgustada. Decía con una voz muy baja que era muy serio lo que había hecho Anita y que a ella le daban miedo esas cosas: no recuerdo a Zoila en aquellos momentos, pero sé que decía esas cosas.

Todo es confuso en este punto de la noche toledana, menos la figura de Anita. Sé que Anita cambió su expresión al verme y que se fijó en la niña, pero no sé en qué momento le hice comprender que nos conocíamos desde hacía años y vi aquella alegría en su expresión. Cuando exclamó «¡Increíble!» me pareció que estábamos dentro del espejismo de la nostalgia. Pero no tuve tiempo de emocionarme porque Zoila y Anita discutían. No, no discutían. ¿Por qué no puedo ver a Zoila ni a nadie más que a Anita en esta imagen del recuerdo? Todo está oscuro pero oigo la voz de Zoila preguntando si podía creer Anita que yo no supiera nada de Alexis y de su fama.

Zoila nos oyó hablar de la casa del inglés y de que éramos hermanos o esclavos (ella dijo que yo y Carlos seríamos «sus esclavos» y que era como encontrar a su hermano encontrarme).

—Pero ¡es un escándalo! Amigos de siempre y Martín no sabía quién era Alexis. ¿Puedes creerlo, Anita?

—Claro que puedo creerlo, él no conoce a Alexis, pero conoce a Carlos. Eso de Alexis, tan complicado, es el nombre de guerra, o como se diga, que tiene Carlos para el cine, ¿sabes, Martín?

—Pero todo el mundo le llama Alexis.

La cara de Anita expresó cierta hostilidad.

—La familia no. Nosotros no.

—Pues yo misma...

—Pero la familia no. Martín es de la familia desde siempre, es nuestro... Es una cosa que no entiendes; Martín, sí. ¿Verdad, Martín?

Había cierta tensión entre ellas. Cosas de mujeres. Yo me sentía centro de atención de las dos. Zoila me había encontrado. Anita me reclamaba como cosa suya. Aquello, en el fondo, era halagador para mí. A cada momento Anita se volvía hacia mí y me ordenaba: «No te rías». Y se reía ella también.

Asimismo estaba entre ellas la cuestión de la desconocida dama que había intentado suicidarse dos veces aquella tarde: una, tirándose desde la ventana de su habitación del Palace delante de Zoila, que lo impidió, y que en su apuro recordó a la cuñada que vivía en Madrid y que quizá pudiera aconsejarlas sobre aquel asunto del hombre que tenía una cita en el Palace un día determinado y no había aparecido ni contestaba a los telegramas. (En la guía de teléfonos de Toledo no figuraba ninguna doña Romualda Paramera.) Obdulia mandaba telegramas que no le eran devueltos ni contestados. Esta tensión, este resultado infructuoso de la guía, de la central de teléfonos de Toledo, de esperar inútilmente contestación a sus telegrafías fue lo que desató los nervios de Obdulia, y cuando un botones del hotel le trajo un cable de Venezuela en vez del telegrama de Toledo corrió a la ventana... La segunda vez, el intento de suicidio ocurrió en Toledo, cuando ya no se encontró rastro de Pepito ni de su tía ni de la supuesta finca Villahermosa en la ciudad. Obdulia quiso abrirse las venas con las tijeras de las uñas en el baño del hotel. Dejó la puerta abierta y Anita y Zoila se dieron cuenta enseguida. La sujetaron. Anita le dio una bofetada y después le dio una dosis bastante fuerte de pastillas somníferas haciéndoselas tragar a la fuerza, disueltas en agua.

El disgusto de Zoila tenía por origen aquella decisión que tuvo Anita de llamar a la Guardia Civil de Villahermosa sin consultar a nadie. «Usted comprende, Martín. Un asunto de divisas y llama a la Guardia Civil... ¡Es como si quisiera que nos metiesen en la cárcel a todas!» «No llames de usted a Martín», dijo Anita.

Las veo ahora a las dos: Zoila sentada; un poco seria, con los ojos claros, grandes, que a aquella luz resultaban favorecidos por la sombra de las pestañas. Su compostura, su reserva, la hacían parecer mayor que Anita. Posiblemente era mayor. Yo no sabía medir la edad de dos mujeres jóvenes. Pero en Zoila existía cierta sabiduría acumulada. Sus ojos, a pesar de ser tan hermosos, eran viejos no físicamente sino en su manera de mirar. Tampoco sabía yo por qué encontraba tan elegante a Anita, que llevaba un traje muy sencillo: lo recuerdo, un traje primaveral de una tela estampada de flores en distintos tonos de azul, ajustado a la cintura. Seguía teniendo la cintura estrecha y también conservaba su costumbre de lucir sus piernas llenas y bien formadas, pero sus gestos, aunque fueran bruscos a veces, no eran desmañados, a veces tenía mucha dulzura, algo se había transformado en ella. Se reía como una chicuela, aunque no era una chicuela, daba órdenes como una señora acostumbrada a llevar una casa. O como un general. Y lo hacía bien. La obedecíamos. Solamente Zoila se resistía a esas órdenes de manera pasiva. Soli las sufrió, con todas sus consecuencias, aquella noche. En un momento determinado, Anita se asombró de que yo dejase a la niña con aquel abrigo chorreante sobre su cuerpo y aunque ella no quería que se lo quitase, logró hipnotizarla para que accediese y la envolvió en mi gabardina después de ordenarle que se estuviese quieta mientras le quitaba también los zapatos y los calcetines. Dejamos al fin vencida a Soli, muy envuelta, como un paquete entrando en calor en el extremo del sofá. Yo también ayudé.

Veo a Anita examinando la suela deshecha de los zapatos de Soli. Soli desde su rincón dijo que los zapatos eran nuevos, que no estaban rotos. Y el abrigo también era nuevo. Todo nuevo. Se lo había comprado su papá todo muy grande para que le durase mucho tiempo. Anita me miró con reproche como si yo fuese «el papá» que había hecho aquellas compras.

—Son de cartón estos zapatos...

Tenían las suelas de pasta de papel. Yo no sabía que se siguieran empleando todavía aquellos materiales de urgencia de guerra. Anita se levantó y se dirigió al botones, a quien había mandado traer una toalla para secar a la niña. Señaló el montón que formaban zapatos, abrigo y calcetines mojados.

—Tire a la basura todo esto.

Soli empezó a llorar. Habló entre sollozos de su papá, del dinero, y otra vez dijo que todo era nuevo, que era bonito, que era suyo... No quería que nadie lo tirase a la basura. Anita se sentó junto a ella y la acarició.

—Calla, Gnomo Astuto, que tienes cara de gnomo astuto. Te devolveremos a tu papá con ropas nuevas, y no se enfadará. Te prometo que te vestimos de pies a cabeza. ¿Verdad, Martín, que tú también se lo prometes?

Yo estaba hipnotizado. No me opuse a ninguna de aquellas disposiciones de Anita. No tuve compasión de los sollozos de Soli.

Todo aquello ocurrió a la luz de la lámpara del saloncillo, entre sombras que animaban de vida a una armadura que adornaba un rincón del cuarto. Y creo que Zoila ya no estaba en aquel momento con nosotros, que había subido a hacer compañía a Obdulia. Terminé, en mi hipnotismo, por ver sólo a Anita, y sólo a ella veo ahora, en esos momentos.

Un poco antes había aumentado el enfado de Zoila al ver el desparpajo con que mi amiga me hablaba de las relaciones de Obdulia con aquel Pepito Díaz Paramera: Zolia la escuchaba muy nerviosa.

—Claro, Martín: Obdulia está chiflada por este hombre, aparte de que está chiflada por completo. Era ese Pepito empleado suyo en Caracas. Obdulia es casada, tiene hijos mayores, no es ninguna niña, pero le ha dado por ese muchacho. Bueno, a lo mejor es un señor mayor como ella... Nosotras, ni Zoila ni yo, lo hemos visto nunca. Por eso le entregó Obdulia aquella cantidad de dólares tan importante cuando él se vino en avión hace mes y pico, y luego ella se vino a Europa en viaje de recreo en barco; para disimular... ¿Comprendes?

—Anita, no tienes derecho a decir eso. Son cosas muy graves... Tú no sabes nada... Y dices al primero que te escucha lo que se te ocurre. Es como si yo contase lo que sé de ti al primero que me quisiera oír... Y así, golpeándole a una los oídos a puros gritos...

—El que me escucha es Martín y tú puedes contarle lo que quieras. Martín es para mí como el mismo Carlos... Creo que hasta me resulta más íntimo que Carlos. Carlos se ha vuelto muy idiota. Además tiene derecho a enterarse en qué le has metido. La desesperación de Obdulia es por eso. Comprenderás, Martín. Yo creo que una mujer tan rica como ella no se iba a suicidar por unos dólares más o menos... O a lo mejor sí. ¡Quién sabe! La gente es muy rara. Además, Obdulia tiene muchas decepciones encima. Creyó que Pepito era de una familia aristocrática y eso le hacía una ilusión extraña. Bueno. Llamé a la Guardia Civil diciendo que yo era Obdulia y hablé del emigrante y de una cantidad de dinero que tenía en depósito; di mi dirección, es decir, la de Obdulia en este hotel y en el Palace, y me atendieron con mucha amabilidad al saber que era extranjera. Me pidieron que volviera a llamar una hora más tarde, y estaba hablando con ellos cuando llegasteis. Para mi asombro me pusieron al teléfono... ¿sabes a quién, Martín? Pues a doña Romualda, la tía. A Pepito no lo habían encontrado y la tía estaba ya en su cama, la pobre mujer. Fue despertada con urgencia y la llevaron a la casa cuartel para que hablase conmigo. Tartamudeaba muchísimo y hablaba a gritos, y yo también. Resulta que esta señora es dueña de una tiendecita de comestibles en la aldea y cree que su sobrino sólo ha traído de Venezuela los ahorros ganados con su sudor... Y eso sí que debe de ser verdad, porque por mucho que le haya dado Obdulia, poco será para la lata de ser sirviente suyo. Pero lo peor es que con esos ahorros Pepito decidió establecerse en España, sin perder tiempo, y se asoció a doña Romualda en el negocio y se casó con su novia de toda la vida. Hace una semana que está casado. Y está en Madrid de luna de miel el muy idiota. Doña Romualda me dio las señas del hotel donde se aloja; menos mal que no se le ocurrió alojarse en el mismo de Obdulia... Pero Obdulia está recogiendo el equipaje para marchar en seguida a Madrid: dice que quiere correr a tiros a Pepito delante de su novia.

Todas estas conversaciones entre Anita, Zoila y yo, y otras de Anita conmigo, estuvieron cortadas por idas y venidas de las mujeres al cuarto de arriba o al teléfono de la conserjería, adonde Obdulia las reclamaba. Yo recuerdo esas salidas y entradas (y aun mis propias actividades cuando ayudé a Anita a desvestir a Soli) a un ritmo de película antigua acelerada.

Zoila desapareció de mi horizonte antes que Anita me terminase de contar la historia de Obdulia. Creo que ya había discutido arriba, en el cuarto, en una de sus ausencias, porque Anita no quería acompañar a Obdulia al llegar a Madrid hasta el hotel de Pepito Díaz Paramera. No quería saber nada de las venganzas de Obdulia. Recuerdo que delante de mí alegó una serie de motivos muy comprensibles, pero que Zoila juzgaba pretextos que indicaban falta de amistad y deslealtad. Zoila no quería irse sola con Obdulia, cosa que yo también comprendía perfectamente. Estaba pálida, estaba casi llorosa. Anita terminó dándole explicaciones.

—Es que además tú sabes que papá está algo malo. Está hoy rarísimo. Dice que le duele el estómago. Le he llamado antes y dijo que iba a acostarse, que no me preocupase; pero incluso le dejé el teléfono de aquí por si acaso. No. No le he dicho que estoy con Obdulia aquí. Papá no sabe quién es Obdulia. Cree que estoy de turismo contigo... Ya ves: no puedo ir en busca de ese Paramera.

Cuando Anita empezó a contar con desenfado la última parte de la historia de Obdulia, Zoila me fue simpática. Se le llenaron los ojos de lágrimas. Anita salió a atender una llamada telefónica y yo ayudé a Zoila a secarse las lágrimas de manera que no se le corriese el rímel.

—Anita es muy cruel sin darse cuenta. Eso que cuenta es una tragedia y le va mucho a Obdulia en todo ello, pero Anita lo dice como si se tratase de un chiste. Parece que no haya sentido nunca nada por nadie, como si no tuviera corazón...

Yo sonreí y animé a Zoila pero no sé por qué en aquel momento me pareció muy bien que Anita no hubiera sentido nada por nadie, que no tuviera corazón. Yo tampoco tenía corazón. Era magnífico eso de que no nos inspirase compasión Obdulia. Zoila me era simpática por tener tan buenos sentimientos, pero yo no los compartía. Sólo la ayudaba a limpiar el rímel que se le había corrido.

Y en un momento determinado Anita decidió conmigo que no tenía ganas de marchar a Madrid con Zoila y con Obdulia, y que se quedaba en Toledo aquella noche. Eso la libraría de más luchas con Zoila y además yo me quedaba y a ella le daba rabia dejarme así. Acabábamos de encontrarnos; al fin y al cabo teníamos muchas cosas que decirnos y el gnomo aquel, dormido en un rincón del sofá envuelto en mi gabardina, también se quedaba en Toledo. Pues Anita también. Siempre había deseado ver Toledo despacio.

—Imagínate, Martín. Siempre que he venido a Toledo lo he hecho en compañía de papá y de algún amigo suyo de esos que no quieren bajarse del coche, y he visto la ciudad desde fuera, y luego la venta donde comíamos perdices, como en los cuentos, y esos dulces tan indigestos de almendras, y siempre me han dicho que otro día, con más tiempo, veríamos la Casa de El Greco y la catedral y las sinagogas... A papá le da una especie de pánico visitar monumentos y museos. No sé por qué. Ya sabes que es muy culto. Habla de todo como si lo hubiese visto mil veces. Y cree que lo ha visto y le da pereza volverlo a ver... En fin, que es una maravilla que tú te quedes aquí hasta mañana por la tarde y que volvamos juntos a Madrid. Además —dijo con un sentido práctico que resultaba incongruente—, Obdulia pagará la habitación hasta mañana... No vamos a perder esa ocasión, ¿verdad?

No sé si me despedí de Zoila. Creo que sí, en el vestíbulo del hotel, cuando salía hacia el automóvil detrás de Obdulia; una Obdulia fugaz... Una mujer gruesa con una capita de pieles en la que oculta la cara como en esas fotografías de los periódicos, en que la esposa del asesino evita ser fotografiada. Pasó de prisa, sin detenerse. Zoila iba cargada con los dos maletines, el de ella y el de su amiga. Y me sonrió al paso. Tenía mucho mérito aquella amistosa sonrisa. Yo no la había ayudado en nada.

Me veo después en la habitación del hotel que las dos mujeres acababan de abandonar, acostando a Soli, que entre sueños apenas se daba cuenta de que había sido transportada hasta una cama. Veo el abrigo gris azulado de Anita ceñido a su cintura, el pañuelo de seda y el ademán con que se calzaba los guantes frente al espejo hablándome y mirando, al mismo tiempo que la suya, mi imagen reflejada.

Recuerdo la pausa de esos momentos. Después de aquella actividad alocada de idas y venidas mezclándose a la alegría del encuentro y a cierta decepción mía porque se había truncado la aventura de conducir de noche un automóvil por caminos difíciles, llegaba esa paz de sentir tan real y tan íntima a Anita. Tan abierta su confianza a mi confianza, que podía hacerle preguntas sin que se detuviese ni un minuto a pensar la respuesta. Todo era natural: mi presencia, la suya y la familiaridad de la habitación donde las tres mujeres habían pasado horas de nerviosismo encerradas en el anochecer de lluvia. Era natural preocuparme de Anita.

—Ah, no, Martín, ¿qué dices? Claro que yo no tengo que ver nada en ese asunto de divisas ni en los amores clandestinos del emigrante Díaz Paramera y la dama venezolana... ¿Que por qué me meto en esos enredos? Hijo mío, yo no me meto. Yo, cuando alguien me pide ayuda, doy mi ayuda. Y tú también, si no, no serías de la familia. Dio la casualidad de que esa tarde del sábado me quedé en casa para hacer una cura de descanso y belleza... Lo leí no sé dónde; parece que da muy buen resultado, pero no he podido comprobarlo: por una cosa o por otra nunca termino la cura esa. Ya sabes, crema en la cara, zumos de fruta, lectura de una novela policiaca... Esas cosas. Y hoy creí que todo iba bien pero me llamó por teléfono Zoila. A Zoila, aunque se casó con Carlos, no la conocemos mucho, no creas. En primer lugar sólo supimos que se había casado cuando Carlos nos puso un cable diciendo que su mujer venía a España, que nos comunicaría su llegada desde Barcelona, que la atendiésemos, y besos y abrazos... Así que estábamos dispuestos a tenerla en casa de todas maneras, aunque papá decía que un telegrama no era forma correcta de comunicar un matrimonio, como sabes muy bien si una misma se empeña en venir a casa viene, y da lo mismo que sea la mujer de Carlos u otra señora cualquiera, pero cuando se fue a vivir al Palace nos alegramos porque papá se ha vuelto un poquito maniático con la edad y dice que no es una verdadera señora y que no le gusta. Bueno, pues me llamó Zoila con voz trágica y me dijo que estaba en un apuro grave. Me quité la crema de la cara, llamé un taxi y fui al Palace. Encontré plumas de marabú esparcidas por toda la habitación. ¿Que por qué había plumas de marabú? Pues porque al parecer Obdulia llevaba una bata adornada con esas plumas cuando intentó tirarse de cabeza y Zoila la sujetó tirándole de la bata y de las plumas. Hice que me sirvieran un buen té con muchas pastas y tostadas y mermelada y todo eso: yo no había comido con la cura esa de belleza y necesitaba la merienda para escuchar con la cabeza firme todas las historias aquellas y pensé que si Obdulia tenía alquilado un automóvil con chófer y Toledo estaba tan cerca y si Pepito vivía en Toledo, lo mejor era venir aquí y enterarnos de lo que pasaba. Por eso vinimos. Lo resolví en cuanto tomé la segunda taza de té y terminé las tostadas. Era lo más fácil. ¿No crees?

El espejo me devolvía su imagen. Charlaba arreglando su pañuelo. Terminó de ponerse los guantes.

Nada más. Salimos a la calle y me encontré, casi sorprendido, en Toledo, esa ciudad que un rato antes se me había disuelto en la lluvia.

VI

Domingo 16 de abril, a media mañana. Me veo junto a Anita representando una escena que no encaja en el curso que han seguido nuestras relaciones desde que nos encontramos en el hotel toledano. Si no hubiese prometido a la doctora Leutari proyectar las imágenes perdidas en el recuerdo, tal como se vayan presentando a la memoria, yo volvería a sepultar esta escena en el olvido. No es nada, y me molesta recordarla. Es una equivocación. Pero ahí está.

Anita me ha hecho conocer lo que llama su humor negro de las mañanas. Ceño. Irritabilidad. Ojos hinchados por el sueño y hasta arrugas: una arruga incluso junto a una de las comisuras de los labios. Una arruga que le da un aire maligno. Con Soli ha estado insoportable y despótica. Como si la niña fuese propiedad suya, le ha dado órdenes: la ha hecho ir y volver no sé cuántas veces por los largos pasillos de la casa. Y Soli, para mi sorpresa, no se ha rebelado, ha corrido como un ratón de un lado a otro arrastrando las chinelas de tacón alto, y lo ha hecho con entusiasmo. Fue la pequeña quien me avisó cuando yo, algo pensativo y fastidiado, estaba preparando, con mi torpeza habitual para esas cosas, el café del desayuno. «Don Carolo dice que se va a morir y Anita está muy asustada.»

Sí, Anita está asustada. Además, no ha dormido. La tranquilidad que le proporcionó anoche mi ayuda parece que se ha esfumado. Solamente delante de don Carolo se contiene Anita y bromea incluso. A mí parece no verme. Es casi ofensivo. Pero el aviso de Soli hace que me avergüence de mí mismo y comprendo que Anita no toma las cosas del cariño tan frívolamente como cree Zoila. El cariño por su padre es en ella tan sincero, que me conmueve otra vez. Sí, en los recuerdos desechados está, dentro del desorden de estas horas, esa cálida preocupación de unos por otros, Anita y su padre y yo y Soli unidos en esta atmósfera de amor. Existía. Había olvidado esto. Tomo las riendas de la situación ocupándome de todo, facilitando las cosas. Me parece que no he hecho en mi vida otra tarea que solucionar los asuntos de esta casa nuestra, vuelvo a ser capaz de irradiar energía. No sé qué esperaba yo hoy. Esperaba abrazos conmovidos como los de anoche, esperaba que ella me llamase Ángel de la guarda, dulce compañía, con esa broma suya que me llenó de una ingenua y gloriosa vanidad hace unas horas, no sé cuándo, en algún punto de la noche toledana; porque seguimos, según el cuento de Soli que ya voy asimilando como cosa mía, dentro de la noche toledana que dura dos noches con un día en medio. Pero se me olvidan esas tonterías. Me inspiran ternura los esfuerzos de Anita por ser valiente cuando la veo muy peinada, con un traje fresco y limpio, las facciones más encajadas dentro de una palidez terrosa y la mueca de la risa que dedica a su padre, para animarle, cuando le sacan de casa en una camilla.

En la clínica cuando se llevan a don Carolo al quirófano ya no manifiesta mal humor, sino un terror infantil. Le castañetean los dientes. Parece que no me oye cuando le digo que una operación de apendicitis no es nada, que en Norteamérica a todos los niños les operan de apendicitis al nacer para evitarles molestias. Es algo que, aunque no sé si es cierto, he oído contar; y entre su temblor nervioso Anita se ríe un momento.

—¡Ah, Martín, qué bueno eres! Uno no lo piensa, pero hasta la gente que uno quiere puede morirse. Yo no puedo soportar que a papá le suceda eso, que se muera ahí dentro, rodeado de todos esos instrumentos de tortura, entre ese olor a cloroformo, o a éter o a lo que sea. Igual que las pobres gentes que fueron torturadas en la guerra... Me acuerdo de todo lo horrible que he visto en mi vida. Las ciudades destruidas, las cámaras de gas, las espantosas fotografías... Tantos muertos, y yo mientras morían tan feliz, tan inconsciente...

Estas imágenes no son adecuadas. Pero no escucha Anita

lo que le digo. Por fin logro llevármela a la salita particular en las habitaciones que hemos tomado en la clínica para el señor Corsi, y estamos sentados muy juntos en un sofá de brazos cromados, esperando que termine la intervención quirúrgica. Anita se deja acariciar, deja que la estreche contra mí, que le comunique mi calor. Tengo una mano suya entre mis manos. Es una mano nerviosa y siempre expresiva, pero ahora está lacia, con la palma fría y un poco sudorosa. Acerco esa mano abandonada a mis labios y la beso dos o tres veces hasta que la dueña de esa mano reacciona.

Apoyada en mi hombro, vuelve su cara hacia mí, y me sonríe un poco, y cuando correspondo a su sonrisa las lamparillas del miedo que se extravían en sus ojos se alejan hacia el fondo, desaparecen entre las pestañas entornadas. La mano se libera, Anita la emplea ahora en acariciar mis pómulos y luego me besa levemente en los labios y en las mejillas, recorre mis facciones besándolas así, y al mismo tiempo yo, casi sin darme cuenta, voy correspondiendo a sus besos de la misma manera, en un juego tierno que inconscientemente se vuelve sensual.

La ventana está entornada. Un filo de claridad que viene del jardín hierve cortando la penumbra. Zumba un moscardón primerizo y extraviado en el sol. Siento que el sol debe de quemar la tierra en el jardín cercano y en las lejanas playas, en lugares donde se olvida el insidioso olor a los anestésicos de los quirófanos. Hay una comunicación consoladora en este roce de los labios que repetimos incansables, como sonámbulos, como niños que ensayan un lenguaje con los ojos y los oídos cerrados, y sustituyen las palabras por este tanteo de nuestra boca en las facciones que, de momento en momento, sentimos más nuestras. Nos decimos todo lo que no nos hemos dicho nunca con palabras, nos pedimos perdón por nuestras torpezas, por el olvido del uno al otro en que hemos caído durante tantos años, perdón por no ser niños ya y, sin embargo, tener que buscarnos como niños perdidos; tener que empezar a comprender que somos el uno del otro sin remedio, que lo hemos sido siempre y que no quisimos ni sospecharlo. Nos decimos la soledad, la bárbara mutilación que hemos hecho separando cuerpo y alma en nuestras vidas por ese pecado de no haber sabido que teníamos que encontrarnos enteramente, ardiendo el espíritu en esta atracción que con nadie nunca hemos podido tener completa. Con nadie, nunca ha sido ni podrá ser esta verdad que nos quita poco a poco el pensamiento confuso de esa pena de no haberlo comprendido antes de ser este hombre y esta mujer que ya somos ahora, que vamos sintiendo que somos, hechos para la fusión de la amistad en la vida que recibimos uno del otro, para el abrazo, para este beso en que al fin se entreabren los labios de Anita para recibir mi boca. Nos estamos besando al fin en un olvido total. Boca a boca, vida a vida, juventud con juventud.

Y bruscamente, me despierto. Es como si la ventana se hubiese abierto de repente al invierno y hubiera dejado pasar una racha de ventisca y granizo. Es peor. Me sobresalto, me enderezo con tal brusquedad, que las espaldas de Anita tropiezan con el sofá. Una monja alta de cara severa y una enfermera de la que sólo recuerdo las gafas, han entrado en la habitación. Están mirándonos a dos pasos de nosotros. Anita frunce las cejas y su furia la hace recuperarse cuando aún estoy yo aturdido. La enfermera de las gafas se esfuma por donde ha venido, tan rápidamente que casi parece que haya sido su fantasma quien ha aparecido y desaparecido en un relámpago. La monja está como clavada en el suelo y no contesta a la pregunta que le hace Anita de si desea algo. Vuelve la cara con desprecio y sigue adelante, hacia la habitación ya preparada para el enfermo. Allí la oímos andar durante medio minuto con pasos fuertes. Vuelve a pasar delante de nosotros lanzándonos una última mirada fulminadora. Y se va.

La habitación sigue en penumbra. El filo de luz arde. Anita se levanta y abre la ventana de par en par. Si su corazón ha batido como el mío no se nota. Veo su figura recortada en la mañana que resplandece y sigo sus movimientos. Ha recogido el bolso abandonado en el suelo y saca la polvera y un espejo. Mientras se empolva la nariz, comenta que estamos en un sanatorio peligroso. La gente abre las puertas sin llamar. Mi sangre late desquiciada mientras la escucho. Su voz, un poco temblorosa, la traiciona también. Pero sólo un momento. Ya sólo queda en ella irritación.

—Además, Martín, esa monja tenía ojos de loca... Es un peligro que ande suelta por ahí, ¿no crees? ¿Qué diablos le pasaba para mirarnos así? ¡No hay derecho! Creo que voy a protestar a la dirección. Sí, protestaré. Y cuanto antes mejor. Ahora mismo.

Me recupero con un esfuerzo de voluntad, me acerco a ella y veo que da un paso hacia atrás. Pero la detengo. Sé que está demasiado nerviosa, y le hablo. Me escucha desde lejos con su sonrisa mala, cuando le digo que hemos aterrado a la pobre monja al encontrarnos besándonos. Intento bromear. Digo que un beso, como sabe Anita, es algo totalmente prohibido en nuestra moral social. Hasta en las películas se censuran los besos. En los parques públicos los guardas acechan más a los novios que a los posibles ladrones. Si una pareja cae en la tentación de besarse bajo unas frondas más o menos románticas, lo probable es que aparezca el guardián del jardín armando escándalo, amenazando con la comisaría... Para la pobre monja, esta clínica es algo que está bajo su custodia. El espectáculo de dos jóvenes besándose ha debido de ser turbador. Luego me río.

—Pero además, Anita, tú has tenido la ocurrencia de decir al entrar aquí que somos hermanos. Si la pobre señora ésa se ha enterado, nuestros besos deben de haberle parecido, y con razón, cosa infernal. Haz el favor de no complicarlo con protestas.

No sé qué espero. Seguramente que Anita suavice el gesto, que vuelva a mí. Pero Anita retrocede un paso más.

—No digas esas cosas horribles, nadie puede pensar así. No me vas a decir ahora que nos besamos de verdad... ¿O es que no has besado a nadie y te crees que eso es besar?

Estoy acostumbrado a dominarme, no soy como Anita un puñado de nervios sueltos ni tengo una imaginación falseada, ni me gustan las mentiras.

—Perdona —afirmó—, nos estábamos besando.

Los ojos le brillan de furia. Como deben de brillar también los míos.

—¡Tú y tus besos idiotas!... ¿qué te has creído? Pero ¿es que has podido pensar que yo estaba haciendo una escena de amor contigo? No sé ni lo que estábamos haciendo. Estás loco. Ten cuidado, aunque fueras el único hombre que hubiese en el mundo, nunca haría el amor contigo, ¿me oyes? Y hoy, y ahora, precisamente, pretendes que nos besáramos... ¡Vete! No puedo ni verte.

Clavado en el suelo (no encuentro otra frase mejor para definir mi actitud). Clavado en el suelo la veo darme la espalda y apoyarse en la ventana mirando hacia el jardín. Su espalda me es odiosa. Odio a Anita. Odio su estupidez, su histerismo. No puedo ni hablar. Los ojos se me llenan de lágrimas de rabia. Y desde luego pienso irme. Puedo pensar incluso en darle a Anita una patada en el trasero y hacerla salir volando por la ventana. Y este pensamiento me alivia hasta el punto de decirle que me voy. En ese momento me marcho.

Ella se vuelve hacia mí y mi corazón se disloca en un aturdimiento que me deshace. Porque Anita está llorando. Sin saber lo que hago, abro los brazos. Me adelanto. Pero ella no deja que me acerque. Me desarma por completo con esa tristeza suya. Me encuentro perdido en un sufrimiento, en una vergüenza de mí mismo que me pierde. Trago una saliva de hiel.

—Nunca más, Martín, prométeme... Martín, ¿te das cuenta de que nos hemos olvidado de lo único que importa? ¿Por qué no traen a papá? ¿Por qué dura tanto esto? Estamos locos...

Pasa por delante de mí. Abre la puerta, mira hacia el pasillo. Echa a correr porque se oye el rodar de una camilla que alguien empuja hacia nuestro departamento. Y al cabo de un momento vuelve. Y le tiembla la voz otra vez.

—Tengo miedo. Ven conmigo, Martín, creo que lo traen. Viene tapado y tan quieto... Ven conmigo.

No sé lo que nos ha pasado. Nunca más volverá a pasar. Esa mujer que me tiende las manos, me mira como lo que es: una hermana, una intocable amiga, alguien a quien no sé por qué me siento unido con lazos hondamente familiares. Jamás he pensado en ella como amante. Jamás he pensado en ninguna amante. Decirle a Anita lo que a nadie he dicho, esas ridículas palabras de amor, sería un insulto. Todo esto lo pienso palabra por palabra. En el recuerdo desechado quedaron estos pensamientos. Es un recuerdo que mereció ir al cesto de los papeles. O al cajón del olvido, de donde no debió salir. Es un recuerdo tontísimo. Pero aquí está.

Lo demás es confuso. Sí, ya no pienso nada. Sólo acompaño a mi amiga y sólo importa la operación de don Carolo, que dicen que ha ido perfectamente. Puedo compartir la alegría conmovida de Anita. Puedo compartir todas sus emociones. Puedo hablar con el cirujano, incluso. Poco a poco se alivia ese dolor casi físico en el pecho por algo que se ha equivocado, que se ha estropeado entre nosotros, por vergüenza de la ternura que he sentido y la atracción física tan rabiosamente rechazada por Anita, que ahora ya se ha olvidado por completo del incidente. Yo también me olvido, esta escena, esta angustia no es nada, desaparece en este enfoque de la vida en presente cambiando minuto a minuto en el que el oleaje de la noche toledana me empuja a vivir.

VII

De muchacho, cuando llegué a Madrid quise tener mi estudio en una de las buhardillas de la plaza Mayor. Creía que una buhardilla tenía que ser algo tan barato que incluso para mí sería asequible en cuanto terminase el servicio militar, en cuanto encontrase trabajo.

Me veo una noche, en los alrededores de Navidad, mi primera Navidad en Madrid, vagando por la plaza, llena de puestos de figuritas de belenes y de golosinas malas de posguerra, de ruido de pitos y panderetas, de gente llena de frío y bufandas, y yo sin bufanda pero con frío también, las manos en los bolsillos, mirando las luces de algunas ventanas de las buhardillas: mi estudio. Escogí entonces la buhardilla donde había vivido la Fortunata de Galdós, la de la casa de los escalones de piedra. Pero habían pasado los tiempos de Galdós. Las buhardillas estaban llenas. Y solicitadas. Mi buhardilla se me convirtió en un imposible. Después fui desinteresándome. Necesitaba un estudio y compartí habitaciones-estudio con otros compañeros hasta que el señor Luis, el comerciante del Rastro, me cedió aquella habitación sobre el almacén de su tienda de compraventa de muebles y objetos artísticos. La habitación no era mía, no era alquilada, me la cedía generosamente el señor Luis, aunque se reservaba un rincón para sus novelas policiacas, que él amontonaba en el suelo formando pirámide y en aparente desorden, pero que utilizaba ordenadamente. Siempre tenía lectura con aquel montón de libros a los que rara vez añadía alguna nueva adquisición. En el turno de lectura iba cogiendo las novelas de la base de la pirámide. Cuando terminaba una la echaba encima de las otras y cuando al cabo del tiempo volvía a sus manos, ya había olvidado el argumento y le parecía nueva. Era un viejo estupendo el señor Luis, con su calva tostada de leer al sol en la puerta de su tienda, entre la vida, los gritos y el colorido del Rastro; le veo siempre metido en aquel guardapolvo color de canela que se ponía para andar en el negocio. Era flaco hasta notársele las costillas y la forma de la calavera, llevaba gafas con montura de metal. Yo le hice muchos dibujos. Le tenía mucho afecto. Ahora lo sé. A mí el montón de novelas amarillentas en el estudio no me estorbaba. Ni me importaba que aquel cuarto no fuera mío. Me cabían el caballete grande y los lienzos, las pinturas, el banco de carpintero... Todas mis herramientas de artista y de artesano. De día tenía muy buena luz: la ventana daba al patio del almacén y en verano rodeaban la ventana las hojas de una gran parra. La habitación no tenía luz eléctrica, cosa que me alegraba. Así no había equívocos en aquello de las cuentas de la luz —porque el señor Luis era muy meticuloso—. Me tuvo confianza, siempre me dejaba una llave para que si se me ocurría, o si no podía a otra hora, trabajase de noche. Todo el mundo me conocía en el barrio: los serenos y guardas nocturnos, el dueño del bar de al lado... Todo el mundo me veía entrar y salir, siempre solo. Yo tenía allí, para mi uso, dos lámparas de petróleo que daban una luz blanca que me parecía suficiente. Cuando no tenía dinero para petróleo, no pintaba de noche. Frío sí que hacía. Mucho en invierno, claro. Pero entonces no sentía el frío, aunque a veces llegué a tener las manos llenas de sabañones. Era la época del hambre. Todo el mundo pasaba hambre y frío. Yo también. El señor Luis me advirtió que el estudio era sólo para el trabajo. «Nada de juergas ni amiguitas aquí.» Pero yo sólo lo quería para el trabajo. No quería el estudio para juergas. Ni para reuniones políticas clandestinas. Yo no estaba metido en esas cosas. Javier no había intentado catequizarme, «Ojo con ese amiguete, el médico; ése te va a enredar que sé yo que anda mucho con tipos sospechosos, que me lo han chivado a mí. Tú no te dejes meter en líos, que te trincan un día y no vuelves a ver salir al sol hasta que te tiemblen las manos de viejo; que la vida es muy hermosa, muchacho, y bastante hemos tenido con la guerra civil...».

Cuando el señor Luis se convenció de que yo el estudio sólo lo empleaba para trabajar, se mostró inesperadamente decepcionado. Me insultó una mañana en que estaba de mal talante llamándome «demasiado bueno» con una serie de tacos pintorescos detrás de esa apreciación, dedicados a la generación a que yo pertenecía. «Vosotros los chicos de ahora no hacéis diabluras, parece que no tengáis sangre en las venas.» Luego descubrió lo de mis «desahogos» detrás de la cortina. Es algo que me ha impresionado en el diario policiaco. Me fastidió recordarlo. Me fastidia aún. Quizá la *dottoresa* al subrayar esos párrafos quiso darme la imagen que me he formado de mi personaje juvenil. Pero también era puro y algo tímido y ferozmente independiente. Cuando volví de Alicante, unas tres semanas antes de la noche toledana, el señor Luis me empezó con la cantinela de que yo, sin saberlo, necesitaba casarme. Sentí una opresión al oírle como si me indicase que necesitaba enterrarme vivo. Y al mismo tiempo estaba como vacío, indeciso, nunca estuve así hasta entonces. Ocurrió que en Alicante tuve una vida materialmente mejor de la que había tenido desde hacía tiempo. Comidas a horas reguladas y sol y aire. Y era como si las energías sobrantes, en vez de darme vitalidad, me entorpecieran el cerebro. En otro tiempo había tenido días negros, sobre todo después de una época en que mis locuras sobre aquello de la luz de Toledo y la técnica nueva que quería inventar para pintarla me ponían lo que mi amigo Javier, que era estudiante de medicina, llamaba mi cara de gato esquizofrénico. Él me regalaba vitaminas y en seguida volvía a mi ser.

Entonces no se trataba de días negros. Se trataba de la temporada más gris de mi vida. Aquellas tres semanas desde mi regreso de Alicante hasta la noche toledana yo andaba como embotado, sin fuerzas para salirme de aquella situación de espera y desesperanza al mismo tiempo.

Madrid, sin Javier y sin Pedro, mis mejores amigos y casi mis únicos amigos —los demás eran conocidos encontrados unas veces, saludados, olvidados en cuanto desaparecían de los círculos habituales y los cafés o las tascas donde podía encontrárseles—, estaba tan vacío como yo mismo. Ni siquiera tenía ganas de ir a buscar a la gente que conocía por medio de Javier o por medio de Pedro. Prefería estar solo con mi pereza.

Javier se había ido a Venezuela como emigrante. Y Pedro, aunque no me pudiese caber en la cabeza el asunto, se había marchado a encerrarse en un convento de una orden medieval recién restaurada. Yo no podía creerlo. Pero así me lo había asegurado su familia: «Todavía no podemos decir dónde está. Cuando lo admitan en el noviciado, él mismo le escribirá a usted, que era uno de sus amigos preferidos». Hablé con la hermana, hablé con la madre de Pedro. Todo por teléfono. No me atreví a visitarlas en su piso de la calle de Lagasca, donde yo no había estado nunca, aunque acompañaba a Pedro a veces hasta la puerta de esa casa cuando nos reuníamos de noche en algún café del centro y yo tenía ganas de pasear... Aquellas voces, al teléfono, me impresionaron por la alegría con que me hablaban de lo de Pedro.

A Pedro le llamábamos Perucho. Así firmaba sus caricaturas. Era un humorista que nos parecía muy bueno. Sus caricaturas más satíricas —«la serie negra, muchachos» (decía él)— sólo las conocíamos los amigos. Su manía eran los curas: el oscurantismo de la sotana, la opresión de la vida mediatizada por la exaltación de los misticismos y seudomisticismos pululantes por todas partes. Apariciones de santos y colas en las iglesias para obtener certificados de buena conducta para los salvoconductos, para el trabajo, para todo. Arrestos en los cuarteles durante el servicio militar por atreverse alguien a dar el paso adelante cuando se ordenaba a aquellos que «no quisieran comulgar» que dieran tal paso. Dominio del confesionario en las familias. Sermones violentos y fanáticos contra los enemigos políticos del régimen, que eran los enemigos de la fe. Altavoces en que el rezo del rosario de la madrugada despertaban a la gente dormida en ciudades y campos, y no sólo el rezo, sino también las exhortaciones más curiosas al arrepentimiento: «a confesar todos los que hayan ido a la piscina esta tarde. El confesionario espera...».

A mí, que desde mi incrédulo aislamiento no había sentido nunca esas opresiones ni tropezado con tales imposiciones —Javier y Pedro decían que por casualidad o porque vivía en el Limbo—, todo eso me hacía reír aunque tenía que reconocer que en parte sí era cierto; que miedo y religión andaban combinados con hambre y dificultades de todo tipo en aquella vida nuestra de entonces. Perucho era implacable. «Los ambientes de *El Rojo y el Negro* de Stendhal, hijo mío, no son nada comparados con los nuestros de ahora. Por eso es un libro prohibido. Y lo peor de todo es que hay gente buena que tiene fe: la madre de uno, las hermanas de uno dispuestas siempre al martirio y a pasarse la noche rezando para que se convierta uno...»

Nos reíamos con Perucho. Javier hablaba entonces de que había que actuar. Javier estaba convencido de que el comunismo era la única esperanza. Perucho decía: «Pero en este país no hay remedio. Pero ¡si me hablas de lo mismo que tenemos aquí!... Los comunistas, otra dictadura con curas laicos. Fuera todas las opresiones, chicos». Y discutían. A mí me parecía que Perucho tenía razón. Y Javier sabía que a mí tampoco podía entusiasmarme. Conmigo tenía, sin embargo, más esperanza. «Tú mismo un día lo verás. No se puede no estar comprometido en estos tiempos. El arte sin compromiso es una eme, hombre. Hay que estar con los oprimidos, con todos los seres humanos y no en el egoísmo ese en que tú te metes de tu triunfo personal. ¿Qué es eso? Nada.»

Bueno. Hacía algún tiempo que no veía yo a Perucho cuando tuve que ir a Alicante por la muerte de mi abuela y la cuestión de aquella herencia inesperada. Al regreso me entero de lo del convento. Maitines, rezos de madrugada. Disciplinas. Penitencias increíbles. Todo lo podía esperar de Perucho menos eso. Todo lo que se me ocurrió hacer fue escribir a Javier a la dirección que él me había dado en Caracas diciéndole que si aquello le parecía distinto a lo que teníamos en España alrededor, yo me iba también, que me enviase una llamada. Seguiría gestionando mi pasaporte de emigrante. Estaba casi decidido...

No sé por qué le estuve yo contando esas cosas de mi vida a Anita mientras tomábamos café y yo fumaba muy despacio una pipa que se me apagaba muchas veces. Recuerdo que me interrumpió en el momento en que yo le contaba mi exasperación por el cambio incomprensible de mi amigo Pedro. Parecía muy interesada.

—Martín, pero es estupendo eso... Tu amigo no puede ser una persona vulgar. Encerrarse en un convento así, con todo lo que le fastidiaban los curas según dices, indica una fe tremenda. Dios sabe cómo se habrá dado cuenta de esa fe absoluta. Quizá te lo cuente algún día. Debe de ser algo estremecedor... Como una pasión. O más. Da miedo, pero es envidiable. ¿No le envidias? Tú también eres propenso a cosas así... ¿Has leído ese libro tan interesante de Graham Greene *El poder y la gloria*? Trata de la fe católica precisamente...

Anita resultaba siempre sorprendente en sus reacciones. Rechacé con un gesto de irritación la posibilidad de misticismo que me atribuía, como quien espanta a una mosca, y vi reír a Anita. Después continuamos la conversación por otros rumbos.

Fue a primera hora de la tarde del domingo. En el cuarto de estar. Anita se había quitado los zapatos y estaba echada en el sofá. Habíamos llegado a mediodía cargados con flores y pasteles como si llegáramos a una fiesta para celebrar el éxito de la operación del señor Corsi. A Soli la encontramos en la portería charlando con el señor José, el portero, mientras los dos *cocker* enanos, que habían quedado a su cuidado, corrían por la acera sueltos y felices. La chiquilla lucía unos zapatos de tacón alto que no eran las chinelas que le había dado Anita. Dijo con cierto susto que había encontrado «tirados» junto a un armario abierto muchos zapatos de aquellos. Anita se echó a reír y Soli, aliviada, se volvió charlatana. Había bajado a la calle muchas veces con los perros; había contestado al teléfono... Estaba contenta. Soli ayudó a colocar las flores por toda la casa, sobre todo en el cuarto de estar y en el comedor del espejo y de la mesa ovalada. No comimos en casa, sino en la tasca cercana, donde conocían a todos los Corsi, incluso a los perros *Tali* y *Chuchi*, que también fueron a comer allí con nosotros. Naturalmente, nos rodearon los camareros, el dueño, la cocinera, el cerillero... Todos querían saber noticias del señor Corsi.

—¿Usted también es hijo de don Carolo?

Anita improvisó con naturalidad un nuevo parentesco.

—Es mi primo Martín Soto, el pintor. Es muy importante... ¿No lo conocían ustedes? Antes vivía en Alicante. La niña también está en casa ahora. Tiene derecho a venir aquí y a que le den un bocadillo cuando quiera. Lo anotan en nuestra cuenta.

Soli puso su cara de ansiedad y picardía.

—Podríamos pedir ahora el bocadillo y yo me lo llevaba para luego; y otro para los perros...

—*Tali* y *Chuchi* no comen más que una vez al día. No se te ocurra darles. Ya han comido. Pediremos lo que quieras para ti y lo comes tú solita.

Soli suspiró asombrada. Había tragado mucho y no podía creer que no le pusieran impedimentos a lo que se le antojase en materia de comida. La vida de aquella niña había estado sembrada de dificultades de todo orden y de prohibiciones por cualquier cosa. Creo que se encontraba hasta incómoda con tantas facilidades.

Aquella tasca oscura y mediocre me pareció simpática.

—Es baratísima —dijo Anita—, no sé cómo pueden vivir con lo que cobran, son unos santos, por eso echan tanto pimentón en todo para que no se note que falta carne y todo eso...

A mí la tasca no me parecía ni barata para la calidad de lo que daban, ni «típica» como decía Anita, ni limpia siquiera. Pero me gustaba el calor humano que tenía aquella gente que apreciaba a los Corsi. Era eso. No quise quitar a Anita su entusiasmo, haciendo críticas. No quería quitarle ni una chispa de su recién recuperado buen humor. Su miedo por lo que pudiera ocurrirle a don Carolo había desaparecido al ver que estaba vivo al salir del quirófano. Su cara se había embellecido otra vez con la alegría y yo me dejaba contagiar por esa alegría suya. Me hacía falta.

Estábamos en el cuarto de estar, la niña al sol en el balcón, con los perros y con un plato de pasteles que iba comiendo uno tras otro como si fuese algo así como un deber no dejar ni una miga de ellos; Anita y yo un poco cansados después de haber telefoneado al padre de Soli. Llamé yo a la pensión donde vivía y cuando al fin pude comunicar con él lo encontré decepcionado por nuestro regreso. ¡No nos esperaba hasta la noche! Le estaba dando firmemente la dirección para que viniese a buscar a su hija cuando Anita me quitó el auricular y se enfrascó en una conversación larguísima con el viejo Pérez. Después fue cuando se quitó los zapatos y se echó en el sofá.

—Uf, estoy cansada. Siempre me pasa. Más tarde me entra más alegría y nunca tengo ganas de acostarme. Debo de haber nacido de noche, la noche me gusta... Bueno, Martín, está arreglado: Soli se queda con nosotros hasta el martes. El martes he invitado a comer a ese viejecito, que, por más señas, así, por teléfono, me ha parecido encantador... Como me contaste aquellas cosas tan horribles, me parecía siniestro devolverle al pobre Gnomo para que lo martirizara, pero creo que estás equivocado y que quiere mucho a su hija el pobre hombre. A la niña hay que comprarle zapatos y abrigo y todo. No podemos devolvérsela desnuda al ancianito. En realidad, yo me quedaría con la niña. Ya seríamos tres en la casa. No hay derecho a tener tantas alcobas vacías en una casa. Yo, sabes, encuentro que las casas tienen que estar llenas y si no, pues se va uno a vivir a un hotel, así no hay que estar pendiente de que vengan y se vayan las criadas porque dicen que hay desorden. Pero es mucho más agradable una casa con mucha familia alrededor. ¿Y si nos trajésemos también al viejecito ese tan maligno, al padre del Gnomo? A lo mejor estaba encantado... Pero papá se pondría celoso.

Me estiré ineducadamente en el sillón, enervado por la luz de la siesta, y corté las fantasías de Anita.

No sé si influía en algo aquella escena que no pensaba, aquella frase: «Aunque no hubiera más hombre que tú en el mundo no haría el amor contigo». Pero me sentí hermano mayor de Anita. Me sentí maduro, razonable al estilo que me habían enseñado que la gente es razonable: en ese estilo las familias no se formaban así. Di unas chupadas a la pipa después de estirarme y miré con compasión a aquella insensata y le expliqué que tener seres humanos alrededor, niños sobre todo, supone entregarse a ellos. Yo, por eso, no quería casarme, no quería cargar con esa responsabilidad. Ella me hablaba de matrimonio y de divorcio con la mayor inconsciencia. Incluso pensaba en casarse otra vez. Era mejor que viviese en un hotel, como decía, tanto si se casaba como si no, pero que no pretendiese hacer una parodia de madre de familia con aquellas ideas de ir recogiendo gente por los caminos. Si quería casarse en España al menos tenía que pensar como una mujer y no como una chiquilla loca. No la veía yo madura para el matrimonio, el verdadero matrimonio, claro que no era esa farsa de registro civil, va para unirse y viene para descasarse. Quizá algún día sí, sería capaz de llevar una casa y hacer feliz a la gente que la rodeara y hasta de sentarse a coser por las tardes, un rato. Todas las mujeres casadas cosen, o hacen jerseys de punto para su marido y para sus hijos... Las mujeres que no son unas aventureras, las mujeres normales, las que un hombre quiere para casarse no hablan de cosas serias, así, en broma...

Veo la cara de Anita. Su ceño. Su sonrisa. Su asombro y luego la extraña mirada de ternura que me dirigió.

—Martín, por favor, chico... ¿qué te pasa? ¡Estás como amargado! Te vuelves tonto de pronto, ¿qué tiene que ver que quiera que viva con nosotros el Gnomo con el matrimonio y que...?

—Mira, niña: no sabes lo que dices. Tan pronto hablas del matrimonio como de un juego y dices con tal ligereza que ya te has casado una vez y te has divorciado, que no sé si es cierto lo que has dicho o es otra fantasía; o tan pronto como eso dices que te gustan las familias numerosas y te creas una de tu invención. Yo creo que los seres humanos tenemos que elegir, ¿no? A mí no se me ocurre casarme porque sé que soy más bien solitario. O lo he sido. Porque precisamente tengo mucho respeto por todo eso que es la base de la vida: la familia, los hijos, el mismo matrimonio, y no me siento capaz de encerrarme en algo tan definitivo. Yo voy viendo que tú, como todas las mujeres que no son unas aventureras, vas a terminar en tu casa, tranquila y cosiendo por las tardes rodeada de un montón de hijos y abuelos. Pero mientras no te decidas por ese camino de persona normal, no creo que estés preparada para cuidar hijos ajenos o abuelos ajenos. Suena a burla.

Anita me miró con la boca abierta.

—Eres extraordinario, Martín. Dices unas cosas más raras... ¿Qué tiene que ver eso de casarse con coser la ropa de la familia? Yo me he casado, aunque no lo creas, y no se me ha ocurrido por eso coser un solo botón. Mi marido tenía un ayuda de cámara que cosía estupendamente los botones. Se llama Panchito. No, no mi ex marido, no seas idiota; el ayuda de cámara es el que se llama Panchito. Ya te dije que mi marido se llamaba y se llama Italo, si no ha cambiado de nombre... ¿Y por qué hablas tú también de personas normales? ¿Qué es eso de personas normales? Sólo existen personas, sin más, creo yo, y hay tanto chiflado y asesino y malo y bueno y generoso y loco entre lo que alguna gente llama personas normales y la que otra gente dice que no somos normales no sé por qué.

Martín, esa clasificación me da miedo. Yo me enteré en unas circunstancias horribles que decían de nosotros, de nuestra familia, que no éramos gente decente, gente normales...

Anita se incorporó apoyando un codo en el brazo del sofá que le servía de respaldo, y encogió bajo la falda las piernas, que me había estado enseñando descuidadamente. Sus ojos estaban oscurecidos.

—No, Martín, no digas eso. Personas normales... No hay «personas normales». Pero las que dicen que lo son, me dan miedo. Desde aquel horrible asesinato que quisieron achacarle a Carlos porque decían que nosotros no éramos personas normales, me da miedo esa palabra.

Me incorporé a mi vez. La pereza, el sol, el abandono de aquella hora desaparecieron. Sentí que Anita estaba diciendo algo que realmente había ocurrido, que no inventaba. Y me interesó mucho lo que decía. Me interesó hasta un punto que a Anita la puso en guardia.

—¿Carlos? ¿Metido en un asunto de asesinato? ¿Cuándo ocurrió?

—No puedo hablar de eso, Martín. Hoy no. Carlos no estuvo metido en asesinatos. Hubo un hombre normal, según decían normalísimo, que asesinó a su mujer, que era una señora de unos cuarenta años lo menos, y que tenía montones de hijos y que además parece que cosía y lavaba la ropa y todo lo que tú dices que hacen las personas normales solamente. Y la gente dijo que Carlos tenía la culpa. ¿Te enteras? Carlos tenía diecinueve años y no hubiera sido capaz de matar ni una mosca, creo yo.

—Diecinueve años... Pero entonces...

—Sí. No mucho después de las últimas vacaciones en aquella playa donde tú nos conociste... Pero, Martín, vamos a dejar eso ahora. Me pongo mala cuando lo recuerdo.

Se levantó. Se fue a mirar la cara en el espejo de sobre la consola y fue declarando quejosamente que estaba despeinada, que tenía el traje arrugado, hecho un desastre.

—Martín, tenemos que volver a la clínica. Si papá está consciente, se enfadará al ver que le hemos dejado solo. No te enfades, Martín, porque no te cuente todo ese asunto hoy. Más adelante quizá. A Carlos, si alguna vez le ves, no le hables de eso. No lo puede soportar. Mira, vamos a cambiarnos y a adecentarnos un poco. Tú puedes ponerte una camisa y una corbata de papá. Lo necesitas. Debes estar guapo también.

Supe que no había nada que hacer. Que no me explicaría nada hasta que se le ocurriera un día. O nunca. Creo que obedecí a las disposiciones de Anita para mi atuendo con la cabeza vacía, y que la tuve en blanco hasta que llegamos a la clínica, y que debimos de perder mucho tiempo en arreglarnos y en tomar decisiones para dejar instalada a la niña, porque allí llegamos más tarde de lo que habíamos pensado.

VIII

Llegamos lo bastante tarde a la clínica, para encontrarnos con que don Carolo estaba enfadado con nosotros. Anita se entusiasmó al ver varios ramos de flores en las habitaciones. Don Carolo, después de echar una ojeada a la camisa y a la corbata que yo llevaba, para darme a entender sin palabras que las reconocía, consintió en hablar con voz muy tenue a su hija. «Hasta esa joven, Zoila, ha venido. Claro que se fue en seguida al ver que no me acompañaba nadie. Dejó esas flores.» Había otros ramos, y don Carolo estaba demasiado débil para abrir las tarjetas. Anita acarició a su padre y escuchó con su cara junto a la del enfermo algo que éste le decía.

—No te preocupes por las cuentas. Sí, daremos propinas. Martín se ocupa, sí, papá, este Martín, tu sobrino Martín tiene dinero. Es muy rico, nos adelanta todo lo que necesitamos...

Don Carolo cerró los ojos. La enfermera de las gafas —la que había salido huyendo cuando nos vio besarnos aquella mañana— estaba al pie de la cama. Era tarde ya. El enfermo estaba cansado. Nosotros estábamos cansados. Pero ¿por qué me sentía feliz? La enfermera preguntó después de poner una inyección a don Carolo quién se iba a quedar aquella noche cuidando al enfermo. Anita la miró con el ceño fruncido.

—Usted se quedará. Nosotros no somos enfermeros, ¿verdad?

La enfermera soltó una risita. Ella —dijo— no estaba de guardia esa noche: «La primera noche siempre se queda la familia con el enfermo. Es costumbre. Pero si no quieren...».

Don Carolo suspiró y gimió que él era el enfermo más abandonado del sanatorio.

—No se hace pesada la noche. —Anita y yo nos miramos, no sabíamos qué decir. La de las gafas quiso tranquilizarnos—. A las ocho de la mañana ya arreglan las habitaciones y está servido el desayuno.

Me parece que a la enfermera le había subido la moral escuchar de labios de Anita aquel «tu sobrino» al dirigirse a don Carolo. Si el parentesco entre Anita y yo era el de primos, la escena de la mañana no había sido al fin y al cabo tan monstruosa. No se trataba de un incesto.

—¿A las ocho? —se asustó Anita—. Entonces, papá, lo siento. A las ocho no hay quien me levante a mí de una cama más que en caso de vida o muerte como hoy... Figúrate qué tragedia y qué jaleo se armaría. A lo mejor se empeñaban en operarme a mí también para que pudiera seguir en cama sin faltar al reglamento... No, papá, no me quedo. No te serviría de nada. Se resolvió el asunto. Yo me quedaría. Don Carolo volvió a mirarme de aquella manera rápida levantando las cejas y fijándose en mi corbata un instante antes de cerrar los ojos de nuevo. Anita le acariciaba, le alisaba las sábanas. Parecía aliviada de un buen peso con mi ofrecimiento de quedarme. Me había hipnotizado hasta convencerme de que eso era «lo lógico».

—Ahora tú descansarás un poquito y nosotros nos vamos pero Martín vendrá después de cenar. Y haz el favor de no poner cara de mártir si usa tus pijamas. Tiene que usarlos, porque su ropa no ha llegado a casa aún. Es un sobrino este Martín. Se ha ocupado muchísimo de ti. Ha puesto cables a América y un telegrama a tía Froilana... Mañana avisaremos a la marquesa. ¿Te alegrarías si viniese Froilana? Habría grandes líos con la marquesa entonces...

El señor Corsi parecía no escuchar hasta que se habló de la marquesa y de Froilana. Entonces dijo algo.

—¿No te importa que venga o no venga Froilana? —tradujo Anita.

No. No le importaba. Oí unas palabras italianas; don Carolo calificaba a aquella Froilana de *vecchia pazza*. Don Carolo mezclaba una serie de idiomas cuando se sentía trastornado.

Retuvo a Anita cuando ella ya se levantaba. Otra vez Anita tradujo en alta voz lo que él le decía.

—¿La marquesa? Sí, mañana la avisaremos. ¿Esta noche? Muy bien, esta noche. ¡Claro que te afeitarán y te pondrán muy guapo para cuando venga la marquesa...! De Froilana no quieres saber nada, ¿verdad?... ¿Habría líos si la marquesa y ella se encontraran junto a tu lecho de dolor?

Don Carolo entendía las bromas de su hija. Sonreía: tenía los ojos cerrados pero sonreía. Anita le besó la mano con que él acariciaba la suya. Esa escena entre don Carolo, que para mí era un anciano, y su hija me conmovía contra mi voluntad. El que Anita fuese tan cómplice de las aventuras amorosas del viejo era extraño, pero mas raro para mí era que me resultase algo tan inocente, aquella complicidad, una broma tierna.

Es que de algo inocente se trataba. Algo tan poco conocido por mí como la ternura. Si Anita no se hubiese negado con tanta energía a quedarse velando a su padre aquella noche, me hubiera parecido una santa transformando en broma tierna las aventuras de un viejo verde en una especie de milagro.

—Hay en ti una especie de santidad... —dije estúpidamente al salir de la habitación.

—¿Olor de santidad? —Anita se echó a reír—. No, es el olor del cloroformo, te vuelve tonto ese olor.

Como las últimas recomendaciones de don Carolo habían sido sobre la marquesa, cuando salimos pregunté a Anita quién era la marquesa. Como me había supuesto, era un amor de don Carolo «pero un amor peligroso: puramente espiritual, no como otras veces. Forzosamente tiene que ser así porque la marquesa es una vieja antipática con cerca de ochenta años. Papá a su lado se siente un niño. Tiembla cerca de ella y la obedece. Le está arruinando con el bridge. Es una maestra en ese juego. Ya te digo que es un amor peligrosísimo».

Bajábamos la escalinata que llevaba al jardín del sanatorio. Anita se detuvo y me hizo parar un instante.

—Martín, mira qué color tiene el cielo.

El color de la primera hora de la noche en primavera. Mi vocabulario de pintor no me servía para definir el azul: no era añil, no era marino. Era un azul fresco y profundo de una suavidad que hacía pensar en algo florido. Nos sentíamos dentro de una corola en forma de copa invertida; en el interior de una inmensa campánula azulada, ancha como el universo, donde, según íbamos andando, con las manos enlazadas, veíamos encenderse las estrellas poco a poco. Dentro de aquel azul de la noche olvidé el cansancio y la pesadumbre de la vida y hasta empecé a pensar si aquella gran mentira del amor completo por un ser humano, no sería una gran verdad algunas veces. Anita iba menos absorta y me hizo notar que entre los rumores de la ciudad y las luces de las calles, cuando después del vértigo sensual de mirar aquella copa de cielo fijábamos la vista en las sombras ligeras de los árboles temblando en el asfalto, sentíamos un ligero mareo. Nos dejaba vacilantes, riéndonos «como si hubiésemos bebido un poco».

Íbamos andando hacia la casa donde nos esperaba Soli, pero Anita decía que no quería llegar nunca, que era capaz de pasar la noche andando por las calles, así, en mi compañía, perdidos los dos como recién llegados o vagabundos. Después del encierro de la clínica era magnífico pasear, vivir era hermosísimo. Yo lo descubría otra vez con Anita. No hacía falta hacer nada, sólo darse cuenta de que se vivía para que todo se transformase en un prodigio. A pesar de que no estábamos cansados nos sentamos frente al Retiro, en la terraza de una cervecería, al aire libre. Los dos teníamos sed. Por eso nos sentamos y también porque resultaba una maravilla estar allí, juntos, bebiendo la cerveza fría frente a aquel cielo, y también resultaba increíble la sensación de libertad que nos producía cualquier gesto que hacíamos, cualquier risa e incluso el descanso a medio camino, que no habíamos proyectado. Libertad y paz también en estar juntos y callar juntos y decir las palabras que se nos ocurrían a veces, y encontrar nuestro propio interés en el interés de la persona amiga, tan conocida y tan llena de posibilidades de sorpresa, que teníamos al lado. Nunca más volveríamos a tener conversaciones idiotas como la de aquella tarde. Nunca más ninguno de los dos estropearía la amistad. Era como si nos lo jurásemos. Anita hizo comentarios a las cosas inmediatas que yo sin ella no hubiera visto, personas que estaban sentadas en sillas próximas y que a la indicación de mi amiga parecían surgir para mí como fantasmas coloreados desde el vacío, moviéndose, riendo, con caras parecidas a una calabaza o una zanahoria, a una vela de cera o al contador de la luz... También fue Anita la que dijo que la cerveza le hacía recuperar la vida de sus huesos que se le habían convertido en polvo seco, y yo sentí aquella polvajera en mi garganta, calmándose trago a trago, risa a risa.

Encendí mi pipa tranquilo, como si la niña no esperase en la casa vacía sin más compañía que los perros; como si don Carolo, por quien tanto nos habíamos preocupado y sufrido aquella mañana, no estuviese esperándome. Hice los comentarios que se me ocurrieron sobre don Carolo y su marquesa. Anita me envolvió en la más brillante y tierna de sus miradas. Siempre me miraba así cuando me encontraba tonto.

—Pero... ¿por qué te extraña tanto ese amor, Martín? Al fin y al cabo, la marquesa es un ser casi humano. Se mueve un poquito dentro de sus joyas y dice cosas desagradables con una voz muy incisiva. Tus amores son mucho más raros. Anoche me lo contaste. Me contaste que jamás te habías enamorado de una mujer, pero que te habías enamorado de una ciudad. Me lo contaste cuando paseábamos por las calles de esa ciudad precisamente. Toledo es bellísimo, pero todavía mucho más viejo que la marquesa. Y enamorarse de unas piedras viejas está bien, pero al menos debería hacerte más comprensivo para los amores de los demás, ¿no crees?

IX

La noche toledana no termina nunca. Don Carolo está espabilado y quiere que me siente un rato junto a su cama cuando llego de puntillas, y borracho de cansancio, a las habitaciones en penumbra. El aire tibio de la clínica, sus luces blancas reflejadas en los anchos pasillos de mosaico, el vapor del éter, que parece se ha solidificado con la pintura lavable de las paredes, me han dado el golpe de gracia al entrar, y de pronto el esqueleto y la cabeza me pesan. Pero ¿cómo negarme a explicar a don Carolo cómo me llamo y de dónde vengo y por qué Anita me considera su hermano? Don Carolo me ha visto aparecer en su alcoba en la madrugada en que el dolor le hacía creer en alucinaciones. Dentro de la alucinación se movía una enanita de cabeza rapada, por cuyas explicaciones el señor Corsi llegó a entender que pertenecía a una familia de liliputienses de un circo instalado en Toledo y que Anita había ido allí a buscarla. Para colmo, el vecino del ático: un tipo rubicundo y *bon vivant* al que don Carolo encontraba alguna noche al volver a casa introduciendo la llave para abrir el portal, y que le lanzaba una sonrisa de medio lado con su boca de pez, mostrando al mismo tiempo aspecto de satisfacción, de buena caza, de gato que se relame; ese señor Tarro de quien José el portero cuenta que tiene encerrada a una mujer misteriosa a quien sirve una criada vieja que sólo habla gallego; el señor Tarro, en fin, en la alucinación de Corsi se había convertido en médico jovial con chispeantes ojos azules. Corsi comprende que mi persona no pertenece sólo a su alucinación. Soy un tipo simpático aunque uso su ropa interior, pero según Anita, corro con los gastos de estas habitaciones de la clínica. Aunque me ha costado entender lo que el señor Corsi me ha dicho y he tenido que reconstituir ese mundo de sus pesadillas y su interés por mí a base de frases sueltas seguidas de momentos en que parece que don Carolo se olvida y se duerme, don Carolo asiente cuando traduzco en voz alta, igual que Anita. Sé que él tiene derecho a hacerme preguntas, y me las hace, de cuando en cuando. El foco de luz de la cabecera del enfermo me da en plena cara y me molesta. Pero aguanto. Contesto, pero mis pensamientos van por donde quieren. Más que lo que contesto, me espabilan los pensamientos que me sugieren esas preguntas. A veces me parece que salgo yo mismo de un sueño cuando creo que don Carolo se ha dormido, pero cuando intento levantarme él me retiene.

—¿Entonces? ¿Ese tipo? Ese Tarro...

El doctor Tarro.

Al pensar en Tarro veo a Javier, el amigo a quien llamábamos «grande» precisamente porque es más bien bajo, muy delgado y aparentemente débil, usa gafas de concha y domina con frialdad científica sus muchas emociones. Pero es grande como el apodo que le hemos puesto. Un gran corazón. Un gran valor. Se lanza a la aventura del exilio voluntario. Se va dentro de unos días como emigrante a Venezuela. Es invierno y hace mucho frío esa noche. Javier lleva abrigo y sombrero. Los dos tenemos las manos metidas en los bolsillos —yo en los de mi vieja gabardina— y nuestras respiraciones se convierten en humo. El Retiro respira en neblinas entre las que se ven los esqueletos de los árboles. Javier me ha hablado del doctor Tarro. Lo ha conocido en una reunión de simpatizantes políticos —Javier no dice nunca nombres, habla con la cautela de un conspirador—, pero no era una reunión política. Tarro no pertenece a ningún partido. Sin embargo, es simpatizante. Y es un exiliado voluntario que fuera de España ha visto reconocido su gran talento como clínico y como psicoanalista. Tarro ha impresionado mucho a Javier y quiere que yo lo conozca. Esta eminencia que ha recorrido como conferenciante (y también llamado a consulta) casi toda

América y que conoce Asia y Australia, se ha interesado por el joven con grandes gafas de concha que es mi amigo. Le ha hecho confidencias explicándole que vive temporalmente en Madrid para atender a la curación de alguien que le importa mucho y por quien ha dejado su clínica en Beirut. Pero está aquí casi de incógnito y desde luego no ejerce. No se ha inscrito en el Colegio Médico. Quiere permanecer en el anónimo aunque algunos colegas importantes le llaman a consulta algunas veces y no se puede negar a asistirlos... Y luego ha dicho a Javier, al saber que se va a Venezuela: «Le daré cartas de recomendación para alguien que le atenderá. Un médico no debe ir como simple emigrante y desde luego usted debe ejercer en Caracas. Usted vale». Esas dos últimas palabras, ese «usted vale», nos llenan de calor tanto a Javier como a mí. Yo imaginaba a Tarro como un anciano con barbas, con ojos extraordinarios, con manos de taumaturgo

La casa de los miradores redondos. Subimos en el gran ascensor anticuado. Tarro mismo nos abre la puerta y me intimida en esa cara de hombre ya maduro (¿tendrá treinta y cinco o treinta y seis años?) el brillo alegre de los ojos. No se parece nada a la imagen que me he formado de él, pero de todas maneras me impresiona. Es rubio, lleva muy corto el rizado cabello y su frente tiene grandes entradas que la hacen aparecer aún más amplia. Es ancho de hombros, más alto que Javier, pero bastante más bajo que yo, va bien vestido, sin ostentación. No es un hombre que pueda llamarse grueso porque su musculatura se adivina fuerte, pero no es delgado. Me siento como indefenso, como si ese hombre supiese todos mis secretos sólo con mirarme. Javier, nerviosísimo, feliz, me lanza ojeadas cómplices de nuestra apreciación común. En un momento en que estamos solos digo a Javier que aunque Tarro no es joven es increíble que no sea viejo y sin embargo haya hecho tantas cosas.

Tarro nos hace pasar a un pequeño despacho atestado de papeles y libros. Hay una máquina de escribir abierta y comprendemos que ha dejado su trabajo para atendernos. Todo lo que hace ese hombre nos interesa. El doctor aprovecha estos meses de retiro para escribir un libro de sus experiencias clínicas. Da algunos consejos a Javier. Le habla del clima y del paisaje venezolanos. Es simpático. Expresivo. Se ríe. Me siento como cautivado por esa risa. El superhombre nos trata con camaradería. Desciende hasta a hablar de las mujeres de allí, tan atractivas y apasionadas como todas las sudamericanas... Nos cuenta una aventura personal que parece salida de un filme de espionaje. Después mira el reloj y saca del cajón de su mesa las cartas que ya ha preparado para Javier. Mi amigo y yo salimos a la calle conteniendo nuestra exaltación. A Javier le tiemblan las manos incluso cuando enciende un cigarrillo. Quizás el curso de su vida, su porvenir científico dependen de la intuición genial de Tarro y de su amistosa generosidad. Ésa era mi imagen de Tarro antes de que se me ocurriera llevárselo a don Carolo: claro que al enfermo sólo le digo que su vecino es un gran médico, que yo lo conozco y nada más. No voy a empezar a hablarle a don Carolo de Javier y de nuestra amistad.

Javier se marchó a Venezuela pocos días antes de que me llegase el telegrama que me hizo marchar a mí a Alicante. Desde Alicante le escribí a la dirección que él me había dado. No obtuve respuesta. Antes de salir de mi tierra volví a escribirle pidiéndole que me contestase a Lista de Correos de Madrid. No he vuelto a saber de mi amigo. Ese vacío que he notado en Madrid al volver de Alicante se debe en gran parte al vacío que ha dejado mi amigo en la ciudad. Ahora me doy cuenta; lo he sabido. Pero hoy me doy cuenta de estas cosas del cariño, de la amistad, como nunca me he dado; se me ha hecho más grande el corazón en la noche toledana.

A Tarro, claro está, no esperaba volverle a ver. Pero cuando llegamos a Toledo en aquel automóvil gran lujo Anita y yo, cuando los faros del automóvil enfocaron la Avenida de Menéndez y Pelayo, desierta y mojada en la noche de primavera y vi los miradores redondos en la esquina, supe que teníamos la salvación a mano. El médico que necesitábamos. Uno de los mejores del mundo, según la exaltada apreciación de Javier.

Porque llegamos en un auto gran lujo.

X

Cuando dejé a Anita en el hotel después de nuestro paseo entre la neblina que llenaba las calles, tardé un rato en decidirme a volver a mi fonda. Me detuve apenas comencé a andar, porque oí la voz de mi amiga llamándome. Corrí hacia el hotel, hacia ella, y casi nos abrazamos al encontrarnos. Estaba asustada. El corazón le latía de tal manera que me asusté yo también. No sé por qué tenía la impresión de haber vivido antes este momento.

—Martín, mi padre está muy grave. Me acaban de entregar un recado telefónico. Ha llamado desde Madrid pidiendo que vuelva inmediatamente. Ven, Martín. Ayúdame, por favor.

El soñoliento conserje de la noche decía que era casi imposible encontrar taxi o coche de alquiler a aquella hora y en sábado. Tenía dos teléfonos para casos urgentes. Uno no contestaba. En otro contestaron que estaba de servicio aquella noche el conductor.

Cuando se tiene sensación de peligro se nota uno a veces como si se le encendiese una luz en el cerebro. Yo tenía que estar tranquilo y dar seguridad a Anita, que no estaba ni tranquila ni segura, y me había contagiado su alarma. Estaba convencido de poder ayudarla. En seguida, inmediatamente, tendríamos un vehículo. No sabía si sería cómodo. Pero nos llevaría a Madrid. Se lo dije a Anita y estaba convencido de ello.

Y es que pensé en la única persona que conocía yo en Toledo: aquel amigo del señor Luis que se llamaba Toribio Díaz y que a veces le servía de agente para algunas adquisiciones de antigüedades. Recordé que tenía una furgoneta para sus negocios, que no eran los del señor Luis, desde luego, creo que vendía cosas por los pueblos. No sé qué. Estaba decidido a que me prestase la furgoneta.

La decisión me llenó de fuerza. Tranquilicé a mi amiga. Le pedí que preparase a Soli, que recogiese sus cosas, que me esperasen las dos en el vestíbulo. Y eché a andar con mis zancadas más largas, con mis pasos más firmes, entre aquella neblina que yo sabía pasajera. Una neblina invernal en pleno abril. Por la mañana Toledo resplandecería otra vez al sol. Pero no estaríamos en Toledo al día siguiente. Teníamos que salir en seguida. Mi vieja timidez, mi imposibilidad de decidirme a molestar habían quedado tan fuera de uso como las ropas mojadas de Soli tiradas a la basura.

Iba en dirección a la calle de Pozo Amargo, resuelto a llamar a aldabonazos si era preciso en casa de Toribio. Decidido a levantarle de la cama, de obligarle con mi firmeza a entregarme las llaves de su furgoneta. Todo estaba tranquilo, cerrado y solitario. Sólo se oían, entre la niebla, mis pasos. Las manchas amarillas de algunas luces parecían difuminadas. Y de pronto agujereó aquel mundo algodonoso la luz de los faros de un automóvil en la callejuela por la que yo acortaba el camino... Era un auto de alquiler con matrícula de Madrid y se detuvo dos casas más allá de donde yo estaba junto a un portón claveteado, de viejo palacio.

Iba tan poseído de mi seguridad en lo efectiva que iba a ser mi ayuda para Anita, que al ver que salían los ocupantes del coche y que el chófer sacaba las maletas como dando por terminado el viaje, no me cupo la menor duda de que el auto iba a quedar disponible para mí en el preciso momento en que lo necesitaba. Me extraña recordar en estas nimiedades tanta exaltación, tanta emoción de apuesta, pero así ocurrió aquella noche, supe que aquel coche era el que solucionaría el problema de Anita, y así fue. No sé cómo, porque el chófer me dijo que no era un taxi aquello y el tipo que acababa de bajar del automóvil decía también que el conductor tenía pagada su fonda en Toledo y que no necesitaba molestarse en un nuevo servicio. Y yo seguía absolutamente convencido de que nada de lo que decían aquellos personajes tenía la menor importancia, sacudía sus palabras como moscas inoportunas.

Hablé de un enfermo grave, impidiendo despedirse a gusto a aquellos dos hombres —el chófer y el pasajero— y también a la mujer que los acompañaba, y al fin, el chófer, exasperado, me pidió que aguardase un momento. Y aguardé.

Entonces me di cuenta —hasta donde podía darme cuenta dentro de mi obsesión de alquilar el automóvil— de que aquellos tipos eran muy raros. El chófer no iba uniformado aunque sí —según vi luego— llevaba la gorra de uniforme, que había dejado descuidadamente en el asiento delantero del automóvil, y tenía unas extrañas confianzas con el dueño de aquel palacio mientras le ayudaba a trasladar las maletas. El pasajero era bajito en contraste con el chófer (un tipo alto como yo y más fuerte) y los dos de edad madura. Se cambiaban palmadas y risas como si hubieran bebido juntos y parecía que en aquella borrachera al dueño de la espléndida casa toledana le hubieran disfrazado con ropas que no le venían bien. Fijándome más observé que llevaba un esmoking de talla superior a la suya y prendido en la solapa un clavel blanco. Su aspecto de juerguista trasnochado tenía algo de irreal, y las risas del chófer mientras entraban las maletas y sus susurros al oído del caballero, también. Y el tercer personaje, a pesar de su tiesa pasividad, tampoco contribuía a un equilibrio en aquella especie de pantomima. La dama iba vestida de blanco con un traje largo hasta los pies; era alta y flaca, con una cara de cartón piedra muy maquillada, y melenas teñidas en color caoba con las puntas rizadas. Me pareció rarísima. Entre las manos sostenía apretadamente un pequeño maletín que supuse no sé por qué que contendría joyas.

Cuando después de muchos abrazos el chófer se despidió [...]* pisándose el vestido en el portal. Todo lo que se me ocurrió pensar era que yo desconocía totalmente las costumbres de las gentes del Toledo actual y menos del Toledo señorial.

Pero en cuanto el portón se cerró detrás de aquellos personajes, volví a atacar al chófer con mi demanda de viaje urgentísimo a Madrid, con lo del enfermo grave; y en una súbita inspiración, hasta sacándome la cartera —que recordé llevaba repleta— ofreciéndole lo que me pidiese por el viaje.

* Ilegible en el original. *(N. de los ed.)*

El chófer se pasó la mano por la frente.

—Bueno, tratándose de una cosa así... Yo no le voy a llevar más que la tarifa de costumbre. ¿Quiere salir en seguida? Pero irá con la familia, ¿no?

—Sí —mi entusiasmo se convirtió en un triunfo. Yo iba con la familia y saldríamos en seguida. Todo estaba resuelto. Y como estábamos muy cerca de la Fonda Vieja indiqué al conductor que diese la vuelta por la calle de la fonda y se detuviese un momento delante de la puerta.

Ni siquiera tuve que llamar. El portal estaba entornado y había luz en el vestíbulo, donde encontré mi caja de pintor y la recogí de entre dos montones de mochilas de muchachos falangistas que aún quedaban en el recibidor. No había nadie allí. Nadie me vio entrar ni salir y sin saberlo ni desearlo veo ahora que en aquel momento borré las huellas de mi presencia en Toledo que el señor Luis intentó encontrar más tarde inútilmente.

Entré tan agitado y triunfante en el vestíbulo del hotel, que pasé corriendo por delante de Anita sin verla hasta que me llamó. La niña dormitaba en un sillón, envuelta otra vez en mi gabardina. Estaba fumando nerviosa y preocupada, pero al ver mi locura se contagió de mi entusiasmo. Me sentí un héroe.

—Nada de furgoneta —le dije atropelladamente mientras cogía a Soli en brazos—. He encontrado un coche como el de tu amiga Obdulia, ni más, ni menos...

Anita se adelantó a verlo y le oí unas exclamaciones que me parecieron exageradas aun para mi aturdida satisfacción.

—¡Extraordinario, Martín! Sólo tú eres capaz de eso. ¡Qué maravilla! ¡Es muchísimo mejor que el de Obdulia...!

Con Soli en los brazos me detuve para contemplar, junto a Anita, el automóvil. A ella además de parecerle estupendo el auto de alquiler, le producía risa, le estaba produciendo risa. No me había fijado en que las portezuelas y el interior estaban adornados con lazos y flores artificiales de azahar. Era un auto nupcial el que había conseguido para Anita... Al oírnos reír juntos, el chófer se disculpó y dijo que en un minuto quitaba los adornos; que yo parecía llevar tanta prisa, que le había aturdido. Pero Anita, se negó a que quitase nada. Jamás había viajado en un auto como aquél y, dijo, le producía una ilusión loca y añadió —ya lanzada— que además era muy a propósito, ya que en realidad aquél era su viaje de bodas...

—¿De veras, señora? Poco me lo esperaba yo cuando venía con la otra pareja, que iba a volver a Madrid con otros novios.

Echó una ojeada a Soli, a la que yo había acomodado a mi derecha —mientras Anita se había instalado a mi izquierda en el asiento trasero—, y preguntó si llevábamos enferma a aquella niña.

—La niña es nuestra hija y no está enferma sino dormida o casi dormida, como usted ve. El enfermo está en Madrid. Habrá que buscar un médico al llegar.

No quise intervenir y escuché, mientras salíamos de Toledo, una conversación en la que se mezclaban fantasías y realidades. El chófer parecía de buen humor. No se enfadaba por aquellas ocurrencias tontas. A las preguntas de mi amiga le contó que los novios que había traído a Toledo eran parientes suyos, una pareja ya vieja, porque habían ahorrado toda la vida para poder vivir bien, y que si no hubiera sido por los señores de ella —que sirvió muchos años en una buena casa— hubieran seguido esperando hasta caerse de viejos.

—Sobre todo por el piso, ya sabe. No hay manera de encontrar nada. Pero los señores le dieron a él la portería de esa casona de Toledo y ya tiene una casa muy buena para toda la vida. Vamos, portero y también guarda de las propiedades que tienen los señores aquí...

¡Qué noche toledana! Anita charló con el conductor hasta que se cansó. Después se acurrucó contra mí, como Soli al otro lado. Los campos corrían negros a nuestro paso. Entre los faros, la carretera parecía blanca. Me hubiera gustado conducir yo, pero aun sin conducir me desbordaba el alma una dicha singular sintiendo tanto a Anita como a la niña bajo mi protección. Y Anita, después de haberse distraído con el chófer, seguía necesitándome mucho. Me dio la mano como si mi contacto la aliviase de su preocupación.

El camino se hizo muy corto. Madrid estaba silencioso, con sus luces de madrugada en las calles brillantes de agua y soledad. Comenzamos a preocuparnos por cómo encontrar a un médico pero antes había que ver lo que realmente le ocurría al señor Corsi. Yo recordaba una clínica de urgencia. Me puse a pensar en esa donde había trabajado Javier, pero estaba muy lejos. Tenía que haber otras. En la guía de teléfonos encontraría la más cercana.

Cuando el coche enfocó el edificio de los miradores redondos en la Avenida de Menéndez Pelayo, supe que había encontrado lo que buscábamos: el doctor Tarro. Había un cincuenta por ciento de posibilidades de que ya se hubiese marchado a Beirut, pero aposté interiormente por la suerte de que aún viviese allí. ¿Cómo podía yo prever el futuro? No había ni pasado ni futuro en aquel momento. Sólo un deseo intenso de que el doctor siguiese viviendo en el edificio de los miradores redondos... Aquella noche deseaba las cosas de tal manera que se cumplían mis deseos. El sereno nos informó de que el señor Tarro seguía viviendo en el ático, justo sobre el piso de los Corsi. Tuve la impresión de que en la lotería de la vida me había salido un número premiado. No sé si mi gran desconfianza de ahora cuando se realiza algo que he deseado, esa especie de niebla que me impide considerarme feliz, viene del reducido olvidado de esa fervorosa oración de deseo por la presencia de Tarro junto a Anita y su realización poco después.

Sin timidez, llamé al timbre y golpeé la puerta de Tarro hasta que el mismo doctor, envuelto en un batín de seda azul, con las zapatillas en chancletas y los ojos azules chispeando cólera, me abrió la puerta. Ni siquiera me arredré. Hablé de Venezuela, de mi amigo Javier... Del vecino de Tarro a quien habíamos encontrado gimiendo en la cama... Y Tarro se calmó. Se portó admirablemente, la verdad, después de su mal genio.

—Ah, ¿esa joven de las piernas bonitas? Una chica llena de vida, ya lo creo. Sí, su padre es el caballero de las sienes plateadas, el cónsul. Bien, chico, bajo en seguida. Ya sabes, a título de amigo. Yo no ejerzo la medicina en España.

En cuanto Tarro entró en aquella alcoba donde entre Soli —con su nuevo atuendo, la chaqueta de punto y las chinelas— y Anita acababan de adecentar al enfermo y cambiar la cama, se hizo cargo de la situación. Casi inmediatamente reconoció los síntomas de una apendicitis aguda.

Pero necesitaba los análisis... Necesitaba también lavarse

las manos (se lavó las manos muchas veces aquella noche), buscó en la guía de teléfonos a un cirujano y logró hablar con él nada más dar su nombre, a pesar de la hora tan importuna. El cirujano nos envió el analista de urgencia. ¡Cuántas idas y venidas por entre los pasillos de las rosas rojas y las rosas azules! Cuántas emociones. Yo seguía empeñado en considerar a Tarro como un triunfo personal. No estaba seguro de que Anita se diese cuenta de nuestra suerte.

—¿Qué te parece el doctor? —le pregunté a Anita más de una vez en nuestros encuentros por los pasillos.

Algunas veces se reía y se llevaba un dedo a la sien como indicándome que Tarro parecía un chiflado. Esta broma, en mi ansiosa alegría y nerviosísimo, me molestaba. Al fin, una vez que logré detenerla, sujetándola por los hombros ella me sonrió y me pareció sincera durante aquel instante al menos cuando me dijo:

—Martín, tú eres un genio. Y ese hombre es un genio. ¡Su charla ha anastesiado a papá...!

Salí más que corriendo a buscar una farmacia de guardia para comprar unos calmantes. Estaba cerca, por fortuna. Al volver encontré instalado a Tarro junto a una copa de coñac en el cuarto de estar. Anita había colocado el teléfono portátil sobre la consola para que nos dijesen en seguida el resultado de los análisis.

Cuando Tarro entró a poner una inyección sedante a don Carolo, Anita me retuvo en el pasillo.

—Ven —me susurró—, vamos a preparar otra toalla limpia. Ya sabes que ese genio se lava las manos a cada momento y luego tira al suelo las toallas.

¿Se había reído de mí Anita al decirme aquello de que Tarro le parecía un genio? Es muy duro ver en estas imágenes desechadas mi ansiedad de corazón, mi angustia infantil y absurda. Mi necesidad de que Anita reconociese el talento de aquel hombre extraordinario. ¡Y que no se riese! No podía soportar en aquellos momentos que Anita se riese de Tarro.

En el cuarto de baño Anita empezó a reírse. La miré con cierto estupor desolado.

—Qué noche, Martín. Si no fuese por la angustia que tengo, me divertiría.

Me pareció que se estaba divirtiendo a pesar de la angustia. Y con el mismo estupor y casi la misma angustia descubrí que yo me divertía también.

—El doctor ese es un genio pero también comiquísimo. Si vieras... Me ha dicho, cogiéndome las manos y mirándome a los ojos como si quisiera taladrarme, que él es un genio, pero un genio del amor.

Me pareció aquello una de las disparatadas invenciones de Anita. Pero me hizo reír contra mi voluntad, me reí con el nerviosismo de un chico en la escuela ahogando la risa para que no me oyese el doctor.

Cuando volví a verlo en el cuarto de estar, me sentí lleno de remordimientos, incluso enfadado con Anita por ser tan estúpida, por ser tan insensata. Tarro estaba serio, pulcro y tranquilo. Nos dijo que a las seis de la mañana tenía que salir de viaje y que, si nos parecía bien, en cuanto hablase con el cirujano después de tener noticias de los análisis, subiría a su casa a recoger el maletín y esperaría de tertulia con nosotros a que llegase su hora de ir a la estación. Ya no podría dormirse. Me enfadé conmigo mismo otra vez porque en vez de alegrarme por aquel honor que nos iba a hacer Tarro, sentí tal cansancio que deseé que no se cumpliese aquella amenaza de tertulia. Anita cuando nos quedamos solos me preguntó esperanzada.

—No lo hará, ¿verdad? Sería insufrible. Tiene que darse cuenta de que nosotros no queremos que se instale aquí. ¿Te has fijado que los perros no le tienen simpatía? Es un tipo de sabio, pero también es un plomo...

Pero Tarro cumplía siempre lo prometido. Mientras tomábamos café, ya relajados de nuestras últimas actividades, oí hablar a Tarro a través de una niebla de cansancio. Entre esa niebla me pareció que el gran hombre miraba mucho hacia las piernas de Anita y coqueteaba con ella. O ella con él, quizá para hacerme creer que era cierto aquello de la frase que atribuía al doctor «soy un genio del amor». Y hacía preguntas, se interesaba por todo como si estuviese en su casa, como si no hubiéramos interrumpido su sueño. Estaba fresco como una rosa, mientras yo me dormía a chorros y temía las contestaciones de Anita al gran hombre al mismo tiempo. Por fortuna, las contestaciones de Anita no parecían ni molestarle ni sorprenderle. Y con esta tranquilidad mi sueño se me hizo somnolencia insoportable. Anita era capaz de olvidar su cansancio para divertirse a mi costa. Pero Tarro llevaba la voz cantante.

—¿Que quién es Martín? ¿Usted cree en el poder de la oración, doctor?

Me espabilé a estas palabras. Yo sí me asombraba aún de las salidas de Anita.

Tarro afirmó con seriedad:

—Creo. ¿Cómo no? No sería psicólogo si no creyese. Y no me llames de usted. Para vosotros soy Tarro simplemente. Di, di lo que me comenzaste a explicar hace un momento sobre la oración.

—Es que cuando yo era pequeña me enseñaron la oración que rezan los niños españoles; mi madre era española y mi tía Froilana me decía que le hubiera gustado oírnosla rezar a mi hermano y a mí. Bueno, la oración esa «Ángel de la guarda, dulce compañía...». ¿La conoce? Pues después de tantos años de haberla rezado (durante mi infancia) la oración hizo efecto y me ha llegado el Ángel de la guarda, dulce compañía... Mi hermano Martín. Bueno, no es de verdad mi hermano. Pero nos llamamos así: hermanos. Eso somos.

Tuve un momento de cálida vanidad dentro de mi cansancio, vanidad que me hizo recordar todas las apreciaciones que había hecho de mi persona aquella amiga, aquella inesperada hermana mía. Anita estaba guapa con sus ojos espabilados y desmintiendo con su ternura el tono de broma. Tuve ganas de levantarme y estrecharla contra mí. Pero no hice nada. Y en seguida comenzaron ellos dos —Tarro y Anita— una larga conversación científica o seudocientífica que me hizo cabecear. Me mandaron a la cama como a un chico. Me señalaron el diván de cretona floreada para que me echase un poco.

Ahora ocurre lo mismo. Debo haber recordado estas cosas entre sueños. Doy una cabezada y me sobresalto. El señor Corsi abre los ojos, que también tenía cerrados. La luz encendida a la cabecera del enfermo me hace daño a la vista. Don Carolo me autoriza al fin a retirarme.

La cama preparada en la salita me parece un paraíso. Las sábanas ásperas se convierten en nubes de algodón. En dos segundos estoy metido en esa marea de blancura. Y duermo.

XI

Cuando despierto, aún es de noche. He descansado tan profundamente que me entran remordimientos por no haber cuidado al enfermo, pero don Carolo duerme. Me visto, cierro la puerta de comunicación para no molestar al señor Corsi y abro la ventana del saloncillo. Es el momento en que a la oscuridad más profunda sucede una luz verdosa que, poco a poco se suaviza, se vuelve líquida como agua clara que reflejase estrellas. El palpitar de la ciudad se nota muy lejano, muy apagado aún.

Las luces del alumbrado público van perdiendo fuerza lentamente, mientras la claridad del día hace destacar los contornos: un gran edificio en construcción enseña sus esqueletos. Una grúa en descanso se ve sobre la primera luz en dos trazos negros. El jardincillo de la clínica va mostrando sus plantas, sus caminos disciplinados cubiertos de grava. Más allá de las tapias se oye el rechinar de unos frenos. Madrid crece, avanza: un oleaje de casas y de calles. Hace poco estos lugares eran tierra arenisca de desmontes y no muy lejos debe de estar el pueblo de chabolas de los emigrantes de todo el país que construían sus viviendas, sus refugios de buscadores de oro y de pan. Las chabolas de esta parte de Madrid las conozco porque en mi primer empleo de chófer de una camioneta, conduje de noche muchas veces materiales de construcción para esas madrigueras de la miseria y la esperanza.

Allá abajo algo se mueve: son las tocas de una monja. Una bandada de pájaros que se levanta desde la hiedra de las tapias hacia el cielo. Aumenta el rodar del tráfico. Se oyen bocinazos. El ulular de una sirena.

Hacia el este se anuncia el sol en cuatro nubes de algodón rosa con los bordes inflamados de oro. Es de día. La noche toledana, que ha durado años-horas de dos noches con un día en medio, termina, ha terminado ya.

Toledo iba recuperando sus contornos. Sus esquinas, sus pequeñas plazas, la torre gótica de la catedral, su alma en las sombras. Era como una de esas ciudades de leyenda, sumergidas, que a una hora, en un día determinado, salen de las aguas.

No sé si me di cuenta de que ya no era «mi» Toledo, sin embargo. No lo fue nunca más. Mis locuras de chico solitario, entre las que era la más grande mi solitario amor exclusivo por Toledo, ya no existían.

—Hay un tiempo para amar y otro para olvidar, ¿no es así?

Sí. Me di cuenta. Recuerdo esta contestación de Anita, que quería citar sin saberlo, y desde luego sin lograrlo, alguna frase del Eclesiastés. Le conté a Anita mi enamoramiento por Toledo y cómo sucedió el primer día en que llegué a esa ciudad desde Madrid entre otros compañeros —una excursión de estudiantes de Bellas Artes—; y cómo sentí un auténtico flechazo de amor cuando el autobús que nos llevaba, al subir hacia Zocodover, pasó junto a la Puerta del Sol. Ni siquiera fue el colorido: ese amarillo rosáceo de Toledo, ni la curiosa belleza del monumento mudéjar; fue un amor por el alma misteriosa de Toledo. Sus mil muertes y mil vidas en piedras y ladrillos. Fue como si me estuviera esperando la ciudad para decirme algo de mí mismo, de todas mis contradicciones, del barro y la piedra con que yo mismo estaba amasado, de la muerte y la vida que llevaba en mí. Como si en Toledo romana y visigótica, judía, árabe cristiana de tan diferentes épocas de cristiandad, guerrera y comerciante, rica y pobre (con su inmensa carga de tesoros guardados entre ruinas), ciudad provinciana después de haber sido capital de un imperio, como si en aquella ciudad se hubieran mezclado sangres que me llegaron a mí y me hicieron comprenderla.

—Pero no sabemos nada de nuestra gente. Nos olvidamos en dos generaciones. No tengo la menor idea. No sé si hubo alguien de Toledo entre los parientes de mi padre o de mi madre. Que yo sepa, no los hubo. Claro que eso no importa. Me duró muchos años ese amor. Te parecerá una tontería, pero así fue.

Creo que Anita escuchó con interés lo que le dije, que no se echó a reír, que tampoco comentó que le parecía de loco aquella felicidad que yo había sentido durante varios años en mis visitas solitarias a Toledo. Pude decírselo, simplemente. Nos sentíamos ya muy amigos. Hablar y escuchar con todo el alma, es amistad. Yo lo sentía así.

Anita venteaba el aire frío de la noche y a veces se adelantaba a mí y volvía como un perro joven a quien uno lleva de paseo. Se lo dije y se echó a reír con tal descuido en una calleja solitaria, que le hizo eco en los rincones y levantó asustada a una ave nocturna, que emprendió el vuelo desde un tejado hasta una torre.

Se iba serenando mi cabeza. Me daba alegría ver disfrutar a Anita con el paseo y la noche, y al mismo tiempo su personalidad despertaba mi sentido crítico. Ella me había dicho que yo era como un hermano y me sentía como algunos amigos míos con sus hermanas, algo gruñón. Con aquel ir y venir y hablar en voz alta, y pisar fuertemente «clip clop clip clop», parecía un potrillo.

Ella me escuchaba con paciencia y risa. «¿Qué más parezco, Martín?»

Esas instantáneas de Anita en la noche toledana no son favorecedoras en cuanto a su belleza. Envuelta en su abrigo grueso, con un pañuelo anudado bajo la barbilla para proteger las orejas, con su aire independiente y su paso seguro sobre aquellos tacones, no tan altos como los de Zoila y que quizá por eso no le impedían andar sin cansancio y sin apoyo. Anita no presentaba ningún síntoma de debilidad femenina y tampoco de aquella elegancia natural que le encontré un rato antes cuando la vi en el hotel.

En la plaza de la catedral, Anita se alejó de mí. Corrió de un rincón a otro, buscó perspectivas para ver la fachada y la torre gótica bajo el cielo cargado de nubarrones, manchado por la luz pobre de aquella luna triste que nos había tocado en suerte. No sé si por la hora o por otra circunstancia cualquiera, aquella noche Toledo no tenía iluminados sus monumentos. Anita dijo que lo prefería así, con la luna y las sombras y los faroles.

—Ya veo que no te cansas como otras mujeres. Pareces un muchacho...

Anita se sorprendió.

—¿Por qué un muchacho? Es la primera vez que me dedican semejante piropo... si puede llamarse piropo. ¿Es que te recuerdo a Carlos? Tú preferías a Carlos, ¿verdad?

Me sentí desconcertado. Anita no se parecía a Carlos. Y no parecía un muchacho. Y yo era un imbécil. Pero lo mismo que el acento familiar, hay gestos familiares. Y era verdad que tenía gestos de mi amigo de otros tiempos.

Y era verdad que yo había preferido a Carlos. Y me sentía fastidiado por esa perspicacia suya y empecé sin saber cómo a hablarle como un hermano mayor, gruñón, bueno, preocupado. Dije que le hablaba porque Carlos le diría lo mismo si estuviese allí. Me parecía a mí que el señor Corsi, su padre, le daba demasiada libertad para vivir en España siendo hija de familia. Eso de poder quedarse en Toledo con un desconocido, por ejemplo...

Aquella noche recorrimos Toledo de verdad, de punta a punta; nos metimos por la judería, por los barrios más pobres, nos adentramos en el recuerdo de los edificios mozárabes. No sé en qué momento tuvimos esa conversación.

—Ahora sí que lo has arreglado, Martín. ¿Crees que soy una chiquilla? Soy una mujer y tengo toda mi libertad. ¿No la tienes tú?

—Es distinto —expuse—. Y la libertad hay que ganarla. Los hombres nacemos libres, a las mujeres hay que protegeros. Al menos, en este país nuestro es así. Y tú lo sabes porque, como dices a cada momento, eres medio española y además has vivido mucho aquí. Esta noche yo he estado medio aturdido, medio mareado con esas historias y esos encuentros... Pero ahora me siento como hermano tuyo y por eso te digo...

—Ay, Martín, qué divertido eres. Cuánto le gustaría a papá escucharte. ¿Crees que soy una niñita? Papá es muy camaleón y aunque sabe muy bien que nunca he sido una niñita a quien haya que cuidar, ahora se empeña en que debo tener ciertas apariencias de eso, de niñita, y quiere prepararme un matrimonio. ¿No es maravilloso? Pero... ¿dónde estamos, Martín? Anda, cuéntame cosas de Toledo.

Como no tenía más remedio, le conté cosas de Toledo. Desde leyendas románticas hasta leyendas de romances antiquísimos. Le hablé de la historia. De los Comuneros, de los misticismos y herejías, de los ritos católico y mozárabe, de las sinagogas, de los serfaditas que en tierras lejanas guardan las llaves de sus viejas casas de Toledo que aún existen...

Creí que la estaba aburriendo; las muchachas que yo conocía no hubieran soportado tanta información sabihonda. Pero estaba encantada. Sentí una honda gratitud porque así fuese.

—¡Cuánto sabes, Martín! ¡Me gustaría tener tu cultura! Yo me he dedicado a estudiar cosas más científicas. Y desde luego esta ciudad, como todas las ciudades, se puede ver desde distintos puntos de vista. No. No te rías. No te digo que lo vea desde un punto de vista científico. Aunque antropológicamente la gente de aquí debe de ser muy interesante. Tanta mezcla... ¿no crees? Pero me gusta mucho saber eso de los túneles secretos que atraviesan la piedra en el subsuelo de la ciudad y llegan hasta el río para el aprovisionamiento de agua en tiempos de cercos y guerras. Y también que por esos túneles pasasen las damas enamoradas para reunirse con sus amantes a la orilla del río...

—Bueno, no hagas mucho caso. Son leyendas. Se dice que doña Isabel de Freyre, la amada imposible de Garcilaso de la Vega, se reunió al fin con el poeta una noche, a la orilla del río, pasando por un túnel de esos. Y se acabó el amor de Garcilaso al encontrar a la amada en realidad, no en fantasía.

Anita no sabía bien quién era Garcilaso. Me pidió perdón. De literatura española sabía poco. La literatura francesa, clásica, sobre todo, era su fuerte...

Yo me reía de Anita. En especial, aquella ocurrencia de que ella se había dedicado a estudios científicos me divertía mucho. Y me conmovía un poco su desconcierto y al fin su modesta vacilación sobre sus pretensiones de estudios. Defendió como pudo sus alardes de cultura.

—De todas maneras, Martín, te hubieras aburrido más con Zoila que conmigo paseando por aquí. A mí me interesa todo lo que dices. Y Zoila te hubiera puesto en un aprieto porque habría querido que la llevases a lugares de diversión actual, que aquí no existen y que si existen me parece que no conoces tú.

—Zoila no sabe nada. Yo no la habría llevado a dar un paseo como éste. No te concibo como sabia, pero no te comparo con ella.

Ella volvió a hablar de Carlos... Nuestras conversaciones, que a veces tocaban el absurdo, hacían que Toledo, tan conocido, a veces me resultase desconocido. Entre mis pedanterías y las de Anita, su risa resonaba por rincones en que nunca soñé oír la risa de los Corsi. Junto a la iglesia de santa Leocadia, frente al palacio del rey don Pedro, cerca del rumor hondo del Tajo en San Juan de los Reyes...

—Martín, eres muy español. Muy ibérico, como decís vosotros. ¿No admites otra cultura que la tuya? Zoila no es totalmente inculta. Te voy a decir que ella me ha contado que tú eres inculto. Lo descubrió con gran asombro. Sí, sí, no pongas esa cara... Dice que no sabes quién es Einsestein.

—¿Einstein? ¿No sé quién es Einstein? Vamos...

—No Einstein sino Einsestein, el director de cine. El ruso de *El acorazado Potemkin*... ¿Ves cómo también tienes fallos? Zoila sabe mucho de cine. No es que haya estudiado, pero ha vivido mucho con gentes inteligentes que se dedican a eso. Yo también, y sin embargo sé menos que ella, me he fijado menos.

Me sentí ligeramente fastidiado.

—Zoila, y Obdulia y tú y Toledo. Anita, ¿por qué eres tan loca? Esas mujeres...

Estábamos en ese momento que Anita creía de mi «humillación por ignorancia» junto al muro del jardín de un viejo convento. Anita se había quitado los guantes para tocar las piedras de aquel muro. Hacía cosas así. Una mancha de luz me hizo ver su cara. Me miraba pensativa. La vi con ceño, como si le asaltase una idea repentina, y luego me envolvió en una mirada tranquilizadora.

—¡Ah!, ahora comprendo por qué te preocupabas antes tanto por Zoila y Obdulia y por mí... No te lo dije, ¿verdad? Crees que me he metido en algo feo con el asunto de Obdulia; que la he dejado marchar tan tranquila a matar a Pepito Díaz Paramera. Pero no es así. Jamás contribuiría a un asesinato. Zoila ha vivido ocho días en el mismo hotel de Obdulia, como sabes. Se han hecho muy amigas y te sorprendería saber todo lo que ha descubierto Zoila. Lleva la cuenta de las joyas y las pieles de Obdulia y sabe lo que cuestan, y no sólo eso: también la ropa interior, los productos de tocador... Conoce cada rincón de sus armarios y sus maletas. Si tuviese un arma de fuego, o aunque fuese arma blanca, un estilete o lo que sea, Zoila lo sabría. Y además, por si acaso, mientras Obdulia dormía hemos registrado su bolso, sus bolsillos, todo. Nos hemos convencido de que no puede matar a Pepito. Si no fuera así, no la habríamos dejado ir en ese estado de furia. La habríamos atado a la cama del hotel de aquí o la habríamos dormido otra vez con sus tranquilizantes. Yo sé lo que hago, Martín. Yo no me meto en asuntos de asesinatos. Si me piden ayuda, ayudo; pero para una cosa así no, de ninguna manera. ¿Estás tranquilo?... Zoila no es tonta, Martín, no la desvalorices tanto. Y yo tampoco soy tonta.

Yo no estaba tranquilo, sino estupefacto. Nunca se me hubiera ocurrido pensar que aquella absurda historia de la noche toledana pudiese enfocarse en tragedia. Yo pensaba en otras cosas...

—¿Cómo que no, Martín? Tú sí que eres inocente... Es que las mujeres de aquí son muy mansas a pesar de que se dice, eso de que las españolas llevan una navaja en la liga; pero en América las mujeres y los hombres dan menos importancia a la vida. Te lo aseguro. Todo el mundo lleva pistolas y revólveres y cosas así. Yo no soy apasionada, pero he visto a gente apasionada. He viajado. Tú eres un chiquillo, Martín, comparado conmigo. La gente se mata, ¿sabes? Es horrible. Yo sé prevenir esas cosas... Puedo andar por el mundo más prevenida que tú...

Tuve que callarme cuando me dijo que las mujeres que yo conocía eran muy mansas. Desde luego ninguna de las que yo había conocido me parecía capaz de asesinar por pasión. Y las muchachas de la edad de Anita, que viven con sus padres en casas bien tranquilas, bien guardadas por sus familias, mucho menos. Recordé a Paloma, recordé a Amalita, las sobrinas del señor Luis preparando alrededor de su costurero el equipo de boda de Amalita. Eran muchachas pacíficas y buenas. Una historia como la de Obdulia ni me hubiera atrevido a contársela, en efecto... ¿navajas en la liga? Me reí.

Me venían esos pensamientos desde lo hondo de unas raíces de educación, de atavismo, de realidad conocida, las mujeres que se casan, que van a ser madres de familia, las mujeres que forman la gran mayoría de un país, no conciben esas cosas. El que Anita me considerase un chiquillo demostraba simplemente lo poco femenina que era. Superficial, poco profunda... Mi pensamiento daba esos saltos dentro de un silencio rabioso, aunque mis emociones del momento en que estuvimos juntos en la mezquitilla se habían borrado ya. Estábamos, creo, asomados al despeñadero oyendo el rumor del Tajo, viendo cómo se formaba la niebla. Y Anita me distrajo al fin haciéndome notar aquellas nubes de niebla que subían hacia la ciudad.

Esto ocurrió a última hora. Este momento nuestro en que estuvimos apoyados contra la muralla rota. Antes sucedió lo de la mezquita; algo que ahora vuelve a mí y que ya había sido enterrado en mi recuerdo cuando hablábamos Anita y yo frente a los montes de los cigarrales, cuyas sombras y las luces salpicadas en lo oscuro, iba borrando la neblina. Lo de la mezquita comenzó cuando empecé a lucir mis conocimientos sobre el Toledo más antiguo.

Le había hablado a Anita de la mezquitilla del siglo X, que antes había sido capilla bizantina.

Y fuimos. Anita quería verlo todo. Pasamos entre arcos románicos y visigóticos para subir la cuesta que lleva a ella. Nos encontramos con muros cerrados, obras de despeje del monumento alrededor del edificio. Saltamos un muro. Saltó Anita decidida y yo detrás en el momento en que ella lanzaba una exclamación ahogada, porque se había dado contra una piedra al caer.

—No, no es nada. Sólo se ha roto la media. Vamos.

El recinto estaba totalmente a oscuras y con un frío de diez siglos estancado entre sus columnas. Empecé a frotar cerillas que me quemaban los dedos rápidamente. Anita me tendió su encendedor. Las corrientes de aire apagaban la llama, pero sirvió en sucesivas iluminaciones para darnos cuenta de los arcos, los rastros de las valiosas pinturas bizantinas. El frío se nos metía en los huesos. Encendí el mechero por última vez y resguardé la llama con la otra mano. En aquel momento vi los ojos de Anita llenos de reflejos y una dulce y anhelante expresión en su cara, mirándome.

Ese instante se hundió en el olvido con un soplo de aire. Ya no estaba en mi memoria cuando más tarde charlamos al borde del despeñadero. Pero ahora vuelve. Está grabado en mí con la imagen del rostro de Anita, tan vivo a la débil luz de la llama. Está grabado con el olor a frío húmedo, con el sonido. (El aire golpeando en algún sitio una madera suelta y los ladridos de un perro que debía de estar muy cerca y al que respondían ladridos que llegaban en diferentes tonos y desde distintas lejanías de la ciudad.)

En esa mínima fracción de tiempo que ahora revivo, siento la atracción que tuvo para mí la sonrisa medio inocente, medio provocativa de Anita y el descubrimiento de cuánto me gustaba y la seguridad de que iba a besarla. Un deseo y una seguridad tan fuertes que sólo una alucinación pudo pararlos: una alucinación extraña debida a las sombras y el reflejo vacilante de la luz en sus facciones. O simplemente el recuerdo de un gesto, como pensé después, ya que hay gestos familiares que se reproducen en personas muy distintas. De lo que estoy seguro es de que vi sobre el rostro moreno y expresivo de Anita la cara adolescente y rubia de su hermano tal como era en el tiempo en que nos conocimos.

Me quedé más frío que las sombras que nos rodeaban. La rabia de sentirme atraído otra vez por un hechizo hacia esa raza de seres vacíos, egoístas, inconsecuentes (había pensado así de Carlos muchas veces), me heló. Ni siquiera tuve tiempo de pasarme la mano por los ojos para alejar la visión desconcertante. Mi sonrisa llena de soberbia juvenil se reflejó en los ojos de Anita. ¿Fue una alucinación también? Me pareció que ella me correspondía con la misma soberbia en la mirada: las cejas fruncidas de pronto, la media sonrisa de desafío. Las manos me temblaron y dejé apagar la llama del encendedor. En la oscuridad repentina solté una exclamación de fastidio por mi torpeza y en seguida acudí a la voz y los pasos de Anita y salí junto a ella a la dudosa luz de aquel cielo oscuro que, por contraste, nos pareció casi brillante con aquel charco amarillento donde nadaba entre las nubes la luna decreciente.

Disimulé mi aturdimiento. Anita dijo: «Estás temblando de frío», se empeñó en palmear mi espalda sobre la gabardina. Yo no sentía nada. Ella me golpeaba con tal inocente camaradería que me avergoncé. Anita ni con su actitud ni con palabra alguna me preguntó qué diablos me había pasado en el interior de la antigua ermita. No se había dado cuenta de nada. No había intentado coquetear conmigo ni desafiarme. Cuando echamos a andar por las calles de un Toledo dormido, con las manos enlazadas al estilo familiar de los Corsi, me dijo simplemente que desde que había perdido a Carlos hasta esa noche no había vuelto a tener un hermano con quien compartir la aventura que significa el encuentro con gentes y con ambientes nuevos. Pero sabía —dijo— que esa noche tenía ya un hermano en mí. ¡Nos habíamos divertido tanto al ir en busca de la mezquita!

Me sentí avergonzado de aquel minuto mío, lleno de sensaciones que se me iban haciendo incomprensibles. Ese minuto de la mezquitilla. Ese oleaje negro de rencor a los Corsi. A todos ellos. Por Carlos, el más querido amigo, el más tonto y más vacío y más egoísta amigo, ¿por él, rencor? ¿Cuando ya no me acordaba siquiera de haberle conocido? A medida que Anita, con aquella inocente naturalidad en que se me mostraba, iba borrando su atractivo de mujer para mí, iba en cambio haciéndose más querida, más amiga, más igual a mí, más hermana como ella decía. Creo que me trasvasó su sentido del humor y que llegué en mis pensamientos a burlarme de mí mismo en un último recuerdo de aquel momento extraño y ya pasado. «¿Será posible que yo haya podido sentir un atavismo de ese machismo brutal de los hombres elementales, para los que la mujer no es un ser capaz de sentimientos propios sino una propiedad pasiva de los hombres de la familia que la guardan porque es esa propiedad respetada o bien despreciada por otros hombres, la verdadera plataforma de las pasiones de envidia o de desprecio, amistad o enemistad masculinas?»

Me hice esa pregunta y dejé la respuesta en el aire, porque la compañía de Anita me iba aireando el alma, sacudiéndomela de intromisiones, haciéndome vivir el tiempo en un presente continuo, refrescante, que entonces tenía un tierno interés, una curiosidad y una alegría amistosa, a las que terminé por abandonarme sin más complicaciones.

Mucho después fue cuando vimos subir y espesarse la niebla desde lo hondo del Tajo. Volvimos hacia el hotel de Anita perseguidos y luego envueltos por nubes blanquecinas. Charlábamos mientras yo iba encontrando, casi por instinto y por costumbre, el camino. Cercos de luz deshecha en las bombillas del alumbrado y cegada la luna de los Corsi. Y Anita contándome cosas en las que no podía creer.

—No quiere que diga que soy divorciada, dice que eso no gusta aquí. Sobre todo dice «en una chica tan joven». Para él sigo siendo una chiquilla...

—¡Tú qué vas a ser divorciada! No me metas bolas. Creo tanto en que puedes haber estado casada y seas divorciada como en que tu vocación es la de sabia científica.

—Pues mi vocación es la medicina, en ciertos aspectos, claro; psiquiatría y todo eso, y en mi vida hay un divorcio. Un divorcio fatal según papá, porque no me enriqueció en absoluto. Pero ¿no es extraordinario que con lo que me necesita el pobre papá esté empeñado en que me case otra vez y además a la manera española, con uno de esos buenos chicos que conozco y me admiran? Bueno, pues dice que es mejor dejar correr el bulo de que Italo ha muerto, una muerte trágica durante un safari en Nguma dice que es muy elegante. ¡Pobre papá! Pero es tan divertido... Yo no digo nada cuando alguien me pregunta sobre eso; digo, si estoy muy apurada, que no quiero hablar de cosas tristes. Pero en casa hago rabiar a papá, que termina por reírse cuando le explico cómo me imagino a Italo despidiéndose de la vida, asomando la cabeza por las fauces de un león o un cocodrilo, y su barbita roja en punta, temblando en el adiós supremo...

Yo no creo nada. Pero no tengo más remedio que imaginar a ese Italo con una cara «algo mefistofélica», como dice Anita, con barbita de retrato de Van Dick. Vamos muy juntos Anita y yo en este regreso entre la niebla. Yo digo que mañana nos encontraremos para ver Toledo con sol... Las nieblas nocturnas no duran.

Cuando dejo a Anita en el hotel, me quedo un rato quieto en la calle mirando a la puerta iluminada por donde ella ha desaparecido. Al fin me vuelvo para dirigirme a mi Fonda Vieja. Doy dos pasos y oigo la voz de mi amiga llamándome. Creo que es una invención de mis sentidos ese grito y noto que me late aprisa el corazón. Pero me detengo. Y la llamada se repite. Vuelvo hacia la luz del hotel. Corro y nos tropezamos Anita y yo entre la niebla.

Segunda parte

... Y LO DEMÁS

Julio de 1950

Por fin se ha aclarado que el compromiso que, según mi sobrina Paloma, había contraído Martín Soto con ella, y del que huyó cobardemente y sin dar aviso, desapareciendo como si se lo hubiera tragado la tierra el día 15 de abril, en caso de existir no era grave, ni motivo de huida tan singular. Como ya he ido relatando en este diario, la vida en casa de mi hermano Joaquín ha estado marcada por la sospecha que tuvimos todos, de que la niña, Paloma, se hubiese entregado a Martín y que incluso hubiera consecuencias de deshonra para la familia. Ya he contado que Amalita, mi sobrina mayor, que siempre ha sido más buena que el pan y por su carácter y aficiones más ángel y más monja que novia, consintió en que su novio Antonio Míguez, que desde niño la había cortejado y que ya terminada su carrera de veterinario había fijado la fecha de la boda, se sacrificase casándose con la pequeña Paloma en vez de hacerlo con ella. La boda se ha celebrado con urgencia esta semana. Amalita ha manifestado su deseo de entrar como novicia en un convento y hoy mi cuñada Amalia me expresa su satisfacción porque Dios escribe derecho con renglones torcidos. Amalita era chica de convento y está contenta, y la pícara de su hermana también y Antonio también, pues sin la desaparición de Martín no se hubiese atrevido a confesar que la hermana que le gustaba era Paloma desde que ésta dejó de usar calcetines para ponerse medias. Y que en fin, a pesar de tantas amenazas de muerte que se han hecho contra Martín en casa de mi hermano, este muchacho, como digo, no tenía motivos para huir de nosotros por ninguna causa.

[...] sigue siendo un misterio, pues como ya [...]** que haya emigrado a Venezuela, para donde tenía concedido pasaporte. En este punto cesan ya mis pesquisas y si algún día escribe o aparece Martín Soto, estoy seguro de que aclarará qué motivos le obligaron a desaparecer como raptado en platillo volante o a lomos de la célebre gata con alas, el monstruo que asombra a Madrid en estos tiempos.*

Satisfecho no estoy más que de dos cosas: una, la seguridad de que si Martín se hubiera visto en compromiso de delito que le llevase a la cárcel o por accidente a hospitales, es seguro que lo hubiéramos sabido en este tiempo. Y si se hubiera quedado en Madrid, como no fuese encerrado en un sótano, también lo habría sabido yo, pues en todas partes tengo amistades que me hubieran dado noticia de su presencia en cualquier barrio. La segunda satisfacción es la de no haberme equivocado en cuanto al carácter del muchacho y a la impresión que tengo (a pesar de toda mi malicia de perro viejo y con todo lo que he visto de malo en este mundo) de que ese muchacho, Martín Soto, en otros enredos puede meterse como cualquiera, pero muy difícilmente se metería nunca en líos de faldas y menos en complicaciones con muchachas de familia honrada y conocida.

(Del diario policiaco escrito por Luis López.)

* Ilegible en el original. *(N. de los ed.)*

** Ilegible en el original. *(N. de los ed.)*

XII

El calor comenzó con fuerza aquel año. En el calor nos hacían sufrir las restricciones de agua. Madrid estaba creciendo demasiado de prisa. No sé si aquel mismo año o poco después se juntó el abastecimiento del agua de Lozoya —tan limpia y tan fría como recién brotada del manantial montañero cuando se abrían los grifos— con la de Santillana. Si ya se había cumplido esa disposición, no bastaba para el abastecimiento. Con el calor se dejaron de regar las calles, se secó el estanque del Retiro, hubo invasiones de insectos —sobre todo hormigas aladas y moscardones negros— y aun se dejó de notar alivio durante las noches. Hasta en los pasillos de aquella casa de techos altos parecían mustiarse las rosas rojas y las rosas azules, y la sangre ardía y el cuerpo rechazaba hasta el contacto de las sábanas. Quizá todo eso contribuyó a anular mi voluntad y a convertirme en una especie de loco suelto, sin casi discernimiento del bien ni del mal.

Pero apartando a un lado justificaciones y reproches a aquel muchacho, a aquel hombre de veinticuatro años que fui yo, lo que ponen de relieve los recuerdos desechados no es esta interesante explicación. No hay explicación. Y antes del verano, en la primavera, yo me sentía perfectamente bien y con la cabeza más lúcida que nunca.

El tiempo primaveral fue más bien fresco con algunos días hermosos y luego retrocesos al frío. Después de un giro de la naturaleza hacia el invierno, llegó de pronto el verano más caluroso que recuerdo. Yo, mientras tanto, me había quedado a vivir con la familia. Ni siquiera tomé la decisión de instalarme. La acepté como algo natural.

—¿Quieres esta alcoba? —me dijo Anita el lunes—. Le diré a María que te la arregle.

No sé por qué aquella alcoba. Estaba entre el comedor y el cuarto de Frufrú. Era amplia y cómoda, con un balcón que daba al Retiro. Pero aquél era un piso muy grande y había otros cuartos también buenos. Yo no supe elegir. Anita decidió por mí. Ella tenía razón cuando decía que en su casa cabía mucha gente y éramos muy pocos ocupándola.

—Tía Froilana querrá dormir con la niña. Nunca le ha gustado dormir sola. A mí sí, y nos hemos enfadado más de una vez por eso.

Aquella primera época fue la época de doña Froilana.

Apareció en la clínica el lunes, casi a primera hora. A mí me había dado tiempo para tomar un par de cafés en un bar cercano, porque aquel café lechoso que me sirvieron en la clínica me daba repugnancia. Una vez en el bar pensé escaparme. No de la familia, sino de la clínica. Pensé que sería conveniente ir a casa, despertar a Anita y traérmela al sanatorio. No sabía qué hacer con don Carolo y sus quejidos, ni cuándo me pedía que le afeitase convenientemente (yo no me atrevía a hacer de barbero en aquellas condiciones, nunca había afeitado a nadie más que a mí mismo). No me gustaba nada estar en el sanatorio. En resumen, quería irme. Nadie podía impedírmelo. Y nadie me lo impidió, pero la verdad es que sentía ciertos remordimientos. Según el enfermero, don Carolo pasó una noche agitada, pulsó el timbre varias veces y entró la enfermera de guardia sin que yo, dormido como un leño, me enterase de nada. Había sido un acompañante completamente inútil.

Volví a la clínica un poco exasperado por no haber encontrado abierto el quiosco de los periódicos, y me senté a fumar en el saloncillo. Don Carolo me llamó. Dijo con voz débil que prefería que fumase a su lado. Pasé unos minutos muy tediosos hasta que oí aquel cotorreo en francés junto a la puerta de la salita. Luego me llegó una frase española salpicada de palabras extranjeras. «Oh, no, *ma soeur*, los hijos están en América. Ese *uomo* es un impostor...» Recuerdo con claridad lo del *uomo impostor*, que se refería seguramente a mí, el hijo postizo de don Carolo. Las cosas habían cambiado y solamente era ya un simple sobrino, pero la persona que hablaba no lo sabía.

Entró seguida de la monja. Yo me puse en pie y don Carolo abrió los ojos, que se le llenaron de lágrimas.

Doña Froilana era muy menuda y aun antes de quitarse el sombrero me trajo al alma una racha de viejos recuerdos felices y coloreados. En aquel momento ella llevaba un abrigo ligero de un color amarillo intenso y una pamela adornada con frutas artificiales y cubierta por un velo que se anudaba bajo la barbilla. Era increíble. Don Carolo le tendió las manos.

—Te has dignado venir al fin.

Doña Froilana apartó el velo y, como también había llorado al ver al enfermo, secó sus lágrimas con un pañolito que olía a perfume. Después se quitó la pamela y la dejó sobre la silla. Vi una carita de mono, muy pintada y como arrugada, y un cabello de color de fuego, y recordé desde un asombro extasiado el nombre por el que yo conocía a aquella señora. El diminutivo que le daban Carlos y Anita, que le dábamos todos en otra época. Y dije en voz alta:

—Frufrú.

Ella al pronto ni me escuchó. Sólo la monja se volvió a mirarme. Frufrú daba sus explicaciones a don Carolo.

—¿Cómo querías que viniese? ¿Volando? No había tiempo de buscar billetes de avión. Además, el avión me pone mala de miedo y tú lo sabes. En cuanto oí tu llamada, pedí a *monsieur* Dupont que me aconsejase. Oh, sí, no dudé de sacarle de su lecho a altas horas de la noche para acudir al teléfono. *C'est très bon garçon*. Él me impidió hacer tonterías, como llamar a Madrid, por ejemplo. Supo convencerme de que si estaba decidida a venir no era necesario que gastase en una conferencia. *Monsieur* Dupont es admirable. Me acompañó muy temprano a la *gare*... Todo el día rodando en tren por Francia. Toda la noche por España. Y aquí estoy.

En su charla Frufrú mezcló tres idiomas.

Durante los primeros días de su estancia entre nosotros me fue difícil entenderla. A los pocos días se hizo comprensible, pero en aquel momento tuve que adivinar el sentido de sus palabras. Entendía lo suficiente para hacerme un lío.

—No es posible, le pusimos un telegrama ayer, Frufrú, después de la operación.

—Ayer estaba yo en el tren. Vine porque Corsi me ha llamado.

Don Carolo gruñó que no había creído que Froilana le oyese. ¡Se oía muy mal por teléfono! Sólo ruidos.

—Claro que oí tu voz, Corsi. ¡Sé muy bien que eres capaz de decir que te mueres por un catarro cualquiera, pero también sé que no hubieras humillado tu orgullo llamándome por eso.

Fue la primera época. La época de doña Froilana. Nada hacía presentir la fiebre del verano.

Doña Froilana se ocupó de todo lo que concernía a nuestra comodidad y encontró en seguida una sirvienta fija para que nos atendiese aparte de María la asistenta. Los suelos fueron encerados, los cristales brillaron, hubo un remozamiento, un esplendor de cortinas y objetos de plata. Hasta Anita, a quien ponía nerviosa en aquella época la presencia de su tía, se alegró de que estuviera con nosotros.

Nosotros nos olvidábamos de todo según nos hizo notar Frufrú. Por ejemplo, nos olvidamos de que el martes habíamos invitado a comer al viejo Pérez: ni siquiera se nos ocurrió hablarle de eso a doña Froilana. Por azar se había dispuesto la comida en casa el martes. Anita y yo, al salir de la clínica, fuimos a unas mantequerías para dejar una lista de encargos y luego nos entraron ganas de vagabundear un poco por el Retiro. Sabíamos que doña Froilana se había ocupado ya de la asistenta, de la comida, de la niña. Teníamos un rato de libertad.

Yo quería que Anita me dijese si era o no cierto que había estado casada alguna vez con un señor llamado Italo. Pero ya me habían comenzado los síntomas de una enfermedad, de timidez, de miedo a hacer preguntas, que siempre me había acometido delante de los Corsi. Prefería que ellos con su charla me revelasen las cosas. Y no me atreví a investigar seriamente el asunto de Italo en aquel paseo, a pesar de que Anita lo nombró descuidadamente a propósito de su tía Froilana. La conversación sobre esa señora era la única que interesaba a Anita desde el día anterior. Se estaba obsesionando con ella.

—Se ha vuelto insoportable. Y avara. ¿Quieres creer que no ha traído ni un céntimo para ayudarnos si hacía falta? Desde que es rica se ha vuelto atroz. Imagínate si no llegas a estar tú con nosotros, Martín. No teníamos un céntimo en casa. Papá perdió jugando al bridge lo que le quedaba de la última remesa. Hubiéramos tenido que pedir un préstamo y Froilana estaba esperando que eso sucediera. Se ha vuelto maligna. Y esa locura de quererse casar con su espantoso *monsieur* Dupont...

Anita no demostraba su sentido del humor cuando se trataba ese asunto. Me eché a reír y dije que realmente era inconcebible. Seguramente una locura senil. Había oído decir que había locuras seniles. Una anciana...

Mi voz se perdió en un murmullo. No me pareció oportuno decir que doña Froilana se había empeñado en considerarme futuro marido de Anita. La tarde anterior, cuando comenzaron a llegar visitas a la clínica, yo acompañé a la vieja señora a casa y ella me dijo en su charla, medio incomprensible aún, que debería animar a Anita a una boda rápida. Hacíamos una hermosa pareja. Una pareja de estudiantes. Ella nos ayudaría. Viviríamos en París, en su casa, y Anita estudiaría. Afirmó con seriedad que Anita era una buena estudiante, la calificó de cerebro privilegiado. Sólo le faltaba el examen final para acabar el *Baccalauréat*.

Me miró con sus ojitos redondos y observó que aquello no me impresionaba demasiado. Debió de pensar que yo también necesitaba ánimos y afirmó que era inteligente. Estudiaríamos los dos en París.

La idea me resultó tan divertida que hasta me costó trabajo quitarle las ilusiones a doña Froilana explicándole que ni Anita ni yo teníamos edad de ser estudiantes. Y menos de Bachillerato. Por otra parte, yo hacía muchos años que había terminado mi Bachillerato. A la edad corriente de esos estudios.

—¿Y te dedicas a hacer algo ahora, *mon petit*? —dudó un momento—. Pero al menos tienes algo de dinero. Anita me ha explicado que has recibido una buena herencia de tu querida abuela, ¿no es cierto?

Le dije que era pintor.

—Oh, es magnífico... Un artista. Un gran artista. *Monsieur*

Juan Gris, *monsieur* Pablo Picasso, *monsieur* Martín Soto. ¿Por qué no? Tú pintarás, encontraremos un buen marchante. La fama, la gloria... Y Anita concluirá sus estudios. Nunca debió dejarlos, nunca.

Le expliqué a Frufrú que Anita y yo no éramos más que unos amigos muy recientes y que de ninguna manera estábamos enamorados y que en nuestros planes no entraba la posibilidad de un matrimonio en ningún caso. Lo más que se podía decir de nosotros era que la vieja amistad de la adolescencia nos hacía considerarnos hermanos.

Veo a doña Froilana en aquel momento. Abrió la puerta de nuestra casa y se libró del entusiasmo de los perros con unas rápidas caricias, olfateó el olor a la cera con que María acababa de frotar el suelo y escuchó mis últimas palabras con impaciencia mientras se quitaba su sombrero. Las rechazó con energía.

—Tonterías. Ustedes —siempre nos llamaba de usted en plural al estilo sudamericano—, ustedes son uno del otro, como Adán y Eva. Me ha bastado verlos juntos para dar gracias al buen Dios por el prodigio. Anita ha encontrado por fin a su hombre, a su esposo. Ya me voy dando cuenta de que aún no se han atrevido a acostarse juntos. No me mires con esa cara. Lo sé porque eso se nota, y está bien así, con tal que la boda se haga pronto y todo vaya normalmente.

Nada dije de esto a mi compañera de paseo. Pero insistí en la ligera locura senil que tenía doña Froilana con la tecla de los matrimonios, pero aparte de eso era simpática...

—¿Qué dices ahí de ancianidad? Tía Froilana sabe muy bien lo que hace. Y no es anciana —se echó a reír—. ¡Tiene la edad de Italo! ¿Dices que ya tenía aspecto de anciana cuando la conociste? Pues no tenía ni cuarenta años entonces. Lo sé muy bien, porque el año en que yo me casé dijo que tenía cuarenta. Como Italo... Cuarenta años es una edad respetable, pero hay gente mucho más vieja que no se considera anciana. Italo se cree muy joven y verdaderamente es joven. Todo el mundo habla de él como de una promesa aún. Y papá no sé qué edad tiene, pero le ha confesado al médico cincuenta y cinco, y si le llamas anciano creo que te odiará para siempre. Tía Froilana no cambia de aspecto porque ha nacido así, con el pelo teñido y sus pulseras en las muñecas y sus arrugas alrededor de los ojos. Pero ha cambiado de carácter. Por eso le doy menos mimos que antes. Se ha vuelto susceptible. Y no es vieja para eso. En fin, es una calamidad. Qué cosas más tristes, Martín. Nunca entenderé a la gente. Qué ganas de amargarse por nada. ¿Vamos a casa? Si no llegamos en punto a la comida hasta es capaz de enfadarse. Y cuidando a papá nos hace un favor. Hay que reconocerlo.

Íbamos como casi siempre cogidos de la mano. Me agradaba ir con Anita por aquel parque. El cabello castaño de Anita brillaba bajo las frondas como si volaran sobre su cabeza una serie de mariposas de luz. Me lancé a hacerle una pregunta. Una sola.

—¿Es verdad que te casaste alguna vez, Anita? ¿Existe ese señor llamado Italo?

Anita no me oyó o no se dignó contestarme.

Encontramos a la niña cuidando a los perros junto a la puerta del Retiro más cercana a la casa. Aún llevaba el jersey de don Carolo y los zapatos de tacón alto de doña Froilana, sobre los que había aprendido a andar con soltura de equilibrista a pesar de que le estaban grandes. La llamamos y llegamos con ella a casa.

Entramos en el piso armando mucho ruido. Y los perros entraron corriendo a la salita dorada: una habitación, junto al despacho, que me había dado la impresión de que los Corsi no usaban nunca y que era como esas salas de respeto de las casas de provincias, un lugar recargado de muebles pretenciosos. Oímos a doña Froilana tranquilizando a alguien para que no se asustase de los animales, y Anita tuvo curiosidad por ver quién estaba allí. Yo la seguí mientras Soli pasaba corriendo por el pasillo y huía a las profundidades de la casa.

En la salita dorada estaba sentado el señor Pérez envuelto aún en su sofocante capa española y atendido por doña Froilana, que, en aquel momento, se secaba sus gafas con el suyo. Los dos habían estado lloriqueando.

Confieso que me sentí avergonzado. Una de esas vergüenzas juveniles absurdas, por el aspecto de aquel hombre, por sus melenas sucias, por el tufo que despedía y por sus lloriqueos. Ya había contado la historia de su viudez. Y doña Froilana parecía creerle algo así como mi pariente más próximo, quizá mi padre.

Froilana se volvió rápidamente a Anita para regañarla. El pobre *monsieur* Pérez no iba a poder ser atendido debidamente. No se había preparado una comida especial para él, y todo por el descuido de Anita al no advertirla de la invitación. El señor Pérez tendría que volver a comer la semana próxima, cuando Corsi estuviese en casa.

Una estampa olvidada del recuerdo es esta comida alrededor de la mesa ovalada: el ramo de lilas reflejado en el espejo, y algunos de nuestros gestos. Y don Armando presidiendo, ya despojado de su capa española, lleno de manchas y con los puños de la camisa sucios y deshilachados. Doña Froilana le había tomado bajo su protección y le hacía hablar. Don Amando tomó la palabra para demostrar sus conocimientos sobre personajes famosos de aquel momento en política, en deportes, en arte. Me di cuenta de que además de todas sus gracias, aquel hombre tenía una lengua maligna. Toda aquella gente tenía historias vergonzosas, eran indeseables, ladrones, repugnantes.

—Si no estuviese delante mi hija, ya les diría...

La niña nos miraba a todos, miraba a su padre y volvía a mirarnos tapándose la boca a veces con la mano para ocultar la risa, con un gesto nervioso. Siempre lo hacía cuando Anita se reía —a veces sin venir a cuento me parecía a mí— de las narraciones de Pérez. Froilana desvió la conversación hacia algo que Pérez le había contado antes y que a ella le había gustado mucho. Pérez había hecho una interviú al dueño de la gata con alas, el monstruo que tanto espacio ocupaba en las crónicas del Madrid de aquel tiempo.

—El animal, para mí, tiene una enfermedad: le salían unos pellejos raros a los lados y estirándoselos daban la impresión de alas, sí, señores. Y el dueño es un hombre muy patriota. Dice que le han ofrecido no sé cuántos dólares por llevarse el animalito al extranjero, pero que él lo daría por menos a un instituto de observación o a un particular, con tal de que fuera español. No quiere que algo tan extraordinario salga de España.

—Oh, no creía yo que los españoles fueran tan amantes de los animalitos.

La criada nueva, ingresada en la casa aquella misma mañana, miraba con asombro a Pérez y con asombro a todos nosotros. Sólo cuando Frufrú le indicaba con autoridad sus faltas en el servicio, recobraba la compostura. Era una sirvienta acostumbrada a «buenas casas» y había exigido cofia, delantal haciendo juego y guantes para servir a la mesa. Y los llevaba. Anita en un aparte me había dicho que no sabía cómo Froilana había encontrado esas cosas. Hacía mucho tiempo que las sirvientas que desfilaban por la casa se negaban a usar tales refinamientos. («Bueno, la verdad es que yo no les digo nada. Que vayan como quieran. Yo...»)

La niña no decía nada. Pero debía de estar pensando que «aquello era de película», como decía ella. ¡Pobre Soli! A veces, entre sus gestos de risa, suspiraba. Estaba muy contenta de que su padre, gracias a que aún no le habíamos repuesto los zapatos y el abrigo perdidos en la noche toledana, no podía llevársela. Antes de la comida se escondió. Tuvimos que buscarla. No contestaba a nuestras llamadas. Empezábamos a inquietarnos seriamente, creyendo que se había marchado a la calle, cuando María la asistenta la encontró bajo una de las camas del cuarto de doña Froilana. Al verse descubierta tuvo una pataleta histérica resistiéndose a salir de allí y gritando entre sollozos que su papá le pegaría. Fui yo quien la saqué a rastras y la tranquilicé diciéndole que su padre se guardaría mucho de pegarle delante de mí. Pero ¿por qué iba a pegarle? Era absurdo.

—Los zapatos nuevos —hipó la niña apretada contra mí—, el abrigo tan bonito, tan caro... Mi papá no tenía dinero.

Lo que pensó Soli escondida bajo aquella cama es algo que me contó muchos años más tarde. Pertenece a lo que la doctora Leutari llama «El cuento de Soli». Este cuento de Soli me ha prohibido la doctora que lo mezcle a mis recuerdos en este relato.

A la niña le latía el corazón allí en la penumbra, tumbada en el suelo. «Mi papá se marchará —pensaba—. Cuando le digan que he roto los zapatos, contará que soy mala y que robé el jabón y todo. Anita le dirá que fui yo quien tiró a la basura el abrigo. Anita es una mentirosa, pero la van a creer a ella y no a mí. Ahora no quiero que me encuentren. Ahora no.»

Se distrajo cambiando de postura, pasando los dedos por los alambres del somier y se acordó del gato que tenían las

Emes y que se llamaba *Carabina*. El gato y ella se metían a veces bajo las faldas de la mesa camilla en la cocina. Si al terminar de comer ella lograba escurrirse y desaparecer así, quedándose muy quieta junto al brasero, era casi seguro que su papá se olvidaba de pedirle los deberes. La niña escuchaba las conversaciones de su padre con don Vicente el carlista. Hablaban de gentes de antes de la guerra, y si uno opinaba que una persona era valiosa el otro opinaba que era una mierda, así, con todas sus letras. Si uno decía que alguien era valiente, el otro decía que era un asesino. Soli comprendía que era un juego. Alguna rara vez hablaban de ella. Eso era al mismo tiempo malo y bueno. Bueno porque a Soli le palpitaba el corazón al ver que su papá se estaba acordando de ella. Malo porque terminaban llamándola después de hablar del colegio para el que iba a conseguir una beca don Vicente. Un colegio de monjas. Soli tendría que pasar un examen para ver si era merecedora de la beca que le darían. La beca —se lo había explicado su papá— era dinero para pagar aquel colegio carísimo donde Soli tendría que andar de puntillas y decir a todas horas «sí, madre; no, madre, o sí, hermana; no, hermana». Esto se lo había explicado a Soli doña María. El papá de Soli le exigía que diariamente hiciese deberes escolares. Tenía que copiar todos los días un trozo de la enciclopedia elemental que le había regalado un amigo de su padre, y copiarlo sin hacer una sola falta. Y aun eso era lo más fácil: solía hacerlo cuando su papá se marchaba al café, o al periódico, o al Ateneo y se marchaba don Vicente y la cocina quedaba tranquila. Como la mesa camilla era muy grande, Soli se instalaba de rodillas en un asiento, para hacerlo mejor; frente a doña Matilde, que hacía sus encajes para ornamentos de ropas eclesiásticas.

Cuando terminaba la copia, si tenía suerte y no se fijaban en ella cuando decía que iba a guardar el cuaderno, marchaba pasillo adelante después de ponerse el abrigo y abría despacito la puerta de salida, bajaba la escalera y se encontraba en el frío y la animación de la calle. Esas escapadas le gustaban mucho. A veces iba hasta la Gran Vía a ver las carteleras de los cines.

Sabía calcular el tiempo y volvía quedándose en el rellano de la puerta hasta que Paca, la sirvienta, salía a buscar la leche como todas las tardes. Ella fingía que la estaba aguardando para darle un susto y luego entraba. Paca la denunció un día, pero después se acostumbró y nunca más le dijo nada. Otro día entró con Martín, que inesperadamente llegó antes de que saliese Paca. Fue la tarde que Martín llegó enfermo con dolor de cabeza y fiebre, y estuvo después en cama dos días seguidos con anginas.

El caso es que casi nunca hacía Soli las cuentas y casi nunca se aprendía la lección que había que recitar de memoria, y cuando su papá se acordaba de ella antes de marcharse a la calle y Soli salía de debajo de la mesa, la cosa se ponía mal. Su papá se enfadaba mucho y le mandaba hacer las operaciones aritméticas delante de él y daba gritos de furia cuando ella no acertaba. Una vez, por la noche, después de la cena, el papá de Soli le exigió los deberes. Martín, que nunca se quedaba en casa después de las comidas, aquella noche estuvo con ellos porque era en la época de sus anginas, y se quedó al calor del brasero fumando por primera vez tras de su enfermedad. Don Vicente había salido. Doña Matilde hacía sus labores. Doña María remendaba unas sábanas rotas a la luz de la lámpara baja y don Amando se enfureció al ver que Soli no sabía hacer una división con decimales. Dijo que se lo iba a explicar y se lo explicó cada vez más enfadado. Le dijo tantas veces «¿entiendes? ¿entiendes?», que Soli, después de decir que no, dijo que ya entendía y se sentó en su silla, con el cuaderno delante y el libro de aritmética abierto, a hacer la división que le había puesto su padre. Temblaba tanto que no podía pensar y se le ocurrió copiar la división que llevaba como ejemplo el libro, pero para que no se diesen cuenta no poniendo los mismos números sino otros cualesquiera y la hizo bien, es decir, con los números muy bien colocados, pero al ver el resultado su papá la zarandeó, le dio un coscorrón y la llamó algo que nunca la había llamado. Le dijo «jodía tonta» y empezó a dar gritos porque su hija era una desgraciada imbécil, y cuando quiso darle otro coscorrón, Martín le sujetó la mano que tenía alzada ya. Intervino con tanta rabia, que Soli creyó que iba a pegar a su papá. Le insultó. Le llamó viejo imbécil. A eso no tenía derecho Martín. Así que ella, Soli, se abrazó a su padre llorando y llamó a Martín mamarracho y le dijo que se fuera y que su papá podía matarla si quería porque para eso era ella su hija. Martín se portó muy mal.

Al recordar lo mal que se había portado Martín, Soli empezó a llorar bajo la cama de doña Froilana. Martín se había aprovechado de que su papá era más bajito que él, pero su papá era un señor muy importante, «un señor de Madrid», como decía tía Juana la del pueblo. Y era su papá y Martín no lo era.

Soli escuchó. Alguien la llamaba. No. Se habían olvidado de ella. ¿Quizá se había marchado su papá? No. Había oído la voz de Anita dando órdenes a María para que llevase el aperitivo al cuarto de estar. ¿Le contarían lo de los zapatos y el abrigo? ¿Le echarían las culpas a ella? ¿Dirían que había sido Soli la que había tirado a la basura aquellas cosas? Todo el mundo decía mentiras. Soli comprendía que hay que decir mentiras porque si no, no se puede vivir, pero no le gustaba que la acusaran porque eso era «una calumnia»; su papá le había explicado la diferencia. Por ejemplo, cuando su papá decía que habían rapado la cabeza a Soli porque había tenido fiebre, eso era una mentira buena, porque si decía que la habían rapado porque tenía piojos era mucha vergüenza. Pero si Anita decía que ella había querido que tirasen a la basura su abrigo, el abrigo que le había comprado su papá, pues eso era calumnia. Ni más ni menos.

A Soli le empezó a latir el corazón al acordarse de aquel día de invierno en que ella y su papá habían ido al colegio. No era el colegio de monjas, sino una escuela parecida a la del pueblo, muy cerca de casa de las Emes, y una de las maestras era amiga de doña Matilde. Su papá la llevó para hablar «con la señora directora» porque la iban a admitir mientras no se resolvía lo del otro colegio. La escuela estaba en un piso y el despacho de la directora era un cuartito pequeño con un retrato grande de Franco y otro del Sagrado Corazón y un ramo de flores artificiales preciosísimas sobre la mesa. Hacía mucho frío allí, pero era como una iglesia, algo de mucho respeto. La directora era pequeñita y gorda y amable. Habló un ratito con su papá y después le dio una lista de las cosas que tenía que comprar para el colegio.

—Y desde luego, don Amando, tiene que mandármela con un equipo decente. No usamos uniforme aquí, sólo los guardapolvos para que no se ensucien las niñas en clase, pero aquí vienen niñas muy decentitas y muy bien vestidas, y la niña tiene que venir con otro abrigo y otros zapatos y otro vestidito. Yo sé que está todo muy caro, hijo de mi alma, pero no la puedo admitir si no.

Salieron desalentados del colegio. Don Amando gruñía que de dónde iba a sacar él el dineral que se necesita para comprar ropa a una niña y que se había acabado aquella aventura del colegio, que no y que no. Soli se escondió bajo la mesa de la cocina y lloró con el gato entre los brazos. La escuela le parecía una cosa inasequible, un lugar privilegiado, sólo para niñas ricas, y ella, si la gente no se hubiera vuelto tan mala después de la guerra, sería una niña rica. Su tía Juani se lo había dicho: «Si hubieses nacido en otros tiempos, paloma, no hubiera habido quien te aguantara, hubieras estado hecha una princesa».

Dos días más tarde ocurrió algo emocionante. El papá de Soli había logrado un crédito. Eso quería decir que iba a comprarle la ropa nueva, y todo lo que hacía falta.

Fueron a unos almacenes el papá, doña Matilde y Soli. Los tres. Los almacenes tenían dos pisos y la gente entraba y salía y había «puestos» de cosas diferentes como en las ferias, puestos de juguetes, puestos de tela, puestos de ropa interior y otros de zapatos. Y en el de papelería compraron la cartera escolar y un estuche con lápiz, pluma, plumilla de acero y goma de borrar. Era algo precioso de ver. Don Amando dijo que se mareaba. Doña Matilde dijo que era el calor: «Quítese esa capa, don Amando, que aquí hay calefacción». Pero el papá de Soli no se quitó la capa.

Tardaron mucho en comprar la ropa porque había que escoger cosas buenas y baratas, como decía doña Matilde. «Y crecederas —decía el papá de Soli—, no quiero tener este problema a cada momento; si hay que gastar cinco duros más ahora en una talla mayor se gastan, que siempre será mejor que gastar cincuenta dentro de unos meses si se le quedan pequeños esos trapos.» Así, discutiendo, tratando de regatear, haciendo sacar a cada vendedora una cosa y otra y otra para elegir, se completó el equipo: dos bragas, dos trajes de verano, porque eran más baratos y porque el verano ya estaba cerca; un par de zapatos, dos pares de calcetines y aquel abrigo tan precioso. Todo para Soli. Ella, por la noche, no se podía dormir pensando en lo que le habían regalado.

La primera mañana que fue al colegio no la olvidaría Soli nunca. Había nevado por la noche, porque después de los días buenos que hubo en enero —los días en que se marchó Martín para ir al entierro de su abuela— empezó a hacer frío y aquella noche había nevado. Y sobre la nieve vino una helada. Soli se dio cuenta en seguida, nada más despertar. Los cristales del ventanillo que daba a los tejados tenían por la parte de dentro de la habitación una capa de cristalitos de hielo que no se quitaba nunca, pero por la parte de fuera aquella mañana había nieve. Soli y su papá se habían acostado vestidos, de frío que tenían, pero Soli se había acostado con los vestidos viejos, de luto, no con los nuevos. Los nuevos se los puso con tanta excitación que no le importó quedarse antes desnuda en aquel frío y además se lavó la cara con el pico de la toalla mojado en agua y se alisó el pelo. Las trenzas no hacía falta deshacerlas nunca, sólo alisarlas con un poquito de agua por encima. Y su papá se sintió orgulloso de verla tan bien vestida. Soli lo notó en seguida. Su papá la miró embobado. Hizo que diera una vuelta por la cocina para que la viese doña María, y además dijo que aquel primer día él la llevaría al colegio. Podía volver sola porque estaba allí mismo, a la vuelta de la esquina, pero el primer día su papá la acompañó.

La nieve la estaban acumulando los barrenderos junto a las aceras, en trozos grandes y sucios, pero quedaba en algunos balcones, en algunos tejados, toda blanca, y el día estaba poniéndose azul ya, sobre la ciudad, y el frío daba ganas de llorar, pero de alegría. Su papá le daba la mano y caminaba con mucho cuidadito, y los dos iban muy callados y Soli se sentía contenta hasta estallarle el corazón de contento y coquetería cuando algún señor metido en un abrigo grueso y con las manos en los bolsillos o alguna señora muy abrigada también, se cruzaban con ella y la miraban y miraban su abrigo nuevo. Y cuando llegaron al portal de la escuela, el papá de Soli se inclinó hacia ella y le dio un beso. Soli subió la escalera tan llena de orgullo, que le parecía que estaba llena de aire, que la subía sin sentir. Llevaba una bolsa de tela blanca nueva, con su nombre bordado por doña Matilde, y dentro de la bolsa su guardapolvo y en la otra mano la cartera con el libro y los cuadernos que había pedido la señora directora. Era una niña rica. Tenía de todo. Cuando las otras chicas la miraban, pensaba ella: «Podéis mirar; otras habrá más guapas, pero como decía mi tía Juana, unas trenzas como las mías no se encuentran». Y esa vez añadió a sus pensamientos «Y un abrigo como éste tampoco se encuentra así como así».

Fue un día de felicidad. Hubo varios días de felicidad. No se acordaba cuántos, hasta una mañana en que la maestra hizo una revisión y les miró la cabeza a todas las niñas y un rato más tarde llamaron a Soledad Pérez al despacho de la señora directora y la señora directora le dio una carta para su papá y le dijo que se fuera a casa. Después la miró y le dijo que aquello no era un castigo, sino un recadito que ella, la señora directora, quería que hiciese Soli y que no tenía que volver al colegio hasta que lo ordenase su papá.

Soli presintió algo malo. Recogió el abrigo del perchero y se echó a llorar cuando la maestra le dijo que se llevara también el guardapolvo. Algunas niñas se asomaron a la puerta de la clase. Una dijo: «Ésa es la de los piojos». Y se reían.

Se reían las otras y Soli lloraba. Lloraba tanto, que se apoyó en la esquina de un escaparate porque no veía con el llanto. Una mujer que llevaba al brazo la bolsa de la compra con muchas verduras y barras de pan y que tenía una cara redonda, roja, y llevaba un pañuelo en la cabeza, se paró junto a ella y le preguntó qué le ocurría. Soli, como todavía no sabía que eso no se podía decir, dijo entre hipos que tenía piojos y que la habían echado del colegio.

—Bueno, hija, en estos tiempos ya se sabe... Que te los quite tu madre y se acabó. Hay desgracias mayores. Un peine fino, hija, y petróleo es lo mejor.

Soli dijo que su mamá había muerto y la señora le dio diez céntimos de regalo y se fue. La niña quedó extrañamente consolada y se entretuvo mucho rato por la calle y hasta se olvidó de llorar mirando los escaparates de la tienda de ortopedia, que eran los que más le fascinaban. Cuando vio a lo lejos a una de sus compañeras de clase se dio cuenta de que era la hora y se apresuró a volver a casa.

Creyó que lo peor había pasado. Pero no había pasado. Su papá, al leer la carta, se enfadó tanto como cuando no hacía los deberes. Y doña María y doña Matilde y Paca la sirvienta le dijeron que era una sucia y que bien podía saberse peinar sola con la edad que tenía ya. Por la tarde llegó el peluquero, la envolvió en una sabanilla blanca y le cortó sus trenzas. Después cortó y volvió a cortar trozos de cabello hasta que llegó el momento de meter la maquinilla y dejarla rapada al cero. Soli no lloró entonces. No dijo nada. Estaba como muda de espanto. El peluquero pidió alcohol para desinfectar la maquinilla. Ya estaba. Pero no estaba. Le llegó el turno a Paca la sirvienta. La llevó al cuarto de baño, que era húmedo y frío y oscurísimo y que nadie usaba más que Martín, porque todo el mundo tenía su jofaina y su jarro para lavarse en su cuarto, pero decían que Martín se bañaba desnudo dentro de una bañera, con agua fría, porque aseguraban que era loco, y aquel día Paca la sirvienta puso un barreño con agua caliente dentro de la bañera y dijo a Soli que se inclinara y frotó la cabeza monda con un estropajo y jabón de zotal. Antes le habían pasado un peine fino para quitarle costras y, como decía doña Matilde, «nidos», y el zotal le hacía gritar de dolor. La dejaron sangrando. Ella fue a su cuarto, se subió a una silla y se miró en el espejo que estaba sobre el lavabo. Lo que vio allí la espantó de tal manera que se bajó de la silla y se escondió bajo la cama. Hacía mucho frío pero ella no lo sentía de tanto llorar.

Por la noche la consolaron y le dieron leche caliente y una aspirina, y su papá le prometió que no volvería al colegio hasta que le creciese el pelo y ella prometió que se lavaría todos los días en la bañera como hacía su amigo Martín cuando vivía en la casa, y así no volvería a tener piojos nunca más. El único consuelo era aquel abrigo, aquellos trajes, aquellos zapatos nuevos que servirían aún —como dijo su papá— cuando le creciese el cabello nuevo.

Bajo su escondite de esta otra casa, bajo esta otra cama, Soli oyó que la llamaban.

—Soli, que está tu padre, ven a comer.

No, no. Ella no iba. Ella prefería morirse. No iba. La casa era muy grande. No la encontrarían nunca.

Pero María la asistenta la descubrió y el pánico que le dio

su cara asomando bajo la cama fue tan grande que la hizo gritar, como si María llevase en la mano un cuchillo para matarla.

Al terminar la comida llegó Zoila, que había quedado con Anita en ir a recogerla para acompañarla a la clínica más tarde y sobre todo para conocer a Froilana, de quien Carlos le había hablado tanto. Frufrú no había sido informada previamente de esa visita y se sobresaltó y se emocionó y dio varios besos al aire, junto a las mejillas maquilladas de Zoila.

—*Oh, qu'elle est chic! C'est épatante!...* Qué gusto el de mi Carlos al elegirte... ¡Nunca lo habría creído de él!

Casi no reconocí a Zoila. Llevaba un peinado espectacular y un traje complicadísimo. Nos observamos rápidamente, y cada uno al otro con cierta sonrisa de superioridad. Fue Zoila y no doña Froilana —ahora lo recuerdo— quien dijo algo de que estaba encantada de conocer a mi padre. Me hizo sentirme incómodo.

—Bueno, ¿no es así? Ah, es el padre de la niña... Es que hay algo que los recuerda.

—Claro —contesté—, aparte de que el señor Pérez es bajo y yo alto, de que yo llevo el pelo casi rapado y él usa melenas y de que ni en ojos, nariz, boca ni cejas nos parecemos lo más mínimo, tienes razón, Zoila.

Ella echó una mirada y una sonrisa a mi estatura, a mi traje, que aquella mañana había limpiado y planchado la asistenta y que dentro del exotismo que en aquellos tiempos era llevar un traje de pana negra, estaba bien y se detuvo a mirar la corbata y la camisa de don Carolo, que yo lucía, y luego los desastrosos zapatones de campo, muy manchados, y volvió en seguida la vista al viejo bohemio, que acababa de envolverse en su capa española. Quizá quisiera decir esa sonrisa y esa mirada que tanto Pérez como yo parecíamos personajes de otro tiempo como a mí me había parecido la pareja de novios de Toledo.

Zoila me resultó estúpida. El viejo Pérez me había pedido que le acompañase hasta la boca del metro más próximo porque se sentía desorientado en el barrio. Yo sabía que aquello no era cierto, que el viejo se desenvolvía perfectamente por todas partes, pero Anita dijo que claro está, que yo iba a acompañarle. Nos íbamos cuando entró Zoila.

Pérez, para mi sorpresa, se empeñó en ir conmigo a un café cercano. Dijo que teníamos que hablar y que le debía el café ya que, como habría observado, él se había negado a tomarlo en casa. Dijo que le debía una explicación también y que él no era tonto y no se chupaba el dedo. Sin saber lo que quería decir Pérez, me resigné y le seguí al interior del local, me senté frente a él ante una mesa y escuché unos comentarios que me sorprendieron.

XIII

Recuerdos olvidados. Aquí estamos Pérez y yo en el café que hace esquina a Alcalá, sentados mano a mano a una mesa, el viejo inclinado hacia mí, hasta hacerme notar su tufo en su afán de secreto, y de pronto soltándome sus dudas, exigiéndome una explicación por haber metido a Soli, a su niña inocente, en una casa de ambiente tan turbio. Allí había gato encerrado y yo tenía que saberlo mejor que nadie. Aquello olía a casa de lenocinio...

Mi carcajada le desconcertó. Cualquier cosa hubiera esperado yo menos aquello. Había esperado un párrafo de gratitud y de deslumbramiento por la bondad de aquellas amistades mías tan importantes con su «pobre hija» y hasta dentro de la malicia de Pérez y de su costumbre de intentar sablazos a todo el mundo, pude esperar un regateo sobre el valor de las ropas de Soli que Anita hizo tirar a la basura. Todo menos lo que estaba insinuando aquel hombre.

—Pero, don Amando, ¿qué demonios se le ha ocurrido? Esa gente a la que ofende son amigos de toda una vida, casi parientes. Se van a divertir cuando les diga lo que piensa usted.

—¿Usted me da su palabra, Soto, de que mi hija no peligra si está unos días más en esa casa? Tengo que velar por su inocencia y su pureza. Esto es muy serio. Los padres tenemos una carga muy grande con una hija. Yo no pensaba que mi Soli tuviera que preocuparme tan pronto, pero esas señoras ven en ella algo que me escama, me escama mucho. Yo soy perro viejo. Conozco casos que le erizarían a usted los pelos,

Soto. Cuando entré en esa casa y vi a la vieja, a la francesa, me dio mala espina. Luego pensé que no era más que una extranjera después de todo y hasta me daba vergüenza quitarme la capa, porque, como usted sabe, estoy reducido a la miseria y no hay que avergonzarse de ello, pero a veces avergüenza... Convendrá usted conmigo en que allí hay algo raro. Usted presume de que son gentes distinguidas y dice que los conoce de toda la vida. Pero la gente distinguida no abre sus puertas así como así a tipos de aspecto derrotado como yo... Y ese capricho por la niña es escamante. La vieja me dijo que se la llevaría a París si yo quería dársela. Imagínese. Desde ese momento anduve con cien ojos. A usted le conozco no sólo por haber vivido en la misma pensión sino porque don Vicente —usted lo recordará— sabe de buena tinta quién es su familia. Ya sabe usted que su novia era prima segunda de la abuela de usted. Sí, sí, no se ría tanto, que hasta parece usted tonto, hombre. Le estoy hablando de cosas serias. Yo confié en usted al entregarle a mi hija porque sé que es un buen muchacho y porque viene de buena gente, y la novia de don Vicente no es para desconfiar se diga lo que se diga.

»Yo no tenía la menor idea de que aquel barbudo valetudinario que había sido también compañero de hospedaje tuviese una novia y menos que esa señora tuviera además parentesco conmigo. La diversión que más tarde me produjo pensar en ese noviazgo no entró siquiera en mi incontenible risa de aquel momento: sólo podía pensar en la cara que pondría Anita cuando yo le contase esta conversación, y mientras tranquilizaba al viejo la risa me atragantaba; y vi que me habían puesto delante un vaso de agua, bebí un sorbo y estuve a punto de soltar el agua por la nariz. Volvía a imaginarme contando a Anita las opiniones de Pérez sobre su tía. Y sobre ella. "La joven es escamante también. Se sienta con un descuido que se le ven los muslos. Y para fin de fiesta la visita, la señora esa estupenda que a una legua huele a hembra consentida. Yo digo si unos días en ese ambiente no trastornarán la cabecita de mi hija. Un padre tiembla por la honra de la hija, usted lo sabe."

Casi tomé simpatía al viejo por haberme hecho reír tanto. Pero comprendí que tenía que reaccionar.

—Ya se lo he dicho, hombre de Dios. Si no fuese todo tan

disparatado, no me habría reído así. Pero mire, quédese tranquilo. Dígame lo que le costó el abrigo ese de su niña y los zapatos y los calcetines, y yo se lo doy ahora mismo. Y ahora mismo también subimos a buscar a Soli y se la llevo a usted en taxi a su pensión y ya allí hace usted lo que quiera, le compra las ropas a su gusto y deja usted de temblar por su honra. Mire, don Amando: ¿Quiere un consejo? En vez de esos temblores idiotas, trate con un poco más de cariño a la chiquilla. Estaba aterrada de encontrarse con usted, ¿no lo recuerda?

Don Amando quedó serio, encogido y pensativo.

—No, no, yo ahora no me llevo a la niña. Lo que me dice me basta. Yo... ¿qué más quiere un padre que unas señoras se ocupen de su hija? Esas señoras tienen todos mis respetos. ¿Dice que el padre de la joven es cónsul? No me diga más. ¿De dónde? No conozco ese lugar.

Otra vez la desconfianza. Pero tuve que disimular la risa porque a mí también me había parecido irreal el nombre.

—Se pronuncia Enguma, se escribe —deletreé— Nguma.

Para mi sorpresa, el viejo Pérez se acordó de esa república; la primera que había sido declarada libre, aparte de Liberia. Aquel demonio de viejo sabía muchas cosas.

—Así que ¿es africano ese señor Corsi? La hija no tiene facciones que indiquen origen negro, pero en confianza, Soto, no me diga que no parece raro todo. Yo también le doy mis explicaciones. Y le daré luego un consejo a usted, jovencito. Hay un refrán que dice: «piensa mal y acertarás». Algunas veces se equivoca uno siguiendo el refrán y aquí me parece que he metido la pata. Las extranjeras son raras, eso no me lo negará usted, pero así, cariñosas con los niños no suelen ser, y quererse quedar con mi Soli, ¿qué más querría yo, en buenas circunstancias, que se encapricharan de ella gentes pudientes y me la cuidaran? Pero esos afanes de quedársela sin más ni más... Bueno, usted me entiende. Claro que tratándose de gente buena y sin tacha, si me la tuviesen hasta que don Vicente me consiga la beca en un colegio, yo no iba a decir que no. En fin, le estaba explicando, Soto, lo que vi allí que me escamó. Las pintas de ellas desde luego, y más tarde cuando la niña se quedó un ratito a solas conmigo y vi tan asustada a la criatura, quiso la pobrecita decirme que se encontraba bien, y para darme a entender las grandezas de aquella casa me contó que estaba llena de camas donde «no dormía nadie por la noche». Así mismo. ¿Eh? ¿Qué me dice?

—Pues le digo que es cierto, que han tomado en alquiler una casa amueblada demasiado grande. Pero no veo el mal por ninguna parte.

—Y luego, cuando estábamos comiendo, llega la criada, que parece de alta comedia, y dice que traen dos trajes para el señor Corsi y la factura, y la joven —¿Anita se llama?— le mira a usted, Soto, y usted, que es un tipo agarrado si los hay, recoge la factura, saca una cartera llena de billetes y le da a la sirvienta para que pague. No, no, no me diga nada. Son como parientes suyos, los conoce desde hace no sé cuánto tiempo, muy bien, pero yo no estaba seguro de eso, y era raro. Ya sabía yo que usted es rico ahora. Sí, señor, ya lo sabía yo. La novia de don Vicente se lo escribió. Antes de encontrarle a usted el otro día, cuando se empeñó en sacar a pasear a mi niña, ya me lo había contado don Vicente. «¿Se acuerda usted, Pérez, del joven Soto? Pues ha heredado una fortuna de la pobre abuela y está haciendo disparates, ha ordenado malvender todo según me cuenta Eduvigis...» Conque ya lo sabe. Cuando lo encontré a usted con su traje viejo de siempre, tan sencillo como siempre, pensé: «Éste no ha recibido dinero todavía o es un tipo más listo de lo que se cree y va a ser de los que se dediquen a negocios y lo vamos a ver en coche cualquier día». Cuando vi la cartera llena de billetes y usted venga a pagar cuentas, me dije: a éste tan ordenadito, tan agarrado como es, me lo están desplumando. Todo se explica, sí, señor, todo se explica y ya sé que aunque usted dio el dinero eso no quiere decir que pagase usted los trajes. Pero lo creí. Y para mí no dejaba de ser raro...

—Bueno, pues nada, don Amando. Vamos a buscar a Soli ahora mismo para que se quede usted más tranquilo.

—No, Soto, no, si yo... Si ya sabe usted la carga que es esa pobre hija desgraciada... Bien está que me la tengan hasta la semana que viene como me dijeron. El día que yo vuelva a comer tendré el gusto de conocer al cónsul y me prepararé para darle conversación al señor ese sobre Nguma, no me crea ignorante, Soto. No soy tan ignorante como usted cree. Y quisiera que no me tuviese en cuenta lo que he dicho, Soto. Y si a usted le parece, para que no tenga que avergonzarse de mí, voy a atreverme a pedirle a usted un pequeño préstamo para presentarme más decente cuando vuelva a alternar con sus amigos. Usted se avergonzó, no lo niegue, cuando me tomaron por su padre.

Lancé lentamente el humo de mi pipa. ¿De manera que al fin había llegado el momento del sablazo? El viejo aquel me pareció repugnante.

—No, don Amando. A mí no me saca usted un céntimo. ¿No dice usted que soy muy poco generoso? Pues bueno, sí, mi dinero es mío. Y además no tengo mucho, así que nada de préstamo. ¿Es que con todas las insinuaciones repugnantes que ha hecho usted antes buscaba motivos para un chantaje? No, hombre, no. Si no le he cogido por el cuello y no lo he echado a la calle es porque me da usted pena, pero no tanta como para darle una perra. Y ahora, vámonos.

Me detuvo con un ademán de súplica, señaló su taza vacía.

—Otro cafetito al menos...

Ya me sentía fastidiado, pero no pude negarme. Tampoco resistí luego la tentación de preguntarle por qué me creía tan avaro.

—Bueno, avaro no he dicho. Agarradillo, apañadito... Los jóvenes y más los artistas viven su vida cuando se van de sus casas como usted, que según me han dicho se fue muy joven; hacen locuras, se juegan el sueldo si lo tienen, cosas de ésas. Y usted nada de eso: no tuvo deudas nunca, no tuvo caprichos, no se le vio ninguna debilidad, ninguna travesura... Y ahora mismo, si me apura, le veo a usted con una cartera así de gorda exponiéndose a que le robe alguien en el metro, y le veo a usted vestido con su traje de siempre. Un traje original, como artista que es, pero ya ve usted cómo lo miraba la despampanante ésa, la visita... Como diciéndole que no está usted a tono con aquella casa, con todos ellos, vaya. Y sin embargo, la cartera que usted lleva sí está a tono. Le digo que es agarrado porque prefiere parecer un pobre diablo que gastar sus cuartos en usted mismo. Y crea que le aprecio, Soto, y que a mí también me da pena usted como a usted se la da mi pobrecita niña; me da pena porque no sabe vivir ni gozar ni ser bohemio ni ser señor. Por eso voy a darle un consejo.

—Pérez —dije levantándome y alcanzándole el sombrero—, usted abusa de su vejez y de sus lástimas. Guárdese sus consejos. Vámonos.

Pérez no se movió.

—Usted también se ha permitido darme consejos a mí, así que escuche, Soto. No le pido ninguna limosna, se la doy yo con mis palabras. Lo que le quiero aconsejar es que si no tiene usted corazón para compadecerse de quien merece compasión, no lo tenga tampoco para quienes no merecen compasión alguna. Y no me refiero a esas señoras, que ya sé que son unas benditas. Pero no se fíe de los ricos; si hace un préstamo, hágaselo a un pobre. Los pobres devuelven lo que se les presta y si no lo devuelven porque no pueden, dicen que Dios se lo pague a uno. Los ricos, si pueden, no devuelven nada, dicen que se han olvidado de un préstamo que siempre les parece pequeño, y Dios se ríe y piensa que le está bien empleado al tonto que prestó por vanidad y que encima hizo sacrificios y se privó de vivir bien, como usted hace, y pudiendo parecer un señor no lo parece.

Mientras Pérez iba diciendo estas cosas le iba sacando yo a la calle.

—Ya ve, Soto, que le he hablado como un padre. Ya sé que con lo que le he dicho no he hecho más que enfadarle y que no me remediará usted ni con una perra. Y sin embargo, le he dado un consejo bueno. Algún día se arrepentirá de haberme tratado mal pensando en este consejo.

¡Qué Jeremías aquél! Nos paramos en la acera uno frente a otro y le vi tan pequeño, tan caricaturescamente parecido a su hija, tan hábil para pedir, para hurgar en el orgullo de uno, en ese orgullo que yo no sabía que tenía de ser joven, y un cuerpo sano, y dinero en el bolsillo por primera vez en mi vida. De tener consciencia de que todo eso eran dones inmerecidos si no sabía aprovecharlos. Le vi observándome con tanta ansiedad, que eché mano al bolsillo. Él lo notó. Notó mis dudas sobre lo que iba a darle. Su afán le traicionó.

—Si pudiera prestarme cien pesetas, Soto...

Cien pesetas habían sido mucho para mí cuando no tenía nada. Puede ser que a un cambio real fueran lo que en el momento en que anoto estos recuerdos suponen mil. Pero en la vida que llevábamos entonces, la vida que habíamos compartido en muchos aspectos Pérez y yo, eran más. Para mí, durante aquellos últimos meses de aturdimiento y de vejez de alma, ni siquiera habían sido nada. Me habían entregado un sobre con lo que suponía una fortuna en otros tiempos; lo que yo no había logrado ganar nunca en un año, y ese sobre, después de sacar lo que necesitaba según mi cómputo de siempre, lo cerré y lo guardé en mi cartera hasta olvidarme de ingresarlo en el banco cuando abrí la cuenta para los sucesivos envíos que me estaban llegando. Lo abrí en la noche toledana.

Tuve el impulso de dar mil pesetas al viejo para que se vistiese, para que se remediase. Pero su petición de cien pesetas me contuvo. Y el recuerdo de su malignidad. Quizá pensaba que trataba de comprarle.

—Mire, Pérez, voy a hacerle no un préstamo sino un regalo. Y tiene usted que saber una cosa: voy a contarles a mis amigas lo que usted ha pensado de ellas, porque les hará reír como a mí y no se lo harán notar a usted porque les da usted pena. Le voy a dar cinco veces más de lo que me ha pedido. ¿Va bien?

—Hombre, bien... —las manos le temblaron al coger el billete de quinientas pesetas—, y si me da usted mil todavía mejor. No, no crea que abuso. Yo le demostraré que soy agradecido. Si hay algo que pueda hacer por usted...

Me venció. Me dio lástima. Le dije que sí, que seguramente podría hacer algo por mí alguna vez. Y le despedí.

Me quedé en aquella esquina viéndole marchar hacia el metro, me quedé quieto al menos un minuto. Luego volví hacia la casa y a medio camino me arrepentí. Necesitaba un rato para mí mismo, para pensar, para desentumecerme.

Eché a andar por el Retiro hacia la puerta de Alcalá. El parque me parecía hermoso, la vida me parecía hermosa. Yo no había querido conservar las pobres rentas que la timidez de mis abuelos sacaba a una fortuna mucho mayor de lo que yo había supuesto aunque ya, en un plano de fortunas, no fuese grande. No había querido escuchar los consejos de los amigos de mis abuelos. Había querido tener aquel dinero en mi mano para algo: para pintar descuidado de toda preocupación por las pequeñas cosas de la vida. Y lo decidí, con tozudez, pero sin pensar demasiado. Si yo fuese un genio tendría derecho a eso, a vivir descuidado, metido en un afán, a vivir sólo mi parte. Pero en cuanto supe que podía hacerlo así, la magnífica idea de mi lucha se fue de mí, me quedé vacío. Yo no sería nunca un gran artista.

Por no sé qué milagro estaba disfrutando del simple hecho de vivir. No quise admitir que el viejo Pérez hubiera influido en mí para saber cuánta suerte tenía yo en la vida. Pero sentí que mi suerte era buena.

Me encontré en Cibeles. Eché a andar por Recoletos y, sin pensarlo, al pasar por la puerta del café donde me había reunido a veces con Perucho y sus amigos después de comer, me asomé a la puerta. Desde una mesa me llamó alguien: un pariente de Perucho que asistía a nuestras tertulias de pintores y escritores incipientes. Un hombre de mi edad que llevaba dos años preparando oposiciones a Registros, o a notarías, o a cosas de esas que a nosotros nos parecían irreales. Allí estaban tres o cuatro conocidos. Un compañero de la Escuela de Bellas Artes y un escritor que decían que era un genio incomprendido y otros dos cuyos nombres no recordaba yo, pero que me saludaron. Mi amigo pintor me dijo que ya empezaban a creer que me había metido a fraile como Perucho.

—Monje —dijo Juan, el primo de Perucho—. Es distinto.

De pronto me encontré entre una discusión sobre la «traición de Perucho», el fracaso, el espionaje que había supuesto que mi amigo hubiera pasado tanto tiempo entre los demás ocultando que era retrógado.

—¿Espionaje de qué? Ha visto otra cosa, se ha ido. Es algo incomprensible, pero ha ido así.

—No tan incomprensible —dijo Juan—. Pedro, de chiquillo, era muy exaltado, tenía espíritu religioso, después perdió la fe, ahora la ha encontrado otra vez.

—Pero ¡qué cuernos es eso de la fe y para qué sirve metido en un encierro y sin hablar con nadie!

—Están los santos... y los artistas —dijo Juan—, todos vivimos pendientes de algo más allá de nosotros.

Me interesé. Pero la discusión se hizo pedestre en seguida. Allí no se admitía más que la traición, el engaño; no se admitía esa clase de fe. Perucho era un fracasado, y lo sabía. Se había encerrado entre cuatro paredes para dejar de luchar, para estar tranquilo.

Juan desvió la conversación hacia la pintura, dijo que sabía que yo había presentado dos cuadros a la Nacional aquel año y que estaban admitidos.

—No sé si es para darte la enhorabuena —dijo mi compañero de Bellas Artes—; en la Nacional han admitido cosas malísimas este año, lo que no haga sombra a los favoritos, a los académicos, y nada nuevo.

—No sé —dije sintiendo una extraña paz—, yo me he convencido de que no tengo talento y renuncio a la lucha. Ya no soy pintor. Hace dos meses que no cojo un pincel, y no lo echo de menos. Eso se acabó para mí. Ahora me dedico a otras cosas.

—Siempre te has dedicado a otras cosas: has sido la hormiga del pluriempleo. No me digas que te has casado y que quieres mantener a tu familia dignamente como Rogelio Báez, que ahora está empleado en la Standar.

—No. No me he casado. He cambiado de ocupación.

—Vaya. Llevas una camisa estupenda y la corbata también. Por lo demás, sigues con tu uniforme de pintor. ¿En qué te ocupas?

No tuve que contestar porque pasaba una señora por la calle y alguien reconoció en ella a la mujer de un personaje político. Empezaron las bromas agrias y las maledicencias. De la señora se pasó al marido, del marido a otros elementos que tenían en sus manos poderes o dinero. De eso se pasó a la corrupción general que había.

—Aquí hay que ser ladrones, pero ladrones de mucho, para triunfar.

—Aquí y en todas partes. Pero también tiene su miga eso de saber robar. Conozco a algunos sinvergüenzas tan derrotados como yo mismo.

—Si son sinvergüenzas de verdad, llegarán a mucho.

—Quizás haya que trabajar también en eso de la falta de escrúpulos. Quizá se necesite genio también para llegar a algo dentro del gremio de bandidos. Hay quien no llega más que a carterista de metro. Las medianías, los que se pasan la vida en un oficio, no sirven.

Recuerdo estas cosas como entre una niebla. Quizá no se dijeron aquel día, sino que se habían dicho otras veces. Yo estaba convencido de que lo que no valía la pena era hacer sacrificios para algo que no le llenase a uno el alma. Y lo dije. Yo había dejado de ser pintor porque me había convencido de que no me valía la pena aquella obsesión al margen de todo otro interés en la vida. Entendieron mal. Creyeron que decía que no valía la pena porque no sabía vender mis cuadros ni veía posibilidad en ellos para ganar dinero. No quise explicar nada.

Cuando salí de allí, con Juan, le pregunté si había tenido noticias de Perucho. Las tenía y me dijo el convento donde estaba. Si iba alguna vez por aquel pueblo de Segovia, a lo mejor me dejaban ver a Pedro.

Eché a andar otra vez. Mis pasos me llevaron firmemente hasta el taller del sastre de don Carolo. Encargué unas cuantas cosas y sentí que me gustaba aquello: nuevos uniformes. Nuevo pelaje. Quizá fuera la primavera, dicen que las plumas de algunos pájaros se colorean con colores nuevos al llegar la primavera. Todo tiene un sentido. Yo no pensaba eso, pero me sentía ilusionado como nunca en mi vida lo había estado. Excepto cuando me inventé aquel traje de pana negro, el que llevaba. Fui después de una zapatería a una camisería. Di el encargo de que llevaran mis compras junto con los zapatos viejos y la camisa y la corbata de don Carolo a casa; a la casa de los miradores redondos, que era la mía ya. En lugar de aquella camisa y corbatas prestadas me puse un jersey negro muy fino, de cuello de cisne, zapatos ligeros y calcetines negros también. Todo aquello le iba bien a mi traje. Al menos, yo lo pensé así.

Quisiera no acordarme de esas cosas. Pero si se trata de recordar precisamente lo que he olvidado consciente o inconscientemente, tengo que anotar esa sensación de poder, ese espíritu de conquista que me entró al verme reflejado en un espejo.

Todavía eran cortas las tardes. Había bajado mucho la luz cuando terminé mis compras. Me entró una impaciencia enorme. Se me ocurrió que quizás Anita ya no estuviera en la clínica si tardaba mucho en ir a buscarla, y tomé un taxi. Al entrar en el sanatorio la impaciencia me impidió esperar un ascensor y subí de tres en tres los peldaños hasta el piso donde estaban las habitaciones de Corsi.

Anita estaba en el saloncito. Y Zoila. Y otras personas. En

la alcoba, junto a don Carolo, una señora madura y para mí desconocida acompañaba al enfermo. Se hacía así: junto a don Carolo iban pasando uno a uno sus amigos y luego se ponían a charlar en la recepción aquella del saloncito. Desde mi nueva obsesión de la tarde me fijé en que todos iban bien vestidos: la señora madura que hablaba con Corsi, y que según supe era la nieta de aquella marquesa de la que tanto había oído hablar, y una pareja joven que charlaba con Anita. De Zoila pensé que era demasiado rebuscada y demasiado maniquí para ser elegante. No lo era. La miré con extraña satisfacción al afirmarme eso. Y ella me dedicó un ligero y afectuoso saludo.

El matrimonio joven y la nieta de la marquesa se despedían. Anita se acercó a su padre y Zoila hizo que me sentara a su lado un momento. Se había dado cuenta de mi cambio, y le gustaba. Sentí más simpatía por ella, que, después de todo —como había dicho el viejo Pérez—, era una mujer despampanante y tenía unos ojos preciosos. Lo que entendí en sus ojos me hizo sentirme muy seguro. Me acerqué a Anita un momento y le pedí que saliésemos luego a cenar por algún sitio si no estaba cansada. Ella sí que no se daba cuenta de que yo había cambiado. Se alegró con la perspectiva de la cena y aceptó.

Lo hice a tiempo porque luego aparecieron dos personajes masculinos —un señor de la edad de Corsi y un joven que podía ser su hijo—. El joven se llamaba Asís y quizá por eso, porque nunca había oído antes ese apelativo de Asís a un Francisco, me resultó antipático y me pareció afectado. Quizá me resultó antipático por su nombre o acaso por la familiaridad con que trataba a Anita o por cómo me observó cuando ella dijo que yo era su primo, aunque no había impertinencia en la observación, sino algo así como una ligera sorpresa. Le dejé hablando con Anita y me acerqué a Zoila y al señor mayor, que estaba muy animado charlando con ella, pero Anita me llamó.

—Martín, Asís quiere pasar luego a buscarnos para ir a cenar al Riscal con los demás, yo creo que esta noche no podemos, ¿verdad?

Me dio alegría aquel «no podemos». Y repetí con suavidad que no, aquella noche no podíamos.

Anita nos miró a los dos, a mí y al otro.

—Quizás él sábado como siempre, Asís. ¿No te parece?

Yo decidí que el sábado no podría ir a cenar tampoco, pero Anita aceptó.

Me empecé a sentir ahogado en aquel ambiente de visitas y entradas y salidas de personajes a los que con una nueva manía calificaba de elegantes o no elegantes. Pero antes de poder escapar de allí tuve que escuchar las aventuras que le ocurrían a Zoila en su búsqueda de un piso amueblado. «Tienes que acompañarme, Martín. ¿Por qué no? Mañana por la mañana, a las doce, ¿verdad? Me recoges en el Palace. Tengo dos direcciones que parecen buenas. Yo quiero una casa recogida, muy independiente...»

Cuando empezaba a exasperarme, ocurrió el milagro. Llegó una señora cuyo atuendo inspiraba a uno la idea de la magnificencia, acompañada de un hombre maduro también lleno de magnificencia pero no elegante. Se marcharon. Se había marchado todo el mundo. Anita atendió a su padre y yo también unos minutos. El señor Corsi estaba mejor, pero un poco cansado.

—¿Por qué tienes ese aspecto tan fúnebre, hijo mío? Pareces Fantomas.

Anita se fijó entonces en mí.

—Ahora no pareces el Ángel de la Guarda sino el ángel de la noche, Martín.

Nos escapamos. Bajamos la escalera, como yo la había subido, casi volando, cogidos de la mano. La noche estaba fresca, olía a lluvia. Anita dijo que tenía ganas de bailar. Yo también tenía ganas.

—¿Sabes bailar, Martín? No sé si te dejarán entrar en una *boîte* sin corbata tal como vas. Son muy pesados en esas cosas. En la *boîte* de Castelló me conocen mucho.

Los trajes. Estábamos bajo su signo.

Probamos en la *boîte* nuestra suerte, y pasamos. Vi un ligero titubeo, eso sí, en los ojos del portero uniformado, pero quizá fueron suspicacias mías. No me dijeron nada.

Bailamos un rato descargando la tensión de nuestros cuerpos. El aire estaba denso de humo, la música llenaba los oídos. La pista era a veces insuficiente, pero yo no lo notaba. A veces tenía la impresión de estar bailando con Anita, solo en el mundo, solo con ella.

—Martín, qué magnífico. ¿Quién te ha enseñado a bailar así?

Me había enseñado ella cuando éramos chiquillos, pero no quiso creerlo cuando se lo confesé.

—De todas maneras se ve que en esa vida de monje que, según dices, has llevado tantos años, has tenido tiempo de practicar. Alguna vez me contarás tu vida.

Fue una noche tan buena como todas las de aquella primavera cuando logré que saliésemos solos. Cenamos en una tasca bajo el puente de Segovia y luego buscamos una feria ambulante de las que se arman en las afueras de la ciudad, una feria pobre con columpios, caballitos para niños y tiros al blanco. Mi puntería ganó para Anita una muñeca enorme que nos pareció muy fea.

—Quizá le guste a nuestro Gnomo.

Yo procuraba no emocionarme con la cercanía del cuerpo de Anita. Ella seguramente no tenía ningún problema en esa clase de emociones, y su alegría y su vitalidad descuidada hacían muy fácil la diversión inocente que sentíamos. Empiezo a dudar, cuando recuerdo tan vívidamente la sensualidad que había en mi propia contención y mi terca seguridad de que jamás volvería a sentirme atraído hacia Anita como un enamorado, si no fui un gran tonto. Y ella. Quizá podíamos sentirnos tan tontos o tan seguros porque vivíamos juntos, porque volvíamos a casa juntos, porque al despertar sabíamos que íbamos a encontrarnos. Si doña Froilana me decía que Anita y yo éramos una pareja enamorada, la risa mía ante el absurdo era sincera. Y Anita un día se enfadó con Froilana y le prohibió decir disparates. La última época de doña Froilana en casa fue amarga para la vieja señora.

—Oh, está loca Anita, ya no es una niña para estar tan loca. Y tú, otro loco. Vais terriblemente equivocados.

A nosotros no nos importaban las angustias de doña Froilana respecto a nuestras personas. Nos importábamos nosotros mismos, nuestra confianza, la alegría de estar juntos. Más tarde empezó para mí la decepción de que Anita, poco a poco, me fuese abandonando como compañero y cada vez más a menudo se marcharse sola con otras gentes. Claro que yo también participé de algunas salidas en compañía de amistades de Anita. El primer sábado aquel en que Asís me invitó no fui a cenar con la panda aquella por un motivo secreto: no tenía aún los trajes que me había encargado. Pero no lo dije. Me volví misterioso, pretexté un compromiso fuera de Madrid. Cargué con mi caja de pintor y me fui a la Sierra: nunca he pasado un fin de semana más absurdamente triste, pero aguanté mi tristeza hasta la tarde del domingo y llegué tostado por el aire del campo y lleno de jovialidad para encontrar la casa vacía, ya que Frufrú había llevado al cine a Soli y Anita probablemente estaba en el sanatorio. Y la criada tenía su tarde libre. Los perros se alegraron de verme. Recuerdo que puse un disco nuevo en la radiogramola y resultó que era la melodía de cítara de Anton Karaz de la película *El tercer hombre*. Una intensa melancolía, una espera feroz, una necesidad de ver a mi amiga me hubieran convencido de que la necesitaba para siempre, si cuando llegó ella no se me hubiera calmado toda la inquietud tan de repente que me pareció incluso que no me importaba lo más mínimo.

Esto, como digo, ocurrió el fin de semana. Aquella noche del martes anterior, cuando volvimos a casa después de haber vagabundeado mucho y con la gran caja de la muñeca bajo mi brazo, entramos como Reyes Magos en la alcoba de doña Froilana. Soli dormía allí sin compañía porque doña Froilana estaba en la clínica. Dejamos a los pies de la cama aquel juguete sin despertar a Soli y salimos muy despacio sin que la niña se enterase. Por cierto que la ilusión de Soli con aquella muñeca fue mucho mayor de lo que habíamos supuesto. Fue una ilusión tan grande, que nos conmovió. Según nos dijo «era la primera muñeca que le habían "echado" los Reyes Magos». Y aún hoy existe esa muñeca. Soledad la conserva.

No teníamos sueño aquella noche y no sé de qué hablamos. Teníamos tanto que decirnos y nos decíamos tantas tonterías, que siempre quedaba lo importante en el fondo. Lo importante que deseábamos contarnos.

Aquella noche y todas las noches en que salimos juntos durante la primavera nos sentimos felices como si estuviésemos enamorados uno del otro. Más felices que si estuviéramos enamorados. A veces pensaba yo que Anita, con toda su naturalidad, no era una mujer verdaderamente madura; que su frialdad, su pureza física eran las de una jovencita. Pero jugaba a eso sin serlo. Yo sabía ya que había estado casada, que era cierta aquella historia del tal Italo de la que me refería a veces anécdotas sueltas, como sin ilación, sobre la base de algo que fuese ya demasiado sabido para pararse a explicarlo. Alguna vez hablamos de nuestras experiencias sobre lo que podía ser el amor y convinimos en que nunca nos habíamos enamorado. ¿Tampoco se había enamorado Anita de su marido? No, de su marido tampoco. Era un hombre admirable —me dijo— en muchos sentidos. Habían acordado una experiencia en aquel matrimonio, una especie de prueba que duraría lo que tardase en durar el interés por la vida en común de cualquiera de ellos, del que se cansase antes. Anita, según ella, fue quien se cansó antes. Pero ¿por qué? ¿Era desgraciada? Hizo una vez un gesto de duda, pero se le ensombrecieron los ojos. No me quiso decir si había sido desgraciada o no. Dijo que no lo sabía. Pero sí lo sabía. Yo decidí que sí había sido desgraciada y en aquel momento casi estuve seguro de mi amor por ella. Pero fue un momento que pasó. Y otros tantos momentos.

Toda aquella primavera estuvimos pendientes el uno del otro, sin llegar a querer pensar que nuestra atracción tenía ese nombre, amor, que nos irritaba. También nos irritaba nuestro mutuo cuidado en no dejarnos dominar por aquella imantación de nuestros cuerpos, que en algún momento nos hacía acercarnos, sin pensar, uno al otro. Anita tenía gran habilidad para parar cualquier acercamiento de ésos. Quizá tuviera razón doña Froilana, quizás estábamos locos. O quizás hacíamos bien en no estropear las cosas y el engaño hubiera sido fingirnos a nosotros mismos que nos queríamos. Porque de ser aquello un enamoramiento, ¿no hubiéramos terminado por encontrar el camino del abrazo y de la fusión del alma y del cuerpo? Yo hasta olvidé más tarde aquella tensión primaveral junto a Anita; sólo recordé una época algo loca: los días de la clínica, las nuevas amistades, la sensación de estar en vacaciones y más tarde el enojo impertinente de Anita reprochándome que no hiciese nada, que no me ocupase de mi pintura, y entre todo eso mil cosas que llenaban los días, y entre los quehaceres la observación de la tonta vida de Anita entre los que ella creía sus pretendientes, y la curiosidad por sus pequeños misterios tontos, como el de aquella correspondencia que mantenía regularmente con Francia, aun en la época en que doña Froilana estaba con nosotros y que llegó a obsesionarme porque, que yo supiese, no tenía ella nadie en Francia que pudiera interesarle. Me decepcionó saber de qué se trataba al fin aquella correspondencia; pero ella se negaba a contestar a las preguntas más inocentes y me irritaban sus estúpidos misterios cuando descubría en qué consistían.

Un día nos encontramos unidos sólo por la familiaridad, por el hecho de participar en la vida de una casa común, pero ya sin aquella confianza primera, como si no hubiéramos podido soportar el punto de acercamiento a que habíamos llegado. No habíamos podido soportarlo. Pero en vez de estallar como la vida entera cuando llega su época, en un emparejamiento, en un amor que nada ni nadie nos impedía, nos separamos: cada uno de nosotros encontró un interés distinto, una pareja nueva, y cada uno lo mantuvo en secreto al otro y cada uno nos sentimos destrozados en lo que uno del otro habíamos admirado y querido; al menos por mi parte fue así.

Ahora veo esas cosas. Pero en todo puede haber equivocaciones cuando se recuerda, menos en las puras imágenes. Las fotografías de nuestros actos en la memoria son lo único que no engaña, según la doctora Leutari.

Vuelvo a aquel día, a aquella noche en que nuestra diversión estuvo marcada por el signo de los trajes: traje de «Fantomas», traje de vestir, trajes de hombre de mundo, de hombre de negocios, de persona segura de sí misma, viejos uniformes de cosas que uno no era ya... Un guardarropa flotante colgó sobre mi cabeza aquella noche en que permanecí casi hasta el amanecer con los ojos abiertos. Como después de despedirnos Anita y yo no podía dormir, me levanté a buscar un libro en el despacho de Corsi. Todos los que encontré eran libros franceses y volví con uno de ellos a la cama, pero me costaba esfuerzo leer en ese idioma y apagué la luz. No quise pensar en Anita, aunque había visto, tanto al ir como al venir por el pasillo, una raya de luz bajo su puerta, y su desvelo nos unía con una dulzura muy profunda. No quise pensar en ella y pensé en la nueva vida que se preparaba en mí, en una serie de caminos y experiencias de trabajo y suerte, en una serie de ocupaciones masculinas para las que me sentía dotado, pero que iba rechazando una a una según se me ocurrían, para volver a aquel presente en vacaciones, en espera de algo que llamaba de manera misteriosa a mi espíritu, que se revelaría —pensaba yo— en su momento. Aquel equipo de trajes de calle y de vestir, de deporte, de entretiempo y de verano convenía lo mismo a un chico topolino, como se decía entonces, que a un hombre de negocios; podía haberme encargado —tan seguro estaba de que algo que hacer se me revelaría y tan a ciegas de lo que eso podría ser— un traje de aviador y otro de buzo y otro de explorador por si acaso. Todo era posible una vez liberado de aquella obsesión de ser artista grande. Un fantástico guardarropa.

Me dormí riendo. Casi siempre me dormí riendo en aquella primavera y con deseos de que la noche pasase en seguida, de que llegara el día nuevo a su sorpresa.

XIV

El señor Pérez tardó en dar señales de vida. La niña estaba preparada —en cuanto a ropas y zapatos— para marchar cuando desease llevársela don Amando, pero aunque se le dejó recado telefónico en su pensión, no hubo respuesta hasta una tarde, precisamente aquella en que Corsi, tras de una temporada más larga de lo previsto en la clínica, acababa de volver a nuestro lado.

Después de comer, para comodidad de movimientos, Anita puso el teléfono portátil sobre la consola del cuarto de estar donde nos reuníamos y pudimos oír la conversación que sostuvo doña Froilana con el padre de Soli.

—¡Oh, sí, *monsieur* Pérez! ¡Oh, sí! ¿Cómo? Gracias, gracias. No. ¿Qué dice? ¡Oh, no!...

Froilana, tapando la rejilla transmisora, se volvió a mirarnos desorientada.

—Es imposible que haya comprendido bien. Dice que si nuestra pequeña no roba. ¿*Monsieur*...? Sí. No, no es boba, es muy inteligente, ayuda mucho en casa. ¿Hurtar? ¿Robar? No. Dios mío, pero ¿por qué? Claro que todos tenemos defectos pero ¿por qué iba a ser ladrona la pequeña? Sí, venga luego, sí. ¡Ah, claro que puede quedarse! ¿Todo el mes de mayo? Naturalmente.

Dejó descolgado el teléfono y se acercó a don Carolo.

—Corsi, dice *monsieur* Pérez que nuestro Gnomo se quedará aquí el mes de mayo si podemos tenerla; que él tiene mucha confianza en nosotros, que no le importan nuestros defectos de extranjeros porque la niña tiene los suyos... Creo que ha bebido un poco ese buen señor Pérez.

Los ojitos de Frufrú se volvían casi en redondo para darnos a entender que consideraba que el señor Pérez estaba trastornado.

—Froilana —contestó Corsi—, ya sabes que por mí no hay inconveniente si Anita quiere. Y Martín. Cada cual puede votar a favor o en contra.

—Claro que se queda —decidió Anita.

—¿*Monsieur*? Sí, todos muy contentos. La pequeña da mucha alegría. ¿Por qué no viene usted a comer mañana? ¿No? Bien, venga luego y decidiremos. No, el señor Soto no estará luego, se iba en este momento. Sí, ahora está. Le paso a Martín.

Mientras me dirigía al teléfono, tuve tiempo de ver la cara de Anita. Fruncía el entrecejo y se reía un poco y miraba hacia el teléfono con una expresión que no le hubiera gustado ver a Pérez. Froilana, a quien no habíamos informado de las impresiones de Pérez sobre su persona y la casa, se enfadó con Anita.

—¿Qué gesto es ése? La niña podría creer...

—La niña ha huido en cuanto supo que su papá estaba al teléfono. Me parece que tendremos que buscarla bajo una cama.

Yo aguantaba la risa apretando la pipa entre los dientes. Oí la voz de Pérez. Quería saludarme, me daba pomposamente las gracias porque comprendía que había sido discreto y se ofrecía para cualquier cosa. Casi me suplicaba que le diese alguna orden. Era mi servidor. Podía estar un poco bebido, en efecto, pero sabía lo que se hacía.

Se me ocurrió en aquel momento que estábamos a final de mes y que Pérez podría hacerme un recado que me daba pereza. Me quité la pipa de la boca.

—Sí, don Amando, gracias. Yo le pagaré los gastos, pero por favor busque un recadero y vaya con él a la pensión Jerónimo. Tengo la habitación pagada hasta mañana; ahora llamaré para que dispongan de ella y recojan mis cosas en una maleta; cuando usted pueda va a buscarlas y que las traiga el recadero. Sí, bueno. ¿Va a pasar usted por aquí a traer las cosas que tiene ahí de la niña? Pues le dejaré una carta para el dueño de la pensión. No corre prisa, cuando sea me hace el recado, por favor. ¿Cómo? No, no deje dirección alguna ahí. No hace falta.

Yo tenía que salir. Y también salir de aquel cuadro familiar me daba pereza. Me detuve en la puerta. Anita estaba haciendo de secretaria de su padre. El señor Corsi se sentía muy excitado porque el consulado había comenzado a tener movimiento. Acababa de llegar a Madrid una súbdita de Nguma y era la primera vez que ocurría tal cosa desde que el señor Corsi se encargaba del consulado honorario. Dictaba en francés:

—Señor Ministro de Asuntos Exteriores. Señor: la súbdita de Gnuma *mademoiselle* Brigitte... Anita, busca un papel en el bolsillo de mi pijama. Espero que no lo hayáis mandado a lavar con ese papel donde Merceditas me apuntó el apellido. El apellido o lo que sea, porque parece que eso de los apellidos en Gnuma es algo caprichoso. Es muy difícil de recordar. ¿A ver? Kniboro... No, no es eso. Ve a buscar la nota, *figliola*.

Yo estaba mirándola y me parecía graciosa Anita en su seriedad y entusiasmo por colaborar, con el bloc sobre las piernas cruzadas que lucía, como decía el viejo Pérez, tan descuidadamente y tan sin malicia. No sé por qué me empeñaba entonces en verla como una chica sin experiencia, con un fondo de pureza tras de su vitalidad, que me inspiraba un respeto como no había sentido nunca por otra mujer. Comprendía yo mismo que era un absurdo eso de la inexperiencia con aquella historia de su matrimonio que había durado cerca de dos años. Pero hasta en su peor charlatanería, cuando Anita contaba aquellos proyectos ridículos de sucesivos matrimonios y divorcios, o cuando decía comprender las mayores atrocidades que comete la gente, no había asomo de verdadero conocimiento de esas atrocidades. Eran como un juego de imaginación infantil esas charlas, como si en vez de hablar de futuras aventuras amorosas dijese que se sentía capaz de ir a la luna trepando por un rayo de luz. Otras veces, en cambio, tenía tanta madurez para entender y hablar de cosas sorprendentemente espirituales y en contraste con el cinismo infantiloide de que hacía gala, que me dejaba admirado. El sacrificio de los santos y de los sabios entregados a un trabajo valioso y de los artistas y de la gente que se supera a sí misma, no le era indiferente. Y lo entendía mejor que yo. Algunas cosas las entendí gracias a ella.

Ahora recuerdo aquel minuto en que la contemplé con gran ternura. Estaba junto al padre, cómodamente instalado en un sillón con una manta a cuadros sobre las rodillas, que le dictaba. Al fondo, el balcón abierto dejaba ver una llovizna suave de primavera. Anita se puso en pie para cumplir las órdenes de don Carolo en el momento en que Froilana volvía, llamándome.

Froilana había estado dando palmadas por el pasillo y voceando en tonos de trino de jilguero el nombre de Soli.

—Tengo el presentimiento de que la pequeña Soli está escondida bajo una cama, Martín. No quiero asustarla. Ayúdame si no tienes mucha prisa.

Me puse a buscar a Soli bajo las camas. No estaba en su cuarto. La encontré en el mío y, efectivamente, bajo mi cama.

—Haz el favor de salir. ¿Qué manía es esa?

—Oh —decía Froilana en la puerta—, no importa nada que esté un ratito bajo las camas si le gusta, no hace mal a nadie, pero esta tarde debe ver a su papá y debe estar muy guapa con su trajecito bien planchado.

Hasta que se fue Froilana no consintió en salir de su escondrijo.

—¿Qué diablos te asusta ahora? ¿Puede saberse?

—Yo no robo...

—Ah, ya, es esa manía de tu padre. Claro que no robas. ¿Para qué ibas a robar?

Recordé confusamente que el día que le llevé a Toledo a la niña, el viejo Pérez me había contado una historia de que los habían despedido de la pensión porque Soli fue acusada de usar algo de otro huésped. El viejo me pareció insoportable otra vez. Me alegraba de no verle aquella tarde.

—Yo no robo, y no juro porque está mal. Yo no...

—Claro que no. Hala, ve al cuarto de estar y no te acuerdes de tonterías. A Corsi le gusta verte. Tu padre ha perdido la cabeza. Anda, ve.

—Tú no crees que yo robo, ¿verdad?

Claro que no lo creía. La llevé al cuarto de estar y la dejé allí en el refugio de los brazos de Froilana.

Mientras bajaba la escalera me indigné del maligno empeño del viejo Pérez en decir cosas desagradables de todo el que le rodeaba. Lo mismo daba que hubiese tomado unas copas de más o que estuviese más sereno que una taza de café puro. El viejo era odioso. Años después, en esos relatos del «cuento de Soledad», supe la base de las advertencias de su padre.

Martín no lo creía y por milagro los otros no se habían dado cuenta, pero Soli robaba. Un poquito. Y además, no era robar, porque ella tenía derecho. Nadie se daba cuenta al principio, pero si se daban cuenta, sentía mucha pena al ver a su papá llorando. No quería que su papá llorase.

Empezó todo porque ella se había vuelto muy limpia. Era limpia como los chorros del oro. Y muy valiente. Nunca más volvió a tener piojos. Primero le lavaron la cabeza muchos días seguidos con aquel jabón que picaba tanto, luego dijeron que se la lavase ella sola. La bañaron con agua caliente un día y le dijeron después que se lavase sola. Al día siguiente pidió que le calentasen agua para bañarse y le dijeron que unas veces nada y otras tanto y que se lavase con agua fría o que le dijera a don Amando si quería pagar baños diarios. Y se bañó con agua fría en el baño aquel tan húmedo y oscuro, y su papá se quejó de que las toallas estaban empapadas. Y ella aprendió a llevar las toallas al terradillo, o a la cocina, y tenderlas a secarlas. Pero no siempre podía. Y luego su papá se quejó de que se acababa el jabón en seguida y ella cogió un día la pastilla de jabón del cuarto de don Vicente. Se lavaba la cabeza y el cuerpo al chorro del grifo, que era un grifo muy feo y estaba colocado muy en alto en aquel baño de las Emes. Usaba la pastilla de jabón de don Vicente, y don Vicente no dijo nada. Pero por si acaso usaba alguna vez la de su cuarto. Y alguna vez, en vez de jabón, la barra de jabón de afeitar de su papá. Y se lavaba la cabeza siempre y olía muy bien y era limpísima. Hasta entonces no había robado más que jabón, y eso sabía ella muy bien que no era robar sino ser limpia. Nadie se dio cuenta más que la gorda señora Matilde, pero no dijo nada porque era amiga de Soli, que la ayudaba mucho en sus asuntos. Doña Matilde era muy lista, pero parecía muy boba y era más lista por eso. La historia de doña Matilde era otro secreto de Soli y no tenía nada que ver con el jabón.

Llegó un día en que se fueron a la otra pensión en que había mucha gente y no tenían más que una toalla para Soli y su papá, pero había horas que no había nadie en las habitaciones y entonces aprovechaba Soli y una vez usaba la toalla y el jabón de una habitación y otras de otra habitación, y una vez había una señora que tenía colonia y Soli se echó colonia, y la señora se dio cuenta porque dijo que Soli olía a su perfume y Soli dijo que le había dado la dependienta de la droguería un frasquito pequeño de perfume, y eso era verdad, porque se lo había dado cuando fue a comprar con su papá, pero ella no había abierto el frasquito porque era como de juguete, y lo tenía muy escondido, y aquella vez su papá se enfadó mucho con la señora aquella y no pasó nada y de la peseta que estaba en el suelo y Soli la recogió y se compró luego altramuces a la hora en que se escapaba a la calle, nadie se dio cuenta, y de los dos reales que se encontró otro día tampoco se dio cuenta nadie, y del jabón y las toallas nadie. En aquella pensión nadie sabía que se bañaba Soli cuando quitaban las macetas que ponían dentro del baño para regarlas; ella tenía buen cuidado de que no lo supieran y nunca más se puso colonia. Pero una mañana entró en un cuarto que le gustaba mucho porque vivían allí dos señores y siempre dejaban cosas interesantes por allí encima. No las tocaba, pero le gustaba mirar los muestrarios de botones y de telas, que eran preciosos. Y una vez dejaron un montón de calderilla y ella no cogió todo, sólo tres perras gordas, además del jabón y la toalla, claro está. Era la tercera vez que volvía a aquella alcoba. Estaban las camas deshechas aquella mañana y olía mucho a colillas, como el cuarto donde dormía Soli con su papá. Y le gustaba a Soli ese olor mezclado al olor de hombre que había en las sábanas, aunque era muy distinto al olor a colonia, porque éste le gustaba para ella misma y el otro olor era de hombres.

Aquel día encontró tiradas sobre la mesilla de noche tres pesetas. Seguro que nadie se había dado cuenta de que las dejaban allí, estaban entre otros papeles y eran tres pesetas de papel y muy viejas, pero Soli sabía que no importaba y que valían a pesar de todo. Las cogió. Y salía de puntillas con la toalla y el jabón y las pesetas cuando la sirvienta, que estaba observándola detrás de la puerta entornada, la atrapó al salir. Fue el día en que pasó tanto rato llorando y aunque dijo que todo aquello estaba tirado y ella lo había recogido para que no se perdiera, no le hicieron caso y su papá lloró porque su hija era una ladrona, y a la hora de comer le hizo pedir perdón de rodillas a todos los que estaban comiendo. Ese momento malo no lo fue tanto porque, gracias a eso, le dijeron a su papá que si no volvía a repetirse los dejarían seguir allí, pero con la condición de que la niña no se quedase sola en la casa sino que saliese siempre con su papá. Y cuando el papá se mudó de pensión, porque aquello no podía ser, y fueron a la pensión cerca del hospital, donde los enfermos tosían mucho, porque todos habían venido a Madrid para ir al hospital, vuelta a las toallas y a los jabones y todo eso. Pero su papá hacía que ella le acompañase muchas veces a muchos sitios: al Ateneo y también al periódico, y Soli se quedaba con los conserjes. Y al café de la calle del Prado también la llevaba y Soli se aburría mucho porque todos los amigos de su padre tomaban copas y café, y a ella no le daban nada. Pero entonces ocurrió que en la pensión de los enfermos dijeron que había desaparecido un billete de cien pesetas. No dijeron que fuese ella, pero su papá sí que creyó que había sido Soli. Y se encerró en la alcoba con la niña y le preguntó muchas veces si por casualidad no había sido. Y ella juró que no y se puso de rodillas delante de su papá y le dijo «Lo juro, lo juro, que me condene si no es verdad». Pero su papá le decía que la otra vez también había jurado y había sido cierto y quería saber por qué había robado la otra vez y no ésta. Soli lloraba y le decía: «Por limpieza». Y su papá no la creía. Después aparecieron las cien pesetas, pero el papá de Soli estaba muy triste y como fue poco antes de encontrar a Martín se lo contó a éste, que no hizo ningún caso.

En casa de Anita no robaba el jabón ni la colonia porque estaban allí, en el baño, y nadie le decía que no los usase, y el primer día don Carolo le dio su colonia. Lo que Anita no quería era que Soli usase su perfume, el que tenía en el tocador, y un día le dijo que aquello no, que usase la colonia del baño. Pero daba mucho gusto ponerse un poco del perfume de Anita en las manos y luego lavárselas para que no se diesen cuenta, y siempre quedaba un poquito de olor en las manos y a Soli le gustaba. Y luego estaba aquello de las vueltas del dinero cuando la mandaban a un recado. Se quedaba parte de las vueltas cuando era Anita la que la mandaba. Tenía derecho y estaba bien porque ella no era la Cenicienta, como dijo doña Froilana, y si trabajaba de Cenicienta debía tener su ganancia. Anita no se fijaba aunque fuese bastante lo que se quedara Soli. No contaba el dinero de la vuelta cuando la mandaba al cerillero del restaurante porque se le había olvidado a ella comprar cigarrillos. Pero doña Froilana sí se daba cuenta. Una vez le pidió que fuese por pan y notó que faltaba un duro. Pero no creyó que había sido Soli. Doña Froilana le dijo: «Mira, pequeña Soli, vuelve a la panadería y enseña esto que te han devuelto. Lleva las cartillas y verás cómo saben los cupones que han cortado, y te devolverían cinco pesetas más, porque se han confundido». Claro que Soli no volvió a la panadería sino que estuvo un ratito fuera de casa y añadió el duro a lo demás y dijo que sí, que le habían devuelto más dinero. Doña Froilana no creía que Soli pudiera hacer nada malo y se enfadó mucho con don Carolo por defender a Soli el día en que la llevó a la clínica vestida con el abrigo y el traje más bonito que le habían comprado, y una señora que estaba allí dijo: «Tienes una nieta muy divertida, Corsi». Y después don Carolo le dijo a Froilana que no volviese a llevar a la niña porque no quería que la confundieran con una nieta suya. Doña Froilana se enfadó y contestó que por qué le ofendía eso, que tenía nietos mayores que la niña, y Corsi dijo que sus nietos eran guapos y doña Froilana que la niña también era guapa. Y don Carolo: «Mira, Froilana, no la traigas más». Doña Froilana lloraba cuando salieron del sanatorio y le decía a Soli: «Ya no hay nada que hacer, no hay nada que hacer, Corsi se ha vuelto loco. Él sabe que yo me quedaría si me lo pidiese, pero sólo porque estás tú, y en una casa donde hay pequeños a quienes cuidar yo me quedo; pero me ha dado a entender claramente que no le importo. Oh, soy muy desgraciada». Doña Froilana era muy buena y le dejaba ponerse sus zapatos de tacón dentro de casa, aunque ya tenía Soli sus propios zapatos, y la llevó un día a la casa de fieras y le contó la historia de un león que se llamaba *Bermello* y se reía mucho si Soli se empolvaba la cara con sus polvos de tocador, y no se enfadaba con ella. Pero además era muy lista doña Froilana y Soli nunca volvió a darle mal las vueltas de dinero si la mandaba a algún recado. Anita no era tan buena y, además, se creía muy guapa y se miraba mucho al espejo, y no quería que

Soli usase su perfume ni sus polvos ni su crema, y además decía doña Froilana que Anita y Martín eran como novios, y Soli los acechaba mucho para ver si se daban un beso, pero no se daban besos, así que no eran novios. Quitarle dinero a Anita no importaba y no era un robo, porque ella no se daba cuenta. Pero si su papá venía contando lo de las pastillas de jabón y las pesetas que robó aquel día Soli, doña Froilana pensaría en seguida en aquel duro que faltó en la vuelta del pan y pensaría cosas malas de Soli. Y Soli no quería.

Doña Froilana la llamaba desde el pasillo y Soli no se movió. No quiso salir. No quería pedir perdón de rodillas otra vez. No quería que la echase don Carolo. No quería que la encontrase Martín. Ya llegaba Martín. Se dijo a sí misma la frase aquella de doña Froilana: «Oh, soy muy desgraciada». Y eso la alivió mucho.

El estrafalario Pérez y su niña. Son personajes secundarios en mi vida de aquel tiempo y, sin embargo, constantemente mezclados en ella. Hay seres, hay ambientes que escogemos, pero el destino nos lanza a los brazos, a los ojos o al pensamiento, personas que nunca habríamos creído que intervinieran en nuestros momentos cruciales.

A Soli la tenía en casa. De cierta manera me importó siempre la chiquilla, pero el hecho de verla aparentemente tan cambiada, vestida con gracia y con aspecto saludable, hacía que no me ocupase mi imaginación. En cuanto al viejo Pérez, después de aquella llamada telefónica dejé de pensar en él por completo. Lo borré. El hombre parecía haberse eclipsado. Vagamente oí alguna vez que doña Froilana hablaba de *monsieur* Pérez, de sus visitas a la niña o de charlas telefónicas. Pero no presté atención. Mi vida estaba llena de novedades.

Anita me presentó a sus amigos; algunas parejas jóvenes, algunos hombres desparejados que ella creía que le hacían la corte. Tuvimos encuentros en cenas, reuniones, y a veces, a la hora del aperitivo, en la calle de Serrano. Mis nuevos conocidos y yo nos observábamos mutuamente. Bajo la frivolidad de nuestras conversaciones me ocupaba en averiguar a qué se dedicaban aquellos amigos de Anita que daban la impresión, como yo mismo, de estar en perpetuas vacaciones. Algunos trabajaban ganando dinero en cosas que hasta entonces habían pertenecido a una parte de la vida desconocida para mí: importaciones, bolsa del automóvil, exportaciones, y lo que aún no llamábamos relaciones públicas, en enlace con los ministerios. Todo me interesaba. Algunos de aquellos conocidos que en los primeros días cuando salimos juntos en gran pandilla a cenar y a bailar me resultaron antipáticos, dejaron de sérmelo. Y el más antipático de todos, aquel rubio pequeño y elegante, Asís, siempre al tanto de chismes sociales y políticos, siempre atento y cortés, no sólo dejó de serme antipático sino que cuando Anita me dijo que Asís admiraba ciertos conocimientos míos en materia artística, me resultó hasta atractivo. Lo que no podía imaginar era que aquel muchacho pudiera ser y portarse conmigo, andando el tiempo, como un verdadero amigo. Asís estaba desocupado siempre, según pensaba yo. Era de los habituales en el círculo de diversión de Anita. Siempre nos encontrábamos. Hasta cuando mi amiga, empeñada en que yo conociese a gente importante para mi «carrera de pintor», me llevó a una de las reuniones en casa del filósofo y crítico de arte Eugenio d'Ors, encontré a Asís entre la apretada concurrencia de «personas interesantísimas», según la calificación de Anita, que llenaban las salas de la casa de la calle del Sacramento. Pero a mi primer encuentro importante con Asís me llevó indirectamente Soli.

Recogí los dos cuadros que había presentado a la Nacional, y como me daba una pereza inmensa volver a mi viejo estudio sobre el almacén del chamarilero del Rastro y dejarlos allí, y como no quería llevarlos a casa tampoco, telefoneé a un mueblista y decorador de lujo del barrio de Salamanca, un conocido que había vendido ya algunos otros cuadros míos y que aceptó que dejase aquellos dos en su tienda. Cuando fui a entregar los cuadros encontré a Asís, que se movía en aquel reino del mueble de lujo como Pedro por su casa. Era —me dijo— sobrino del dueño y aunque nada tenía que ver con el negocio, colaboraba con su tío en un asunto de subastas de arte al que Asís se dedicaba.

Digo que Soli me llevó allí porque en mis dos cuadros aparecía transfigurada la niña, tal como la había conocido en casa de las Emes. Sabía yo que para la retratada sería reconocible su figura y que le causaría mortificación verse. Aquellos cuadros eran como pequeñas traiciones a nuestra amistad, como pequeños abusos espirituales, ya que habían sido pintados a espaldas de ella.

En uno de aquellos cuadros figuraba un muro encalado reflejando un sol de pueblo de Castilla y aplastada por aquella luz, se veía una figura de niña vestida de negro, sin facciones, pero que era Soli con sus trenzas. El otro cuadro había nacido en una conversación con Soli por aquella misma época en que yo tomaba apuntes de la niña en mi bloc para el cuadro del muro. A ella no le gustaban los dibujos que yo hacía. Le expliqué que los pintores no teníamos por qué retratar a los modelos exactamente: no éramos fotógrafos. Soli me dijo: «¿Puedes pintarme con un vestido distinto al que tengo? Pues píntame vestida de embajador del Perú». Quedé asombrado.

—¿De embajadora del Perú, Soli?

—No; de embajador del Perú.

Entre Soli y la gorda doña Matilde me aclararon aquella ocurrencia. La niña había acompañado a doña Matilde en uno de los recorridos que esta madura señora hacía por Madrid transportando imágenes de santos de una casa a otra. En la calle de Bailén se detuvieron junto a otros curiosos en la acera para ver el cortejo de carrozas que acompañaban al mariscal Ureta cuando fue a presentar sus credenciales de embajador al Palacio de Oriente. A Soli la dejaron pasar a primera fila, al borde de la acera, y la carroza donde iba el mariscal se paró un momento frente a ella. La niña no había visto en su vida nada tan deslumbrante: la carroza escoltada por palafreneros, postillones y cochero vestidos a la Federica, pero sobre todo el propio embajador, la admiró con su guerrera negra, sus charreteras y faja doradas, y aquel pantalón rojo y el espadín de oro. En las mangas de la guerrera llevaba soles de oro y entre las manos un bastón recamado por brillantes y soles de oro también.

—¿Tú ves la película de la Cenicienta? Pues más precioso aún. —Soli no había visto en su vida nada que pudiera compararse.

—Y el sombrero, Martín, con dos picos y plumas blancas y rojas. Tienes que pintarme con el sombrero.

La niña había preguntado sobrecogida si aquel señor era Franco. Y le dijeron que era el embajador del Perú. El padre de Soli, al oír sus comentarios, le había llevado un recorte del periódico donde se reseñaba el paso de la comitiva, y la niña me lo enseñó.

Yo, en mi estudio, había pintado a Soli en forma de muñeco de madera con articulaciones sujetas por clavos, con un gorro de picos de papel de periódico adornado con plumas, y las trenzas negras, tiesas, figuraban también ser de madera barnizada. A este último cuadro le di un colorido muy vivo y aunque ya no me gustaba y no era en absoluto lo que yo había soñado en pintar durante años, creo que no estaba mal. Soli podría reconocerse perfectamente en aquella caricatura de sus sueños.

Asís me dijo: «No está mal esto, Soto, yo creo que tienes talento, de veras; es una pena que...».

De este modo comenzó una conversación con Asís que me llevó a hablarle de Jiménez Din como autoridad indiscutible e indiscutida en cuestiones de autenticidad de la pintura de los grandes maestros. Asís quiso que yo viese un lote realmente interesante de cuadros de distintas épocas y autores, que se iban a subastar. Como joya de la colección me enseñó lo que me dijo que era un boceto de Goya para sus ángeles femeninos. Una pieza muy curiosa. A mi juicio era una copia bien hecha de uno de aquellos ángeles. Y fijándome más, no una copia sino una falsificación que me atrevía a asegurar así, a primera vista, que había sido hecha no más de veinte años atrás. Asís se interesó. Él conocía algo a Jiménez Din, mi maestro, pero (como yo sabía) Jiménez no quería ya informar sobre pintura. Estaba enfermo y sólo se dedicaba a hacer restauraciones, y eso en casos interesantes quizás, y sin prisa. Pero si Jiménez me respaldase con su autoridad sería tal vez interesante para Asís y para mí comenzar una colaboración de trabajo.

No me interesaba en aquel momento ese trabajo. Pero a la proposición de Asís de visitar juntos al maestro Jiménez, noté una contracción dolorosa en la boca del estómago y empecé a balbucear de tal manera, que vi que Asís tuvo dudas de si no sería una estúpida mentira mi afirmación de la amistad que me unía a Jiménez. Entonces, sin pensarlo, por pura vergüenza, me comprometí a hacer aquella visita si Asís lograba que nos recibieran. Yo estaba seguro de que nos recibiría al oír mi nombre, pero no lo dije, como tampoco dije la causa de mi repentina angustia.

La conciencia es algo extraño. Mi conciencia me decía que yo era un hombre con repugnancia instintiva hacia el mal dondequiera que se encontrase. ¡Y había seguido diciéndome esto en toda aquella temporada, desde mi regreso de Alicante, en que tuve buen cuidado de no recordar que tenía que hacer una visita a Jiménez Din y a su mujer!

Entonces no me decía nada mi conciencia. Me lo decía mi cuerpo. Tenía ganas de vomitar. Asís creyó que me había puesto enfermo repentinamente. Y estaba enfermo. Pero al llegar a casa, entre aquel ambiente medio alegre y medio disparatado que avivaba la presencia de Froilana, sus colorines, sus pulseras, sus risas y las de Soli, mezcladas a los gruñidos de don Carolo y sus suspiros por lo lento de su convalecencia, los ladridos de los perros y la vital y querida presencia de Anita, mejoré mucho.

Mi conciencia volvió a darme una tregua. Yo no había ofendido al maestro Din ni a doña Rosalía. Ellos eran víctimas de una desgracia: aquella hija a la que yo había ido a visitar durante mi estancia en Alicante, porque me lo pidieron los dos viejos. La hija era una muchacha guapísima y decían que además en ciertos aspectos era muy inteligente. Una mujer de cuerpo espléndido que, según comentarios de amigos míos, no tenía ningún reparo en enseñar posando de modelo para los compañeros cuando fue estudiante de Bellas Artes —cuerpo espléndido y espléndidos ojos negros y una personalidad desquiciada, totalmente opuesta a sus padres—. Fue un gran alivio para mí —que le tenía cierto miedo— cuando se casó y dejé de verla por el taller de Jiménez. Creo que también fue un alivio para los padres, a pesar de que la querían muchísimo. Pero duró poco el alivio. El marido de Beatriz, antes del año de la boda, huyó de ella. Se perdió su rastro en un supuesto viaje vía México.

Beatriz volvió a la casa paterna más desquiciada que nunca, y yo espacié mis visitas al taller del restaurador. Hacía meses que no veía a aquella familia cuando me fui a Alicante, pero les telefoneé antes de marchar y me dieron las señas de Beatriz, que estaba pasando una temporada en un sanatorio de reposo para enfermos nerviosos. Los pobres viejos creían que era muy justificable el desquiciamiento de su hija después del abandono del cónyuge. Bueno, yo había ido en mala hora a verla. Y no tenía ganas de hablar del caso con el maestro Din. Eso era todo.

Fue todo bien hasta que tres o cuatro días más tarde Asís me llamó, diciendo que a la mañana siguiente pasaría a recogerme para ir a Chamartín: don Alfredo Jiménez nos recibiría.

La llamada de Asís llegó en una de aquellas pocas noches que Anita no tuvo ganas de salir después de cenar. Una noche en que, para colmo de buena suerte, todos menos Anita y yo se habían retirado a sus habitaciones y teníamos por delante un rato de charla, una intimidad que hacía muchos días que yo necesitaba.

—Después, si nos cansamos, salimos un rato a estirar las piernas.

—Yo no me canso —dije firmemente—. Esta noche tengo que hacerte confesar lo que hay de cierto en esa correspondencia tuya, en esas cartas que escribes a París por las noches cuando todos dormimos, y que por las mañanas echa Soli al buzón.

Anita se reía porque le gustaba intrigarme.

—Ya te he dicho que es una correspondencia de tipo científico que mantengo con un par de compañeros de estudio.

Estaba segura de provocar mi exasperación y mi risa porque la mención de tareas científicas o estudios de Anita siempre me daba risa. Yo había visto varios sobres dirigidos a una tal madame Piasecka. Anita dejaba las cartas ya preparadas sobre la consola del cuarto de estar, porque ella se levantaba tarde siempre que podía. Frufrú me aclaró, a la manera vaga de los Corsi: «Ah, sí, nuestra querida Hanka. Anita la admiraba extraordinariamente. Es polaca, participó en la resistencia de los franceses. Se casó con otro polaco, y los dos son estudiantes. Hanka vivó con nosotras una temporada; Anita tiene una inteligencia muy superior, pero admira a su buena amiga. ¿Qué se va a hacer? Para mí esa Hanka y su esposo son pesados como tanques. Pero buenos, muy buenos».

Yo quería de Anita el relato de su amistad con aquella señora que merecía tantas horas de escritura en desvelos dignos de mejor causa. Y estábamos en eso cuando me llamó Asís.

Cuando regresé, Anita se asustó al verme.

—Dime qué te pasa, Martín querido.

No me solía llamar querido todos los días. Y estuve a punto de contárselo. Pero decidí que Anita no iba a comprenderme. A veces me decía ella lo mismo: «Hay cosas que me divierte dejar en el aire a ver si tú mismo las averiguas, pero hay cosas, Martín, que no te puedo decir porque no me entenderías; cosas que no podré decirte jamás».

Yo no quería intrigar a Anita. Dije que no estaba bueno. Y no lo estaba. La dejé sola en el cuarto de estar. Sola para que escribiese a su amiga si quería y me fui a mi cuarto «con dolor de cabeza».

Al día siguiente fui con Asís al pequeño chalet tan conocido con sus rosales recién floridos y su gran taller de la parte de atrás. Y vi a los Din, llenos de afecto por mí, como siempre. Beatriz seguía en Alicante, pero habían recibido una carta muy poco clara del médico, diciendo que consideraba necesario que alguien fuese a buscarla. Ellos temían algo malo.

—¿Tú la viste, Martín?

Fue un mal rato el que pasé. No pude negar que había visto a Beatriz y, muy por encima, comenté que su aspecto no me había parecido bueno, pero yo no entendía... Ellos no insistieron.

Asís consideró un éxito la visita y algo muy valioso saber la fe que tenía en mí el viejo Din. Yo no recordaba lo que había dicho Din de mí. Sólo pensaba en mis remordimientos. ¿Y si se lo contase todo a Anita? Yo no consideraba a Anita «una inteligencia», como decía la bobalicona de doña Frufrú, pero admitía que a veces ella tenía una comprensión muy grande para las debilidades humanas. La noche anterior vi que se quedaba triste cuando la dejé. Triste por mi cambio de actitud.

Reflexionaba en estas cosas mientras subía a pie la escalera porque, a causa de las restricciones eléctricas, no funcionaba aquel día el ascensor. El ejercicio me fue serenando. Contarle aquello a Anita era muy duro, pero si me daba una absolución, una penitencia como los curas de mis confesiones cuando yo era un chiquillo creyente, si ocurría eso, yo me salvaba.

Al entrar en casa comprendí que tendría que dejar para

más adelante esa confesión mía. Porque precisamente aquella mañana teníamos invitados al almuerzo.

Allí estaba el viejo Pérez, invitado por doña Froilana, y allí estaba el doctor Tarro, invitado por Anita, que había olvidado decírselo a Froilana de la misma manera que Froilana había juzgado innecesario hablarle a Anita de don Amando. Noté cierta tirantez en el ambiente del cuarto de estar. Y un calor inusitado, oprimente.

El doctor Tarro descorrió las cortinas del balcón y me señaló el cielo, oscurecido por nubes quietas de bordes quemados. Dijo que se estaba preparando una tormenta.

XV

Imágenes que durante años rechazó por inútiles el mecanismo del recuerdo, aparecen nítidas en las secuencias de aquella comida alrededor de la mesa ovalada, la reunión en el cuarto de estar y todos los pequeños incidentes que hoy sé que marcaron el final de una época primaveral. Fue como si la misma primavera comenzara a endurecer y secar su frescor de barro mojado y brotes tiernos y unas grietas, aún finas pero perceptibles, se abriesen en ella.

Doña Froilana señaló el búcaro sobre la consola, donde un ramo de rosas que al amanecer estaban frescas, como recién cortadas, en aquel momento en que esperábamos a que llegase de la calle don Carolo, parecían casi mustias: comentó que se estaban asfixiando con aquel calor. No era para tanto. Aún no había llegado el calor verdadero. Sólo sentíamos la calma opresiva que precede a una tormenta. Me alegré de que Froilana me sirviese un whisky. Necesitaba un trago. El doctor Tarro y don Amando tomaban jerez seco. Anita aceptó sonriente, aunque casi nunca probaba el alcohol. La niña, vestida de gala con un traje de organdí con muchos volantes, comprado a gusto de Froilana, con sus cabellos espesos y cortos muy relucientes y unos gestos casi insolentes de mimo y mala educación, se lanzó a comer a puñados las almendras saladas y cogió de dos en dos los canapés del aperitivo, sin que nadie la riñese. Me pareció otra niña. Don Amando la observaba con satisfacción maliciosa; Froilana, con ternura, Yo, con fastidio.

Tarro se dedicaba a mirar las piernas de Anita o los ojos

de Anita, y a veces miraba también hacia el reloj. Debía de ser hombre de costumbres metódicas y quizá le ponía nervioso el retraso en la comida. También le disgustaba la presencia de Pérez. Cuando sus ojos tropezaban con la triste figura de don Amando, los labios de Tarro se entreabrían agresivos, dejando ver sus colmillos blancos. Era un espectáculo interesante observarlo.

Seguí a Anita cuando fue al comedor a repasar los detalles de la mesa porque Pepa, aquella sirvienta que según Pérez parecía disfrazada, aparte de usar con gusto la cofia y los guantes y de llamarnos a todos en tercera persona, era muy cateta.

Yo no sé por qué deseaba que me preguntase Anita algo que me diese pie para decirle que necesitaba hablar con ella a solas y confiarle mi preocupación. Por ejemplo, si ella se hubiese interesado, preguntándome lo que había hecho aquella mañana, hubiera sido fácil volver a establecer el clima de confianza que había cortado mi dolor de cabeza nocturno. Pero no me hizo la pregunta. Por lo demás, no era la clase de preguntas que se hacían en aquella casa. Anita me había enseñado la fórmula básica de convivencia familiar Corsi: no se podía preguntar a ningún miembro de la comunidad ¿qué has hecho?, ¿a quién viste?, ¿por qué llegas tarde? Cada uno contaría lo que quisiera, pero no debería ser interrogado jamás.

Aquellos minutos del comedor los dedicó Anita al doctor Tarro: me advirtió que no se me escapase decirle que el cirujano al que nos había recomendado Tarro cuando la operación de Corsi, no recordaba a ningún doctor Tarro. Esto, en su día, nos había sorprendido mucho.

—Pero podría ofenderse si lo decimos, Martín. Ya sabes que es un hombre importante y muy susceptible. Y es mala suerte que haya venido hoy el viejecito ese tan sucio que le pone nervioso.

Miré a Anita asombrado. Siempre era yo quien la advertía contra sus imprudencias. Era Anita y no yo quien tenía la costumbre de decir todo lo que pasaba por su cabeza, sin pensar si era conveniente o no.

Contempló la mesa con su cristalería reluciente y los cubiertos colocados.

—Ya está todo. Menos mal que tía Froilana ha hecho preparar una especie de banquete para obsequiar a su *monsieur* Pérez. Al doctor le gusta comer bien y tengo el presentimiento de que come mucho además. Por fortuna fui yo misma a buscar unos postres. Tengo interés en que Tarro se sienta a gusto.

Menos mal, en efecto, que Froilana no economizó aquel día ni la calidad ni la superabundancia en el banquete que se le había ocurrido en honor del viejo Pérez. Al salir del comedor, oímos voces huecas y exclamaciones alegres de Froilana. Para nuestra sorpresa, don Carolo llegó de la calle con dos invitados que no se esperaban: Zoila y su guitarrista, que era un hombre pequeñito, cetrino y muy serio. Naturalmente fieles a la consigna familiar, no hicimos preguntas y don Carolo tampoco juzgó oportuno contarnos cómo se le había ocurrido invitar a los otros. Estaba de muy buen humor. Le gustaba encontrar la casa llena de gente. Al saludar a don Amando, le preguntó si también él sabía tocar la guitarra. Don Amando adoptó una actitud ofendida. Froilana, con gran tintineo de pulseras al agitar los brazos, corrió a pedir a Pepa y a la asistenta que la ayudasen a poner en la mesa el tablero que la alargaba. Compartía la alegría de Corsi por aquel lleno.

El doctor Tarro desaprobó con un fruncimiento de cejas al guitarrista, pero se animó al ver a Zoila y al saber que ésta nos entretendría más tarde con sus canciones, dijo que él también cantaría. Dijo que su voz tenía un registro muy amplio. Zoila se quitó la torera que completaba el traje de hilo de color verde mar que llevaba, y por primera vez sentí su atractivo: como si se hubiera iluminado la habitación con sus brazos desnudos y su escote. Al doctor le brillaron los ojos.

Recuerdo la colocación de la mesa. A la derecha de don Carlo estaba Froilana, y junto a ella el viejo Pérez; entre éste y el guitarrista la niña, después yo, Anita, Tarro y por fin Zoila, que quedaba a la izquierda de Corsi. Lo recuerdo porque yo tenía ganas de mirar a Zoila y no me era muy fácil.

En el momento de empezar los entremeses sonó el timbre de la entrada. María, la asistenta, fue a abrir. La vimos pasar corriendo. Al cabo de un momento la vimos otra vez, sin atreverse a entrar al comedor, pero haciendo señas a Pepa para que acudiese. Frufrú lo permitió con un gesto. Y las dos mujeres desaparecieron. Regresó Pepa con cara de pasmo.

—Señor, una señora salvaje pregunta por el señor. Me ha dado esto para el señor.

Pepa portaba un tarjetero de plata y sobre él, en vez de tarjeta, un pasaporte.

—¿Una señora salvaje? ¿Qué dices, hija mía? ¿A ver?...

Nos pidió perdón muy excitado porque tenía que acudir a la visita.

—Es *mademoiselle* Brigitte. La envía Merceditas.

—Una súbdita de Nguma. La única que hay en Madrid —dijo Anita al doctor.

—¿La negrita de la marquesa, pues? —preguntó Zoila.

Froilana frunció el entrecejo.

—No pongas ceño, tía. No la envía la marquesa, sino su nieta Merceditas. Se la ha traído su hermano Agus, es decir, el nieto de la marquesa, que estuvo en Nguma. Parece que esa Brigitte es una princesa y además enfermera, y Agus pensó que sería una buena y espectacular señorita de compañía para su abuela; pero la marquesa no la quiere y la pobre *mademoiselle* Brigitte anda algo desorientada en casa de Merceditas. No saben qué hacer con ella. Por lo visto es más fácil traer a un súbdito de Nguma, bien acompañado por un diplomático como Agus, que mandarlo de regreso a su país.

Oímos risas y voces guturales en el pasillo, y apareció Corsi con la súbdita de Nguma. Pepa retrocedió hasta el extremo más alejado de la puerta, demostrándonos con esa pantomima que estaba ausente. No era para tanto. La súbdita de Nguma resultaba muy vistosa con un traje de tela brillante y vivos colores. El crespo cabello lo llevaba recogido sobre la cabeza con un aro dorado y lucía en los brazos tantas pulseras como Frufrú. Era negra como el betún y tenía una boca espectacularmente grande con hermosos dientes blancos; su cuerpo era joven y flexible.

El señor Corsi, aunque muy contento, estaba algo desorientado.

—No puedo entenderla —dijo en español y muy de prisa—, a ver si vosotras podéis traducirme...

—¿Habla francés? —preguntó Tarro.

—Francés de Nguma, sí. El otro lo hablo yo también, doctor, pero hoy me siento torpe.

Brigitte fue colocada entre el guitarrista y yo, precisamente dos comensales que no sabíamos francés. Al menos yo entendía algo (no a *mademoiselle* Brigitte, sino a los Corsi cuando hablaban este idioma), pero el guitarrista me pareció a mí que no sabía una palabra de francés. Sin embargo, el hombrecillo de cara cetrina se animó a su manera con la proximidad de aquella señorita. Dijo en tono afirmativo y curiosamente lúgubre:

—¡Olé las hembras de rumbo!

Y Brigitte entendió. Soltó una de sus risitas guturales y en cuanto la sirvieron comenzó con toda delicadeza a comer con los dedos. Nos fascinó por unos momentos. Froilana intentó hacer de traductora entre ella y Corsi, pero no había manera: el francés de Nguma era otro francés. Y no es que Brigitte no entendiese lo que se decía. A quien no entendía nadie era a ella.

—No sé el objeto de su visita de hoy —dijo Corsi—; el pasaporte está en regla.

Anita y Frufrú intentaron al mismo tiempo preguntar a Brigitte, y ella giró los ojos, dijo algo raro y se echó a reír. Soli también reía, pero se quedó seria cuando aquella señorita la miró fijamente.

El viejo Pérez me preguntó a través de la mesa si aquella criatura vivía también en la casa. Le tranquilicé porque parecía inquieto por tal posibilidad. De pronto la nueva invitada se movió como si le hubiera dado un escalofrío y sin venir a cuento lanzó otra risa. Como estaba a mi lado, me fijé que el guitarrista tenía tendencia a rozar una pierna suya con otra de aquella señorita. Y entonces intervino Zoila dirigiéndose a Brigitte.

—Repórtese. ¿Oyó?

A esta voz autoritaria el guitarrista y Brigitte se serenaron y la comida transcurrió sin más incidentes. Cuando nos levantamos de la mesa Corsi se dirigió al teléfono. Me hizo una seña para que le acompañase. Le oí hablar con Merceditas mucho rato. Don Carolo, después de permanecer en silencio y de contestar sobriamente luego con algunas exclamaciones como ¡oh! ¡ah! y más tarde pequeñas frases «¡no me digas!» o «probaremos, sí», comenzó a negarse a complacer a Merceditas en algo que ella deseaba. Pero lo hacía muy cortésmente. Más tarde la conversación tomó un rumbo que debió de satisfacer más a Corsi, y los ojos de don Carolo brillaron. Su morena cara se rejuveneció y me recordó su alegría a la de Anita en los mejores momentos. «Sí, niña, sí. Lo tengo todo preparado. Aún estoy convaleciente. Necesito un poco de mimos caseros... No, mi prima la pobrecilla no es tremenda. No tiene celos de ti, sino de tu abuela. Tú le resultas muy simpática. Y Zoila es saladísima. Canta bien, sí, en su género. Te gustará.»

Don Carolo me había provisto de un bloc y un lápiz para que yo tomase notas de su conversación cuando me indicara. Pero no me indicó nada. Oí que se despedía. «Un saludo a la marquesa. A ver si logras traérmela.»

No era asunto del consulado —me explicó después—. *Mademoiselle* Brigitte se había escapado de casa demostrando su talento al orientarse tan bien en Madrid. Según Merceditas, no nos hablaba en francés sino en castellano, porque había sido educada en un colegio hospital de la Misión española, y si nos fijábamos la entenderíamos. También hablaba francés y asimismo era difícil entenderla, pero Merceditas estaba segura de que nos había hablado en castellano. La explicación de su escapada al consulado podría ser, según la nieta de la marquesa, que debió de oír cómo los amigos de Corsi opinaban que quizá nosotros la tomáramos como sirvienta; que para nosotros sería ideal tener en casa a una súbdita de Nguma. Y ella había cogido su pasaporte y ni corta ni perezosa se nos presentó.

—Merceditas vendrá luego a buscarla. Dice también que, aunque está bautizada con el nombre de Brigitte, prefiere que se le dé otro nombre que suena así como Kikú... Así que vamos a hacer la prueba.

Kikú resultó bien. Atendía en seguida si se le decía Kikú. Sobre todo atendía a Zoila, que de cuando en cuando empleaba la palabra mágica:

—¡Repórtese!

Zoila estaba guapísima. Hasta entonces ni siquiera la había encontrado guapa y aquel día me parecía una belleza. Yo no alcanzaba a comprender por qué. Ella debió de notarlo y casi siempre se dirigía a mí. A veces, hasta hablando con otra persona me miraba y sonreía un poco. El doctor Tarro se aburrió de este juego de nuestras miradas, dedicó su atención a Anita y le explicó el tratamiento que él había inventado para mejorar el reúma infeccioso de su madre. Al doctor Tarro le gustaba ser escuchado y Anita parecía verdaderamente interesada. No sé por qué al ver a Zoila junto a Anita encontré a esta última como disminuida, apagada. Era el día de Zoila sin duda alguna. En aquel momento en que hasta Soli parecía como fatigada por la tormenta, Zoila daba la impresión de una flor lozana abierta y fragante. Fue una imagen idiota que se me ocurrió durante un solo momento. Inmediatamente me dediqué a mirar a Anita y vi que también era un encanto, como siempre. Pero Anita sólo atendía a Tarro.

Zoila cantó para nosotros. Sin embargo, tuvo que esperar turno para su lucimiento. Creo que fue ella misma la que propuso a Kikú que bailase una rumba para calmar su inquietud. El guitarrista volvió la guitarra y golpeó la madera marcando el ritmo. Kikú bailó con entusiasmo y sudó a chorros. Zoila cantó después, y su voz nos envolvió en una oleada de sensualidad y nostalgia.

—Ahora —dijo sonriendo a mi entusiasmo—, la canción de los arbolitos para Anita y Martín.

Estábamos como magnetizados oyéndola cantar. Por primera vez comprendí que Carlos se hubiera enamorado de ella. Cuando llegó a la frase «Y con sus mismas ramas se hacen caricias, bajo el amparo santo y la luz del cielo»... vi que Froilana se secaba los ojos conmovida. Entonces recorrí todos los rostros de los asistentes. No todos participaban de mi entusiasmo ni de la emoción de Frufrú. Vi, con desagrado, que el viejo Pérez hacía esfuerzos para no dormirse. Soli tenía la boca abierta mirando a Frufrú. La súbdita de Nguma, apoyada en la barandilla del balcón, nos daba la espalda, aunque marcaba el ritmo de la música moviendo la cintura. Don Carolo saboreaba su coñac muy complacido. El guitarrista mantenía su cara impasible, como siempre. Tarro parecía sorprendentemente rabioso. No es que hiciera nada; también tomaba coñac como Corsi, pero era hombre expresivo y sus ojos echaban chispas de rabia mirando a Zoila. Anita estaba pálida, abstraída, con los ojos oscurecidos. Ni siquiera se dio cuenta de que yo la miraba.

Así vi a todos. Así quedaron todos dentro de mí en una fotografía indeleble y sin embargo olvidada muchos años.

—No me dirá usted, Soto, que no son algo extraños sus parientes, ¿eh? Claro que mi pobre hija parece contenta y bien cuidada, eso sí. Esa bendita doña Froilana merece todos mis respetos. No tengo que decir más que eso, Soto. Todos mis respetos.

Se fue. El guitarrista también tenía que marcharse. Protestaron Anita y don Carolo, que querían oír cantar a Zoila otra vez.

—Vendrá luego Merceditas. Te convendría que te oyese, Zoila. Va a llevar mucha gente a su estreno.

—No importa —Zoila irradiaba simpatía—, yo misma sé acompañarme así, entre amigos. Pero el doctor está enfadado porque no le hemos oído cantar. Yo tengo mucho interés. De verdad, doctor. Antes de que se vaya Aristo, ¿qué nos va usted a cantar?

Creí que el doctor se iba a sentir molesto creyendo a Zoila impertinente por sacarle a relucir su broma anterior. Pero no había dicho lo de su buena voz en broma. Bebió de un trago el coñac que quedaba en su copa y se volvió al guitarrista.

—Una habanera. ¿Va bien?

Aristo asintió y Tarro empezó a tararear para que el guitarrista supiera la música y el tono.

A mí me divertía extraordinariamente aquello. Después, de pie y mirando a Anita en actitud de conquista, soltó Tarro el chorro de su voz sorteando perfectamente las dificultades del cante.

—«Contigo me caso, indiana, si se muere tu papá...»

El señor Corsi me hizo una mueca como preguntándome si él era el papá que tenía que morirse. Si tenía que escuchar aquello.

—«Decíselo a tu mamá, la riquísima cubana...»

Todos aplaudimos. Y Tarro volvió a cantar. De esta segunda canción no recuerdo más que aquella expresión suya de gallo de conquista dirigiéndose a Anita. No sabía yo cómo Anita podía mantener su sonrisa complacida sin soltar la carcajada. Después me confesó que no había tenido mérito alguno su actitud: le había gustado mucho oír a Tarro y no comprendía por qué tenía que reírse en aquella ocasión. Los que nos divertíamos éramos Zoila y yo. Ella animaba, decía «bravo, doctor, bien», y los grandes ojos, de un azul gris con chispitas doradas, los tenía llenos de una guasa de la que me hacía cómplice al mirarme.

El guitarrista tenía que marcharse. Kikú, desentendida de las canciones de Tarro, daba pasos como de baile alrededor de la habitación tocando los objetos que aparecían al alcance de su mano. Don Carolo llamó aparte a Aristo y habló con él.

—Es muy amable —anunció Corsi—. Dice que no le importa acompañar a *mademoiselle* Brigitte a su casa. Así, cuando venga Merceditas tendrá menos preocupaciones. Y a la marquesa, si viene, le complacerá no encontrarse con la señorita Kikú. Tiene pequeñas diferencias de criterio con ella.

—No te forjes ilusiones, papá. —Anita hizo una ligera caricia a don Carolo—. La marquesa no vendrá. Ya sabes que no le gusta hacer visitas.

Mademoiselle Kikú no se opuso a que el guitarrista la acompañase. Mostró su más amplia sonrisa y salieron los dos juntos muy contentos. La guitarra quedó en casa, después de una ligera discusión entre Aristo y Zoila. Froilana y la niña salieron también. Dijeron que iban a dar una vuelta con los perros y que traerían helados para todos al regreso.

Los perros no se habían portado demasiado hospitalariamente. Se habían atrevido a gruñir a Tarro y hubo que encerrarlos. Frufrú pensó que necesitaban un poco de expansión.

Nosotros también necesitábamos expansión. Sobre todo el doctor Tarro, que daba paseos alrededor del tresillo de cuero donde nos habíamos agrupado. Pepa entró con el carrito a recoger el servicio de café y las copas. Zoila y Anita salieron de la habitación unos minutos y volvieron riendo. Anita se había empolvado la nariz, pero seguía pálida y con una dulzura inhabitual en ella, que indicaba su baja forma. Tarro se ausentó también. Al regresar pude advertir que el gran hombre seguía muy irritado. Quizá porque don Carolo, a su vez, acababa de eclipsarse, Tarro se atrevió a apartar autoritariamente a Anita de la compañía de Zoila (andaban ellas mirando en las estanterías los álbumes de discos), se la llevó al balcón y le habló enseñándole las manos y un pañuelo mojado que sacó del bolsillo. No sé si oí o adiviné que le decía algo del cuarto de baño y las toallas. Me pareció el colmo. Y el sometimiento de Anita, una indignidad. Pero la presencia de Zoila, su fragancia junto a mí, me distrajeron.

—Tengo noticias de tu amigo Alexis, es decir, de Carlos. ¿Te interesa?

Me interesaba mucho. Pero seguía preocupado por la conversación de Anita y el doctor. ¿Cómo podían resistir los lancetazos de aquel sol tormentoso que agujereaba las nubes polvorientas y se metía por el balcón?

Tarro estaba sofocado. Se oyó un lejano tronar, como si rodasen muebles en el piso de arriba. El doctor se asomó un instante al balcón y miró hacia la Sierra. Luego corrió la cortina blanca y ligera para protegernos del chorro del sol. La cortina permaneció lasa, sin vida. Todos estábamos así. Es decir, Anita y quizá yo mismo. El doctor luchaba por contener sus nervios y esa lucha casi visible cargaba de agresividad el ambiente, como si Tarro relampaguease. Creo que hubiera escapado a esconderme bajo una cama como habían hecho los perros un rato antes, como hacía Soli algunas veces, si Zoila no hubiera estado conmigo. Si no me hubiese sentido incapaz de apartarme de su magnetismo, eso es lo que hubiera hecho. Pero ella estaba. Y don Carolo, que apareció muy elegante con un traje más ligero y refrescando la atmósfera con el olor a espliego de su colonia, contribuyó a suavizar la tensión del ambiente.

¿Qué sortilegio tenía Zoila aquel día? Don Carolo, que siempre la había mirado con desconfianza, la aprobaba sin reservas y se le notaba complacido cuando ella le llamaba «padrito».

—Padrito, ¿sabe que quizás Alexis y Rilcki vengan a Europa? Pudieron salir de la selva antes de las lluvias, llegaron a un puesto desde donde telegrafiaron a Díaz. Y Díaz ha ido a ciudad de México porque ellos terminarán por alcanzarle allá...

Don Carolo no estaba muy seguro de quién era Díaz. Por eso, al explicárselo Zoila, me enteré de que Díaz era el productor archimillonario que sufragaba los gastos de aquella película disparatada que se le había ocurrido al genio de Italo Rilcki. Díaz tenía negocios en todas partes. También en España. La sala de fiestas que iba a inaugurarse unos días más tarde con la actuación de Zoila, formaba parte de una cadena de locales en los que intervenía Díaz. La noticia, magnífica para Zoila, era la llegada de Díaz a Madrid. Era un gran amigo. Le había escrito directamente a ella prometiéndole su visita y, aunque eso no podía asegurarlo, a poco que pudiese llegaría a tiempo para el debut de Zoila.

En aquel momento, a mí particularmente, los abundantes datos biográficos y amistosos de Díaz me interesaban menos que el descubrimiento ocasional de que aquellos dos personajes, Italo, el ex marido de Anita, y Rilcki, el director de las películas que habían hecho célebre a Alexis, es decir, a mi amigo Carlos, eran una sola persona, un solo personaje. Se me ocurrían, en imágenes, ideas estúpidas. Una barba roja. ¿Como sería aquel tipo que usaba barba? Se la habría afeitado para estar más fresco, dado el calor húmedo de la selva, ¿o bien le serviría de protección contra los mosquitos? Imaginaba un gigante sudoroso y tripudo, calvo y con barba roja. Un hombre de más de cuarenta años. Un terrible viejo, genial y borracho seguramente. Anita tenía veinte años cuando se casó. ¿Cómo había podido soportar...?

Sufrí una sacudida porque la conversación había cambiado. El doctor Tarro había estado hablando con energía y conocimiento de asuntos de cine. Einsestein, el célebre Einsestein, era amigo o había sido amigo del doctor. Don Carolo aprovechó una pausa de Tarro para pedir discreción a Zoila. Ya sabía ella que don Carolo tenía interés en que se ocultase en lo posible que el célebre Alexis era su hijo. Quería que Carlos pudiese venir a su casa sin que un ejército de periodistas los asediase a todos. Y en cuanto a lo de Anita, Zoila había sido imprudente y don Carolo rogaba a Tarro que considerase como un secreto de su profesión lo que acababa de saber. Don Carolo tenía un interés, aún más grande que en lo de Carlos, en que no se supiese que Anita había estado casada con Rilcki. Vivían en España, donde el divorcio era deshonroso. Una divorciada de veinticinco años era poco interesante en el ambiente donde se movía don Carolo. Eran secretos de familia todo aquello.

—Procuraré hacer creer que tiene usted dos hijos, padrito: un Carlos que no conoce nadie y que puede venir cuando quiera, y un Alexis que es mi marido. Porque piense que para mi publicidad el que yo sea la mujer de Alexis es esencial... Consultaré con Díaz.

¿Qué hacía Anita? Estaba lánguida como una hoja en aquella espera de la tormenta. Pero podía hablar al menos. Y con la volubilidad de costumbre. Estaba diciendo a su padre que el doctor Tarro era de la familia también, y las cejas alzadas de don Carolo demostraban claramente su desagradable sorpresa. No aprobaba aquel añadido familiar a pesar de su costumbre de admitir sin rechistar las ampliaciones de la parentela. Bueno, Anita no quería decir exactamente eso; quería decir que el doctor tenía conciencia de su secreto profesional (don Carolo suspiró aliviado) porque precisamente el doctor Tarro iba a estar al tanto de todo lo que había sucedido en la vida de Anita desde que tomó su primera papilla. Anita había pedido a Tarro que la psicoanalizara.

No sé si la tormenta se acercaba y rodaban los truenos muy cerca ya, o fuimos nosotros los que armamos ruido. Me puse en pie y me volví a sentar en seguida porque no era yo, sino don Carolo, quien tenía que protestar contra aquel disparate. Anita y el psicoanálisis. Aquello se me antojó nada menos que monstruoso. Don Carolo, con mi aplauso, lo calificó de idiotez. Zoila se reía. Anita decía que no iba a desaprovechar esa ocasión que le brindaba Tarro para aprender cosas que le interesaban muchísimo. La psiquiatría la apasionaba. ¿Desde cuándo le apasiona eso?, pensé yo. Rodaron como los truenos los nombres de Freud y Adler en la conversación. Zoila opinó que era una cosa «moderna». Todo el mundo se psicoanaliza. Su amiga Obdulia, que tenía tendencias suicidas, se mejoró enormemente cuando el psicoanalista la convenció de que debía canalizar su instinto de agresividad en defender causas nobles, o por lo menos que siempre era mejor que diese una bofetada a quien la molestase que intentar quitarse ella misma de en medio. No hacía mucho a Obdulia se le presentó el dilema. Y en vez de suicidarse de desesperación, se salvó golpeando con el tacón del zapato la cara de un hombre que la había ofendido.

Mientras Zoila hablaba, el doctor Tarro protestó en nombre del psicoanálisis de los disparates de Zoila, y don Carolo habló de la confesión en el catolicismo. Según él era lo más acertado, lo más humano, lo más noble. Y gratis. Tarro decía que era imposible no cobrar honorarios crecidos a los pacientes. En el psicoanálisis, el hecho de pagar era esencial para la curación del enfermo. Una penitencia provechosa para el confesor laico —decía don Carolo—. El doctor Tarro estaba perdiendo los estribos y gritaba. Don Carolo se encogió de hombros y se enjugó la frente con el pañuelo que había empapado antes en agua de colonia, mientras decía que estaba bien tranquilo por Anita en ese caso, ya que no sabía de dónde iba a sacar dinero su hija para pagar. Zoila seguía defendiendo el psicoanálisis a su manera sin que Tarro se lo agradeciese lo más mínimo. Casi la llamaba necia. Todos hablaban al mismo tiempo. Yo callaba, apretando la pipa apagada entre los dientes.

Anita y el doctor Tarro estaban de pie y a veces se apoyaban como en un antepecho de ventana en el respaldo del sofá de cuero. Don Carolo se volvía hacia ellos de perfil, sentado como estaba en un extremo de aquel sofá. Yo me había acomodado en una silla frente a ellos. Era el espectador de la comedia. Don Carolo quedaba enfrente, hacia mi izquierda, y Zoila estaba sentada en uno de los sillones, a mi derecha.

Me dolían la garganta y las mandíbulas de apretar y callar y no dejarme arrastrar en la enloqueciente discusión. Anita, antes de decir «Doctor, no te preocupes, ya te he dicho que puedo pagar», me había mirado a mí y, aunque sus ojos estaban en sombra, yo sentí, como un aguijón que se me clavase en la frente, la tranquila seguridad de ella. «Martín me dará el dinero.» Yo le había dicho que todo lo mío era suyo. Lo había dicho y lo había demostrado. Y ella me demostraba su confianza con aquel aguijonazo que me enrabiaba la sangre porque me encontraba a mí mismo hecho un imbécil. Yo no quería pagar el psicoanálisis de Anita. Pero iba a pagarlo. Lo presentía.

Detrás de la cortina dio un bajón la luz del día y se empezaron a encender relámpagos. Tuve la sensación de que aquellos relámpagos prendían fuego en mis sesos y que mi cabeza iba a estallar en llamas. Algunas palabras oídas como al azar en la discusión me quemaban: «manía suicida». Beatriz tenía manía suicida. Antes de su boda, una vez intentó ahorcarse porque los padres le prohibieron que saliera de noche. Y luego, cuando el marido la abandonó, en plena crisis se había cortado las venas rompiendo el cristal de una ventana. Después no recordaba. No sabía por qué tenía vendadas las muñecas. Me lo contaron. Y al mismo tiempo, su sexualidad exacerbada hasta la locura. Aquel paseo a pleno sol por el barrio de chalets de veraneo deshabitados en aquel mes de marzo. Aquellas tapias, aquel rincón del jardín abandonado. Aquel momento en que me dejé arrastrar por su enloquecimiento. Era yo quien necesitaba el psicoanálisis y no Anita. Quizá pudiera curarme del dolor angustioso que llevaba dentro desde hacía unos días, si supiera por qué cuando aquello sucedió no sentí remordimiento alguno, y sólo al llegar a Madrid comenzó aquella molestia, aquel zumbar de mosquito que espantaba diciéndome que no tenía necesidad de hacer visitas al maestro Din y a su mujer. Y de pronto, desde hacía unos días, desde que supe que iba a verlos, aquel remordimiento que era una enfermedad. Si no era culpa mía lo que había pasado, y a ellos no los ofendía puesto que lo ignoraban, ¿por qué el remordimiento? Y si era un crimen, como iba creyendo, lo que yo había hecho con una criatura que no era dueña de su comportamiento, ¿por qué no lo había sentido así desde el primer momento? Fue en marzo. Estábamos a mediados de mayo. ¿Por qué?

Un instante de oscuridad. El zigzag de un rayo detrás de la cortina y el estallido de un trueno que nos puso en pie a todos. A la algarabía y el tronar que la paró, siguió un instante de silencio en que don Carolo hizo oír su voz pidiéndome que le hiciese el favor de ir a la cocina para que nos trajesen hielo, bebidas, agua... Todos estábamos secos.

Obedecí mecánicamente. ¿Llovería alguna vez? Necesitaba agua fría sobre mi cabeza.

Camino de la cocina vi la puerta del baño abierta y, olvidando el encargo que me habían dado, me metí allí para poner la cabeza bajo el chorro del grifo de un lavabo. Me alivió. Entonces cerré la puerta, abrí la ventana porque sentía ahogo a pesar de las grandes proporciones de la habitación. Me desvestí y me metí bajo la ducha. Seguía tronando. Y de pronto, al mismo tiempo que el agua de la ducha caía sobre mi cuerpo, una lluvia estruendosa, fuerte como una cascada, se soltó sobre el patio. Sobre el mundo. Tuve ganas de aullar de gozo. ¡Pobre Kikú «la señora salvaje»!, había dicho Pepa. Todos éramos salvajes. Yo más salvaje que Kikú. Y no me importaba.

Recordé el encargo de don Carolo cuando volví con la cabeza y el cuerpo en paz, al cuarto de estar. El encargo ya no era necesario. Alguien lo había cumplido por mí. ¿Froilana? Allí estaba Froilana de vuelta del paseo, cloqueando de risa. Zoila me dio un vaso de ginebra con mucha agua y hielo. Las cortinas estaban descorridas. Entraba fresco. El doctor Tarro había transformado su furia en genialidad y reía con don Carolo. Los ojos de Anita habían recuperado su brillo. «¡Estoy más contenta, Martín!... Luego te hablaré. ¿Tú estás mejor?» «Me voy a la calle, Anita, a dar un paseo.» «¡No! ¿Qué dices? Merceditas viene con Agus y con Rafael ahora mismo. Papá quería darnos la sorpresa: acababan de traer fiambres de la mantequería, sandwiches ya preparados y pasteles. En fin, una merienda-cena. Vendrá otro guitarrista. Es una reunión familiar para celebrar el restablecimiento de papá.» «Oye, no te vayas, Anita. Sí, yo también me quedo a la fiesta, pero dime por qué milagro te inspira confianza ahora el doctor Tarro para...» «Ha sido por ti. Por lo que tú me dijiste de él. He comprendido que yo soy una idiota al reírme de sus manías. Es un genio. ¿Por qué me miras así? Tú lo has afirmado siempre. Ahora estoy bien segura.»

Llegaron los amigos de don Carolo y luego un guitarrista alto y tan serio como el anterior. Cantó Zoila y todos cantamos y bailamos «la conga» y nos portamos como chiquillos. A última hora hasta Soli, a quien Froilana había mantenido alejada, participó en la fiesta con súbita timidez, mirándonos desde un rincón. El señor viejo y saltarín que acompañaba a Merceditas y a los otros jóvenes y que tenía los cabellos teñidos de un color negro intenso, dio más saltos que nadie. Más que Frufrú incluso.

Acompañé a Zoila en un taxi hasta el apartamento que había tomado en una casa nueva, casi un rascacielos recién construido al final de la Castellana, cerca de los altos del Hipódromo. «Son buena gente esta familia de Carlos, ¿verdad, Martín? Yo les temía un poco, sobre todo a padrito. Y ahora, ya lo ves, come de mi mano.» «¿Por qué no vives con nosotros, Zoila?», mi alma expandía generosa hospitalidad. «Estás loco. Ya oíste a padrito: ni siquiera permite que se comente lo de Alexis. Además mi hijito; yo necesito mi independencia, mi rinconcito, mi casita propia aunque sea así como un dedal...»

La noche había quedado limpia, maravillosamente estrellada. Al bajar del taxi propuse a Zoila dar un paseo largo antes que se quedase en casa. Un paseo a pie naturalmente. Pero Zoila no era Anita. A Zoila le horrorizaban los paseos a pie.

—Sube a ver mi apartamento y te doy una copa. Tengo montones de fotos de Alexis. Ya verás.

Aquella voz de Zoila, aquel deseo de que yo aceptase lo que me proponía y que noté en la voz, me dieron miedo. Porque yo estaba deseando subir con ella a su casa. Le dije: otro día, Zoila. «Como quieras, pues. Pero no me abandones como hasta ahora. ¿Te llamo para que me acompañes a un ensayo? Adiós... Ah, oye. Ven aquí. Así, buen chico. Tengo que decirte una cosa en secreto —bajó la voz en un susurro—. Sé que me tienes miedo.»

A mi cara de asombro soltó una carcajada tan alegre, que me avergonzó. Me despidió con un gesto.

—Anda, vete, que viene aquí el sereno. El taxista está aburrido de esperarte.

Despedí el taxi cuando Zoila entró en su casa. Y volví andando bajo las estrellas del cielo, andando hacia el oleaje de luces del centro de la ciudad, curándome el alma con el aire fresco, el olor a pinos que llegaba de la Sierra, a ozono, a tormenta primaveral. Sin psicoanálisis.

XVI

Estos recuerdos, estas imágenes olvidadas me llegan ahora en gran desorden. Confundo la cronología si no hago un esfuerzo. En junio se estrenó la sala de fiestas donde debutó Zoila. Una instantánea del recuerdo olvidado viene a ayudarme y me hace comprobar que doña Froilana aún estaba con nosotros. Todos íbamos de gran gala para la cena y salíamos ya de casa. El *flash* me hace ver a Soli en un rincón del recibidor. Pepa, sin cofia y desgreñada, está sujetando a la niña, que patalea, grita histéricamente y tiende los brazos a doña Froilana. Veo las sombras de don Carolo y del doctor Tarro, que han huido de esos gritos corriendo vergonzosamente hacia la escalera. Yo sujeto con firmeza por un brazo a Frufrú, que es un amasijo de chales y plumas y lentejuelas y que si me descuido retrocede desde la puerta para abrazar a «su pequeña». Anita está a mi lado con su ligero ceño, sus ojos brillantes, su media sonrisa ante la huida del doctor y de su padre, y muy bonita y elegante con ese traje blanco que descubre sus delicados hombros y que el doctor, chispeándole los ojos, acaba de criticar en broma diciendo a Anita que se ha disfrazado de *jeune fille*, cosa que no le va a su inteligencia ni a su carácter.

Soli se ha vuelto maleducada, exigente. Chilla con una especie de maullido de gato en cuanto se la contraría lo más mínimo. Doña Froilana se deja martirizar por ella y cada noche dice que la niña tiene razón: su Frufrú le había prometido llevarla a la fiesta. Su Frufrú no puede comprender qué tiene de malo un espectáculo nocturno al que una niña puede ir acompañada de toda la familia.

Estas estampas de Soli, mimosa e insufrible, sólo están en mis recuerdos olvidados. En la película de mi vida, tal como yo me la he comentado y dirigido, nunca vi así a la niña. Debió de ser una temporada muy corta aquella en que Soli tuvo esos comportamientos.

De la fiesta recuerdo los salones del restaurante —no se pudo inaugurar el local en los jardines, como se había pensado, porque el tiempo era demasiado fresco e inestable—. Recuerdo que reunimos varias mesas entre la familia y los conocidos. Recuerdo la cara ordinaria (con una nariz llena de cráteres como la superficie de la luna) de aquel tipo, el dueño o administrador o director o lo que fuese de la sala de fiestas, el señor Valina, que estuvo a saludarnos en compañía de su mujer, que nos prometió una gran sorpresa para después y que nos dejó a su esposa como una especie de prenda o rehén para asegurar aquella sorpresa. A la señora Valina me la colocaron a mi lado. Y tuve que atenderla. Por eso de estar a mi lado y también porque Zoila me había pedido que me portase amablemente con los Valina. Recuerdo a Zoila con el traje rojo que lucía al principio y al final de la fiesta, cuando cantó algunas canciones acompañada de sus guitarristas y con el traje verde, ceñido y brillante, que la hacía parecer una sirena cuando cantaba junto al micrófono al mismo tiempo que animaba nuestros bailes con el ritmo de su cuerpo. Tuvo mucho éxito Zoila. La fascinación que ejercía sobre mí no era exclusiva, como casi llegué a creer algunos momentos en que ella, desde el estrado, parecía buscarme con la mirada.

Recuerdo que la señora Valina me soltó, entre risas, maledicencias atroces aquella noche. Era su costumbre, su manera de hablar, y como esas atrocidades se referían a personas para mí desconocidas, mis pensamientos vagaban a otros lugares mientras estrechaba su cuerpo regordete en el baile y le sonreía de cuando en cuando. Hasta que su aguijón, traspasando mi coraza, llegó a herirme en un punto sensible, no la escuché.

A los Valina tuve el poco gusto de conocerlos algunos días antes de la fiesta y dos o tres más tarde de la reunión familiar organizada por don Carolo. Zoila me llamó una mañana pidiéndome que si no tenía mucho que hacer fuese a buscarla hacia las doce a su apartamento para acompañarla al ensayo en la sala próxima a inaugurarse. Debió de notar alguna vacilación en mí (yo esperaba que Anita, que era la última en levantarse en aquella casa, acudiese a la mesa del desayuno para poder combinar con ella un paseo en que pudiésemos hablar tranquilamente) y creo que Zoila interpretó a su manera aquel instante de silencio. «Estoy con una amiga, Martín, yo nunca estoy sola, mi hijito; ven a buscarnos a las dos con un taxi si haces el favor.»

Apenas pude fijarme en el apartamento de Zoila, apenas en la amplitud de la sala, una de cuyas paredes estaba sustituida por la gran cristalera que daba a la terraza, desde donde se veía una panorámica magnífica; no pude fijarme más que en la señora Valina, que en cuanto me vio volcó sobre mí sus ingeniosidades, sus risas y sus guiños. Habló sin parar durante el viaje en taxi y su compañía la gocé toda la mañana mientras Zoila ensayaba o hablaba con los componentes de la orquesta, los guitarristas y los electricistas, junto al señor Valina, que ya estaba esperándonos cuando llegamos a la Cuesta de las Perdices. De mi observación de la señora Valina saqué la poco interesante conclusión de que era muy vulgar; de que su peinado, su reloj de pulsera, de oro y adornado de pequeños brillantes; sus ojos, grandes y con las pestañas oscurecidas por el rímel, su voz chillona, sus críticas de todo el mundo y su vitalidad ya las había sufrido yo mil veces en otras tantas señoras regordetas que pululaban por todas partes. Era una conclusión caprichosa y falseada por mi aburrimiento, desde luego. Creo que Zoila quiso hacerme notar aquella mañana que su vida en Madrid estaba totalmente controlada por la protección evidente de los Valina. Los maldicientes Valina —el hombre también lo era— protegían a Zoila de la maledicencia de los demás. Díaz, el gran amigo de Carlos, les había encargado mucho que cuidasen de Zoila y de su prestigio, que como artista de categoría y mujer de Alexis debía mantener libre de habladurías. Y Zoila parecía complacida. Se dejaba controlar la vida minuto a minuto. Salía mucho con los Valina y cuando lo hacía con otras personas, los Valina sabían adónde iba y con quién. A mí me presentó Zoila como pariente de Alexis. («¿Eres sobrino de don

Carolo o de la madre de Alexis, Martín?») Por fortuna siguió hablando sin esperar mi respuesta, cosa que agradecí, y la señora Valina intentó averiguar directamente mi vida y milagros, mis relaciones y mis gustos por un sistema que no tuvo éxito conmigo. Consistía en alabar algo y denigrar en seguida otra cosa por una caprichosa comparación. Después me preguntaba: «¿No te parece? Zoila es finísima. No es como la Josephine esa que se finge francesa y nació en Vallecas en el año del cataplum, una bestia, y además, hijo mío, invertida. Sí, hijito, para que algunos se entusiasmen. ¿No te parece, que hay hombres imbéciles? ¿Tú eres de Alicante? Me encanta. Es una ciudad finísima aunque la perjudicó el tren botijo, pero es una ciudad fina, eso es lo que yo digo, no como Valencia, que es de una ordinariez que no hay quien pare y quitando las fallas no tiene nada, ¿no te parece?». Con estos «¿no te parece?» después de comparaciones entre futbolistas, hombres de la política, naciones: Francia y España, España y Portugal, Inglaterra y Alemania, etc., yo no contestaba más que con una sonrisa que ya me dolía en la cara. Las pesquisas de la Valina conmigo le dieron poco resultado. Con Zoila sólo tuve un minuto de soledad en los jardines —mientras la Valina nos observaba a lo lejos, porque esperaba a su marido—, cuando ya nos íbamos a almorzar juntos en un restaurante cercano.

«Como verás puedes estar tranquilo por tu amigo Carlos, Martín, estoy más guardada que una monja.»

Murmuré tontamente sobresaltado que yo no sentía ningún temor por Carlos, que jamás había pensado que Zoila hiciese una vida poco respetable, que... Vi que Zoila se reía con los ojos. Y que hablaba con guasa lánguida y maliciosa. «¿Me juras que no crees que he tratado de seducirte?» Sentí un desagradable calor en el cuello y en las orejas. Ella dejó el tono de broma entonces.

—Aunque quisiera no podría como ves; los Valina no dejan que se me vea sola con ningún hombre. Pero no quiero... Estoy enamoradísima de Alexis, Martín.

Sólo eso. Yo no pude replicarle —los Valina se acercaban ya, jadeantes— que jamás se me había ocurrido tal idea sobre mi seducción. Quizá fue mejor que no pudiera replicarle nada. No volví a verla hasta la noche de la fiesta, pero pensé mucho en sus palabras. ¿No sería ella la que tenía miedo de mí y no yo de ella?

Ahora, con la Valina entre mis brazos, escucho algo sobre la gran personalidad de Díaz, a los que los Valina casi veneran. Nada me importa que ese Díaz, para mí desconocido, sea un hombre celosísimo, pero sonrío asintiendo. De pronto me importa que Díaz esté celosísimo de Zoila. ¿Ha dicho Díaz o Carlos? La Valina se ríe. Me mira de manera que temo levante la mano para pellizcarme la mejilla.

—Hijo, parece que caes de un guindo. No es un secreto que la boda esa con Alexis ha sido una tapadera de conveniencia para todos. En fin, yo no he dicho nada, no te vayas a chivar al suegro si no lo sabe, ¿eh?

La Valina me causó repulsión. Recordé los ojos claros de Zoila mirando hacia aquel horizonte de lomas de tierra árida que rodeaban el gran jardín. Miraba la lejana masa de yeso y cristales de la ciudad que aparecía al fondo como un grabado con perfiles en blanco y negro. Sobre Madrid recuerdo en aquel momento unas quietas y bien trazadas nubes que parecían dibujadas y difuminadas en gris. Los ojos de Zoila parecían perseguir un sueño en el paisaje cuando me dijo: «Estoy enamoradísima de Alexis».

Todos esos momentos de emociones desagradables o turbadoras han estado arrinconados hasta hoy en el cajón del olvido junto a las escenas mañaneras en el comedor de los Corsi, cuando Froilana discutía invariablemente con don Carolo —frente a frente y cada uno con la taza de té de sus desayunos sobre la mesa ovalada— lo muy conveniente o inconveniente que era para ella casarse con *monsieur* Dupont bajo el régimen de separación de bienes. Según Frufrú, eso probaba el absoluto desinterés de *monsieur* Dupont; el mismo día de la boda sus cónyuges harían testamento, y en el caso de que *monsieur* Dupont muriese antes que Froilana, le dejaría todos sus bienes sin restricción alguna; Froilana haría un testamento exactamente igual a favor de *monsieur* Dupont. Podían hacerlo, ya que ninguno tenía herederos directos.

—Y ese buen *monsieur* Dupont no va por mi dinero como pretendes, Corsi. Ha tenido la desgracia de enviudar dos veces antes de conocerme y, aparte de los ahorros cuantiosos que ha hecho como fruto de su trabajo, sus dos esposas eran ricas y le dejaron todo, así que lo mío es algo sin importancia. Él desea el calor del hogar y además me ama, Corsi; aunque te parezca imposible, me ama. ¿Puedes negar el hecho de que tres veces por semana recibo carta? ¿Puedes negar que esas cartas son cada vez más apremiantes y en ellas únicamente me habla de su soledad y la dulce alegría que tendremos al habitar juntos mi casita de Fontenay? Ni siquiera quiere privarme de mi casa. Su piso de París lo dejaremos para la notaría nada más.

—*Vecchia pazza!* Tu casa es espléndida y claro que será algo estupendo para el viejo avaro ese habitarla. Pero lo que yo temo es algo peor. A ver si me escuchas: dos esposas ricas, viejas y muertas, son muchas esposas ricas, viejas y muertas. Tú puedes ser la tercera. ¿No te acuerdas de Landrú? ¿No te da miedo por lo menos?

—¿Es que te atreves a llamarme vieja? Tú precisamente que...

Nada les importaba a don Carolo y Frufrú discutir delante de mí y delante de Soli, ya que Anita no solía asistir a sus desayunos. Era notable verlos tan agitados. Yo, casi siempre, salía de puntillas sin que se diesen cuenta. Soli se quedaba a escuchar con la boca abierta. Un día me dijo:

—Martín, Frufrú llora mucho porque don Carolo no la quiere y es malo con ella.

Soli llamaba Frufrú a doña Froilana. Anita me había contado que la familia había dejado de darle el apreciativo porque llegó un momento en que oírse llamar Frufrú le fastidiaba a la buena señora y lo prohibió. Frufrú se le antojó una expresión poco respetable sin que nadie supiese por qué. Doña Froilana estimaba mucho la respetabilidad desde que tenía su propia casa. Sin embargo, a la niña la había enseñado ella a llamarla así. Y yo, a veces, también la llamaba Frufrú sin darme cuenta, pero sin que ella lo tomase a mal.

La música de fondo que teníamos en casa con aquellas pasiones de las personas mayores no era sombría. Nunca pude tomar en serio aquellas discusiones en que se oían los nombres de Landrú y de la vieja marquesa del alma de don Carolo, a quien Frufrú no había visto nunca —yo tampoco—, pero que aborrecía tan sin razón. La marquesa y don Carolo se veían en lugares pecaminosos: el club de bridge y el club Puerta de Hierro, donde algunas mañanas tomaban juntos el sol. Era una música de fondo que parecía saltarina, alocada y humorística. Yo no comprendía pasiones más que entre la gente de mi generación. Aquellos vejestorios eran marionetas.

Mis propios asuntos me absorbían.

—Y tú, muchacho —me había dicho el señor Valina el día en que almorzamos juntos en un restaurante de la Cuesta de las Perdices—, ¿vives sólo de renta como dice Zoila, o te ocupas en algo más?

Acostumbrado a la libertad individual de que se gozaba en el ambiente familiar, la pregunta en sí me resultó impertinente y, hecha con el tono grosero de Valina, casi ofensiva. Pero la expresión alerta de los ojos de Zoila y aquel indefinido temor a los Valina que yo había creído captar en sus palabras y actitudes, me contuvieron de labios adentro aquel «Perdone, señor Valina, eso a usted no le importa» y dije vagamente que me ocupaba en un asunto de subastas de arte, pero que no me gustaba hablar de trabajo a las horas de comer.

No es que me ocupase precisamente, pero de algo me iba enterando respecto al asunto de las subastas en encuentros y conversaciones con Asís Alvarado. Como algo posible para después del verano, se trató de una colaboración mía, quizás una participación en el negocio cuando yo recibiese a principios del año siguiente la parte más importante de la liquidación de mi herencia. En cuanto a mi trabajo como experto bajo la supervisión y autoridad de Jiménez Din, también prometí algo a Asís. Más adelante. Después del verano. En aquel momento me resultaba imposible.

—Me parece que andas demasiado preocupado con tu prima. Estás enamorado. Te envidio.

—¿Enamorado de Anita? ¡Qué disparate! Hablas en broma, ¿no?

Asís me miró con curiosidad y simpatía burlona.

—Pues tienes todos los síntomas. Resplandeces cuando está ella en el grupo. Te quedas serio y ensimismado cuando no está. Miras el reloj continuamente cuando tiene que llegar y se retrasa. Crees verla por la calle en las mujeres más raras y menos parecidas con tal de que lleven el cabello recogido, como ella, sobre la cabeza. Sí, ayer mismo, cuando bajábamos por Goya, me dijiste: «Pero ¿qué hace Anita hablando con este tipo allí, en la esquina?». Yo no vi a Anita por ninguna parte. Al fin comprendí, cuando tú mismo te reíste, que te referías a una señora mayor que estaba de espaldas y que, por fortuna para Anita, no tenía el menor parecido con ella.

—Chico, no te creía tan observador... Todo eso que dices no es más que el resultado de mi distracción; es una especie de enfermedad ese despiste mío. Pero no estoy enamorado de Anita. En realidad, yo no he estado enamorado en mi vida.

—Yo sí —dijo Asís—, por eso conozco los síntomas.

Esa contestación me asombró tanto como sus observaciones. Era curioso: ninguno de mis amigos me había confesado nunca que estaba enamorado. Alguno decía «tengo una novia que me tiene bastante chiflado» o cosas de ésas; pero la palabra amor no era de nuestro uso corriente. Y Asís hablaba en serio. Sin ningún énfasis ni afectación. En aquel momento creo que empecé a tomarle afecto.

—Pero conmigo te equivocas. Mira, para decirte la verdad, aun sin estar enamorado hay una mujer en quien pienso. Esa mujer no es Anita. ¿Es que acaso has estado enamorado de Anita tú?

Negó con la cabeza y no insistió en lo mío.

En mis recuerdos del mes de junio tengo idea de que estuve muy ocupado. Fue un mes en que hasta que el repentino y fortísimo calor empezó a agobiarnos, me veo siempre fuera de casa, saliendo, entrando, hablando con personas diversas... Y huyendo de mis introversiones; ésa es la verdad. Entre mis ocupaciones tuve la de encontrar un coche de segunda mano, ya que era tan difícil y tan largo ponerse en la fila de los solicitantes y esperar hasta que Dios quisiera concederle a uno el turno, que, según decían, no llegaba nunca sin una poderosa recomendación. Entre mis nuevos conocidos encontré quien me proporcionó conocimiento con personas que querían deshacerse de coches usados o que les acababan de entregar, porque se negociaba con aquello de las influencias para conseguir el coche. Si hubiera querido, habría podido comprar una licencia y así tener la máxima garantía de que el automóvil que me entregasen era absolutamente nuevo. Pero se me había antojado tener un coche inmediatamente. No quería esperar. Me ofrecieron un Citroen Stromberg a buen precio, según mis informadores, pero tenía muchos kilómetros. Estuve dos días dudando entre dos coches: un Ford Prefect fabricado en Inglaterra y otro coche inglés, un Standar, pero a pesar de que me los ofrecían personas muy simpáticas y que cuando yo lo comentaba en casa don Carolo se manifestaba a favor de cualquier manufactura inglesa, porque los ingleses le parecían admirables como pueblo y ejemplo de seriedad comercial, a mí aquellos autos de pocos caballos me parecieron malos. Aquella emoción, aquella prisa por adquirir el coche me aliviaba de una nueva y enloqueciente llamada a mi conciencia que me tenía perturbado. Hablaba mucho de coches y de motores con los Corsi —sobre todo con don Carolo, que no era entendido en absoluto— y alguna vez con Tarro —que sí era entendido— cuando aparecía a tomar café. Por consejo del doctor estuve a punto de adquirir un Renault. Pero se me presentó la ocasión de un Citroen 11 completamente nuevo, por el que pagué una buena prima, con una alegría y un orgullo que no había sentido jamás por la posesión de ningún otro bien terrenal.

Anita se reía oyéndome hablar siempre de caballos: ocho, 9, 12, 11 caballos...

Recuerdo esta risa, esta imagen olvidada de Anita en plena naturaleza entre las montañas: su cara feliz, y despeinada. Los cabellos mojados, mal sujetos con una cinta ancha, su traje de baño blanco, sus pies frioleros cuando rozaban la superficie de la laguna. Estábamos hablando de cosas de ésas.

—Es raro, Martín. Me parece que tú eres la única persona que como yo, cuando no tenías nada, no envidiabas nada y sin embargo cuando llega el momento te entusiasmas. Porque... ¿verdad que tú has pasado hasta hambre? ¿Verdad que me has contado que a veces dudabas en la boca de un metro si comprar a las estraperlistas un pan o un poco de tabaco ordinario para tu pipa, porque para las dos cosas no tenías bastante y casi siempre te decidías por el pan? ¿No se te ocurría entonces envidiar a la gente que tenía automóvil ni deseabas ganar mucho dinero de cualquier manera que fuese para tenerlo? Tú sabías conducir y tenías carnet desde que hiciste el servicio militar. ¿No deseabas locamente un automóvil?

—No.

Me eché de espaldas a mirar las nubes, ligeras en el esplendor del cielo, las nubes que había visto un momento antes reflejadas en el agua. La hierba se aplastaba bajo mi cuerpo. Vi la cara de Anita inclinada sobre la mía un instante; la veo ahora como la imagen misma de mi juventud.

—Tú me has enseñado a disfrutar de la vida, Anita. Sí. Creo que has sido tú. Yo también disfrutaba a mi manera de ciertas cosas, pero tenía un mundo como cerrado, ¿comprendes? Un mundo mío, pero me doy cuenta de que era terrible, de que me apresaba.

—Ya sé: Toledo.

—Sí, Toledo y otras muchas cosas. Vivía más que nadie y al mismo tiempo no sabía vivir. Sin darme cuenta, yo era un fanático. Toda la vida la miraba, la recortaba, la sacrificaba en función de lo que yo creía lo único importante: mi arte, lo que aún no era pero que iba a ser mi arte. Ahora lo veo así.

Me senté otra vez junto a mi amiga. Aquel aire espeso y el sol fuerte cayendo sobre el mundo, incendiando la laguna entre el cerro de montañas azules, me emborrachaban.

—Mira, cuando iba con aquella camioneta, cuando estuve empleado de chófer para esas expediciones nocturnas de que te he hablado y llegábamos al barrio de chabolas que se estaba levantando en los terrenos de mi jefe, el señor Joaquín, yo disfrutaba, pero a mi manera. Mira: estaba allí el frío o la suavidad de la noche: las hogueras encendidas para tener luz y calor, los carros de la pobre gente que iba llegando a la ciudad con todos sus enseres, bien guardado el puñado de monedas recién adquiridas con la venta de una casita o de un huertecillo que no les daba para comer en el pueblo... No creas que me daba compasión aquella gente. Me gustaban demasiado para sentir compasión. Me sentía como ellos. Disfrutaba de su aventura. Me parecía bien su energía. Eran como esos pioneros de las películas del Oeste americano: las abuelas, los abuelos, los niños, los colchones, el pájaro en la jaula... Todas esas cosas las tengo dentro de mí, pero es que las guardaba como aliento para mi arte. He dibujado esas cosas, he soñado con pintarlas transformándolas. Eran riquezas mías... He visto en aquellos sitios muchas peleas. He oído el lenguaje más soez, las palabras más bestiales y he visto la mayor solidaridad y hasta abnegación de seres humanos para otros seres humanos. Una vez dio a luz una mujer de las recién llegadas. La metieron en la chabola de otras gentes mientras se terminaba de armar la suya. Era emocionante para mí. Llevé la lámpara de petróleo que guardábamos en la camioneta y estuve sosteniéndola en alto en el momento preciso en que salió el chiquillo. Fue hermoso allí, en aquel lugar tan mísero, sobre un colchón en el suelo. Me parecía más hermoso haberlo visto allí que en cualquier otra parte. El niño se quedó quieto un instante, y de pronto fue como verle llegar la vida cuando empezó a berrear... Anita, todo aquello yo lo vivía, mas para utilizarlo como material y construir algo con ello. No era humano. Yo no me daba cuenta, pero no era humano. Creía que todo me interesaba, pero no me interesaba más que lo que me parecía que iba a servirme en lo mío. Un día me cansé de aquel trabajo. Creo que fue cuando por palabras del señor Joaquín empecé a comprender que allí había un gran negocio. El señor Joaquín, como dueño de los terrenos (aunque estaba prohibido construir chabolas), garantizaba la estabilidad de aquellas viviendas que, al menos, el dueño de la tierra no iba a denunciar. Para más garantía se hacía pagar un mínimo alquiler después de haber cobrado los materiales de construcción. «Y más adelante —me dijo un día—, si dan facilidades y ventajas para construir viviendas baratas para los dueños de las chabolas, el dueño de las chabolas soy yo, y quien voy a tener las ventajas soy yo.» Anita, no es que yo juzgue al señor Joaquín. Yo creo que me avergoncé al oír cómo iba a aprovechar en su favor todo aquello porque yo mismo, a mi manera, ¿no estaba haciendo un acaparamiento de material pictórico en luces y sombras, y caras iluminadas por el fuego y manos que colocaban piedras sobre piedras y ponían los tejados de uralita? Sólo me interesaba mi propio negocio, no podía pensar siquiera en la injusticia o bondad de aquello. Yo me escapaba.

Anita me escuchó con atención, pero tuvo que levantarse y correr hacia Soli, que jugaba en un lugar peligroso. La vi ir saltando, descalza sobre las piedras y volver con la niña, que quedó a nuestro lado extendiendo a su capricho unos guijarros que había ido a buscar.

—Martín, yo quería decirte otra cosa. El doctor Tarro me ha contado la fuerza de su odio cuando era un chico pobre, cuando hasta estudiar una carrera tenía que deberlo a la generosidad de unos parientes lejanos. Un odio constructivo, un deseo loco por tener los que otros tenían y él quería disfrutar, que le llevaba a ser capaz de cualquier cosa.

—Envidia y odio, no. También me he escapado de eso. Y no hay odio constructivo.

—Pues sí que hay odio constructivo, Martín. Pero yo no lo tengo en la forma de envidia al menos. Tú tampoco. Claro que yo he tenido siempre lo necesario y hasta mucho más de lo necesario; muchas cosas. Pero no eran mías, me las daban. Las disfrutaba, y ya está. Las dejé siempre sin pena. No tengo el sentido de la propiedad y eso le asombra al doctor Tarro, dice que es malo. Mira... Cuando hice un viaje a Venezuela y conocí a esos hermanos que tengo del primer matrimonio de mi padre y que son riquísimos, no se me ocurrió nunca pensar que yo, que no era rica, tuviera que serlo. Mis cuñadas, que se portaron conmigo fantásticamente, de verdad, no me causaban envidia. Me regalaron trajes, quisieron casarme con un millonario... Me divertí como una loca, pero no sentía ganas de casarme ni la menor comezón por ser dueña yo también de una fortuna. Y cuando me casé con Italo, conocí una gran despreocupación; podía comprarme los vestidos que se me antojase. Italo me regaló joyas. Vimos juntos cosas muy interesantes, de verdad, algún día te contaré lo que fue la película que Italo logró hacer, con permiso de la Unión Soviética, en las ruinas de Varsovia... Y luego íbamos a los mejores hoteles en Londres; en París tuvimos aquella villa en Neuilly no demasiado fastuosa, la verdad, pero donde teníamos cosas inasequibles a mucha gente: tres criados, por ejemplo, y un mayordomo fantástico incluso, que es algo que me parecía divertido tener. Teníamos comida para dar cenas en la época en que aún era todo difícil después de la guerra. Un día abrí la ventana de mi cuarto, que estaba en el piso bajo, en la parte de detrás del chalet, y salté por aquella ventana. No quise cruzar toda la casa. Italo y Carlos y sus amigos hablaban en la biblioteca. Me puse un abrigo sobre el traje que llevaba en aquel momento y salí con el dinero justo para tomar el metro y luego el autobús para Fontenay. Me había cansado yo también, como tú. Sentí una alegría de liberación absoluta. El aire tenía color de tabaco con tantas hojas secas. Sí, era en otoño. Era magnífico, hermosísimo. Estaba cayendo la tarde cuando llegué al pueblo. Llamé a casa de Froilana y así volví a casa, porque preferí de pronto mi familia, mi casa, mi manera de vivir y de ser. Carlos ya no era el mismo.

Solí, que se había acercado mucho a nosotros, intervino en la conversación diciendo que ella, cuando fuese mayor, tendría muchas joyas y no las dejaría tiradas. La acariciamos sin hacerle caso. Yo dije:

—Pero, Anita, eso es diferente. Tu casa era la otra. La de tu marido.

—No quiero discutir eso ahora. Lo que te cuento es para explicarte lo que a Tarro se le hace difícil concebir, porque él siempre ha deseado todo y no le gusta soltar lo que tiene ganado, según dice. Y a mí me parece hasta admirable lo de Tarro, pero yo no soy así. No eché de menos ni siquiera el calor, porque nosotros éramos privilegiados en aquella posguerra de París y teníamos con qué encender la calefacción y quien nos la encendiera y mantuviera... En casa de Frufrú, entonces, todo estaba manga por hombro. Nos costaba trabajo encontrar leña para la estufa de la cocina, una cocina como de campo que daba al huerto. Durante cerca de dos años me vestí con las ropas que más tarde me trajo Carlos de parte de Italo. Las joyas no me las envió, naturalmente, porque eran parte de sus inversiones... Ni se me ocurrió que podía pedir algunas como me suplicaba papá cuando volvió de América y se enteró de todo, porque no le íbamos a escribir mi escapada, ¿verdad? No echaba de menos el coche, ni las cenas, ni las invitaciones. Nada. Sabía que había disfrutado mucho de aquello, pero no envidiaba a quienes lo seguían disfrutando. Me divertí muchísimo con los estudios, con la escasez, con los madrugones para llegar a clase, con la amistad de una chica que fue a vivir con nosotros y que estaba trabajando para convalidar su bachillerato en Francia. Ella y su novio, sus amigos, que eran polacos exiliados y el trabajo. ¿Ves? Somos así. Ni siquiera envidiaba yo a los que a mi edad ya tenían su carrera hecha o la estaban terminando.

Descubro que aún Anita y yo teníamos mucha intimidad, que nos encontrábamos muy bien juntos. Descubro esto en el recuerdo de ese momento entre las montañas, junto a la laguna de Peñalara, en una soledad prodigiosa que hoy no encuentro en ningún lugar. Hoy que la mayoría de la gente tiene coche para acercarse a todas partes.

¿Fue a últimos de junio o primeros de julio? Sé que escapé con Anita y con Soli del calor agobiante. Dejamos el coche en la carretera para hacer la excursión a la laguna de Peñalara. La niña se portó bastante bien en la marcha. La excursión no es fatigosa, más para la niña quizá lo fuera, aunque nosotros no nos dábamos cuenta. Desde la partida de tía Froilana a París, no le hacía nadie caso, de manera que volvía a ser la Soli de siempre, y no se quejaba nunca. Ella y Anita dieron gritos de entusiasmo al mismo tiempo, cuando descubrimos los veneros del hielo entre las rocas. Anita y yo nos bañamos en la laguna, en puro hielo líquido. Al salir estábamos rojos como cangrejos cocidos. Llevábamos comida y allí comimos antes de emprender el regreso en automóvil. Volvimos en dirección a Segovia, donde pasamos aquella noche y otras dos más. Dormíamos en Segovia y hacíamos excursiones por el día. La primera fue para ir al monasterio, donde ya sabía yo que estaba mi amigo Perucho de novicio o de aspirante. El monasterio quedaba lejos del pueblo, en un paisaje espléndido. El edificio, enorme y en parte ruinoso, estaba en reconstrucción; los monjes sólo ocupaban una parte.

Yo sabía que Anita no podría entrar en el convento, y el primer día esperó mi regreso sin acercarse siquiera. Yo volví muy pronto porque sólo me dieron hora para dos días más tarde. De la visita a Perucho recuerdo sobre todo mi tremenda emoción. Antes de ver a mi amigo (que junto con un monje me acompañó a visitar el huerto y las obras que se estaban haciendo) sabía yo que no iba a poder hablarle de nada de lo que me preocupaba y que en cierta manera me había hecho desear aquella visita. Pero imaginé una imposibilidad mía de confidencia en un asunto como el de mis remordimientos por lo de Beatriz y otro que se me antojaba infinitamente más grave, que borraba con su importancia cualquier otro desastre de mi vida. Lo que no imaginé fue aquella lejanía de Perucho hacia mí, a pesar de toda su amabilidad; aquellos ojos casi siempre mirando al suelo detrás de las gafas... El monje viejo era más natural y muy parlanchín. Llamaron a un mandadero seglar para que me acompañase a ver la parte de la iglesia y los recuerdos de la sacristía, que se abrían al público, y así se despidieron de mí. El mandadero estaba escandalizado con Anita y con Soli.

—¿Viene con usted esa extranjerota sin medias y esa niña?

El hombre, según me dijo, no se había fijado en que Anita no llevaba medias: «que si no, no pasa a ver la iglesia»; pero le pareció muy desenvuelta. Le dio las gracias por haberla obligado a ponerse la chaqueta de punto sobre su traje sin mangas «porque la iglesia era heladora». El mandadero le contestó que el frío era lo de menos, que para frío el que pasaban los monjes en invierno en los rezos nocturnos. A la extranjera le interesó aquello y preguntó mucho lo que eran maitines y laudes; y no sólo nombres de rezos sino otros aspectos de la vida monástica. Pero al llegar a la sacristía se desmandó. Se vio en seguida que era una hereje. Porque al explicarle los cuadros que representaban milagros y levitaciones del santo patrono, empezó a reírse y la chiquilla empezó a reír también. El mandadero de los frailes la echó. Dijo que si no se marchaba inmediatamente la echaba a escobazos. Y todavía se resistió la tal extranjera diciendo que había pagado su boleto para verlo todo. Así que agarró el mandadero una escoba en la sacristía y salió corriendo tras ellas hasta que la vio a campo traviesa con la niña de la mano.

Me enfadé con Anita, le dije que aunque ni ella ni yo pudiéramos comprender la fe de aquellos hombres encerrados, casi enterrados en vida de penitencia y oración, había que tener respeto.

—Pero ¿qué dices? ¿Tú no puedes comprender esa fe? Yo sí. Pero esos milagros me dan risa. Y esas tentaciones de los santos siempre sobre el asunto sexual me dan risa también tal como las representan. ¿Qué quieres que le haga? Un hombre con tentaciones de esa clase debe quitárselas de manera natural y no intentar ser monje, ¿no? Yo creo que hoy día los hombres no son tan tentados, de todas maneras. Ni siquiera los monjes. No te imagino a ti revolcándote en una zarza para evitar pensamientos sobre mujeres; y tú eres medio santo...

Anita hablaba en su tono de broma. Pero yo recuerdo mi vergüenza al oírla mientras íbamos en el coche entre pinares hacia Segovia. ¿Podría olvidar alguna vez a Zoila?

Mi visita a Zoila, ocho o diez días después de la inauguración de la sala de fiestas, no pertenece a los recuerdos olvidados y la angustia que siguió a ella, con distintos vaivenes y gradaciones, hasta que ciertas circunstancias y convencimientos me la borraron, tampoco es cosa olvidada; sólo olvidé esos momentos en que me veo junto a Anita en intimidad y amistad, que sí había olvidado por completo al pensar en esa época. Trataré de resumir con la objetividad que pueda aquella visita.

Zoila me llamó más tarde, después de comer, dando a la asistenta otro nombre al preguntar por mí. Yo al pronto ni conocí su voz, que estaba como desfigurada y enronquecida. Me preguntó si no había nadie a mi lado y me pidió que fuese a verla con urgencia, que dejase todo lo que tuviera entre manos, cualquier cosa que fuese, y que corriera al apartamento. Era urgente y grave, y no tenía que decirlo a nadie.

Naturalmente fui y durante el trayecto y la subida en aquel ascensor (siempre funcionaba; las restricciones de fluido no le alcanzaban porque el edificio disponía de un grupo energético propio), hasta notaba los latidos de mi corazón. Pensaba, no sé por qué, en un crimen. Luego me reía de mis pensamientos, ya que el crimen que me parecía más posible era el de que Zoila hubiera terminado por estrangular a la señora de Valina.

Zoila, después de preguntar quién era el visitante, me abrió la puerta, me hizo pasar rápidamente y la cerró detrás de mí. Era una Zoila desconocida, sin maquillaje alguno, pálida, asustada, con una bata echada sobre un camisón ligero y arrugado; una Zoila llena de angustia, que en cuanto la miré se tapó la cara con las manos y se echó a llorar. Dijo que estaba enferma. La acompañé a su alcoba y siguió llorando, echada en la cama, hasta que pudo hablarme de Díaz, de una tragedia con Díaz. Me descubrió su cuerpo para que yo, horrorizado, pudiese ver las marcas de los golpes que le había propinado Díaz. Era una salvajada. Puñetazos, patadas...

—Pero ¿se ha vuelto loco? ¿Dónde está?

—No está ya en Madrid —y este pensamiento la calmó—, se fue esta mañana en avión a Barcelona. Vuelve el lunes.

Yo pensé en Carlos. Zoila también pensaba. Al casarse con Carlos, me dijo, creyó que éste iba a protegerla de Díaz, que había sido su ángel malo desde que casi una niña, con el pretexto de hacer progresar su carrera artística, la protegió a cambio de su entrega. Zoila no hablaba volublemente ni cínicamente de estas cosas. Hablaba con un dolor terrible. Para mí fue alucinante oírselas contar. Yo introducía a Carlos en el relato a cada minuto. Pero ¿se había casado ella enamorada de Carlos? Me dijo que sí y que Díaz lo aceptó como irremediable. Pero Carlos no la había protegido. Se marchó en seguida a rodar aquella película y consintió que Díaz organizase lo de la sala de fiestas de Madrid. Díaz mandaba en todo y en todos. La había amenazado con rescindirle el contrato a ella, con no dar más dinero para la película de Carlos y la había golpeado salvajemente. Zoila esperó hasta estar segura de que Díaz estaba en Barcelona. Después avisó a Valina que ella no actuaría hasta el domingo por la noche, porque se iba a Barcelona a reunirse con Díaz. «Le dije que salía inmediatamente en auto para que no viniese.» Y me había llamado «porque eres el único amigo que tengo en este mundo».

Lo que pasó desde mi llegada a casa de Zoila hasta que ella me despertó a las cinco de la mañana (había puesto el despertador, que yo no oí, porque no quería que nadie me viese salir y sobre todo que no nos descuidásemos antes de la llegada de la asistenta), lo que pasó entonces y en las noches siguientes lo sé perfectamente. No hace falta que lo describa. Zoila estaba segura de que no nos molestaría nadie, porque Díaz había enviado al pueblo a la criada de Zoila con vacaciones pagadas. La asistenta trabajaba un par de horas por las mañanas solamente. Todos los días menos el domingo. El domingo Zoila me dejó dormir hasta la hora del desayuno. Estaba encantadora y sin huella alguna de tragedia. Se despidió de mí. Yo no debía volver hasta que ella me llamase. Sobre todo, por nada del mundo debía telefonearle. Tampoco ir a la sala de fiestas durante su actuación a no ser que fuese con amigos, en grupo, como quien va a otra cosa, sin hacerle caso. Si Díaz salía de viaje de nuevo, se las arreglaría para avisarme. Y si no, cuando Díaz se marchase. Él pensaba estar un mes en España. Pero tenía que hacer viajes a otras ciudades donde también tenía negocios.

Ésa era la situación, complicada con mis remordimientos respecto a mi amigo, que empezaron a ser cada vez más negros desde aquel domingo en que dejé de ver a Zoila. Comprendí que tenía que dar por acabado el asunto; que cuando Zoila me llamase debía decirle francamente que no era posible para mí hacerle aquello a Carlos. No tenía que verla más. Empecé a gestionar con una prisa febril lo de mi automóvil. Y al mismo tiempo, sin darme cuenta de lo que hacía, me las arreglé para convencer a la panda con la que salimos una noche a cenar a hacerlo en la sala de Zoila. Esta vez fue en el jardín donde cenamos y donde ella cantó con micrófono. Lo pasé muy mal al verla de lejos. Ella me había advertido que sufriría al verla tan distante y sin hacerme caso, pero que ella lo pasaría peor aún, porque en aquel momento de su vida yo era lo único que tenía para poder seguir viviendo. No tenía ya protección, ni marido, ni hijo...

Porque yo al despertar, la primera noche que pasé con ella, había recordado lo del niño. Alguien había dicho a Anita que Zoila estaba esperando un niño. A mí me parecía monstruoso que una mujer embarazada pudiera hacer el amor. No sé; recuerdo que me parecía imposible. Zoila se sonrió un poco y luego empezó a llorar. Había perdido al niño con el cambio de clima: durante el viaje en barco estuvo ya malísima. Así se hizo amiga de Obdulia, que la cuidó tanto. Díaz no lo había sabido hasta aquella noche en que la golpeó. Se puso furioso. ¿Por qué? Porque se había resignado a que se alejase Zoila estando así, pero creyó que había sido una mentira aquel alejamiento, un pretexto inventado por Zoila para librarse de sus garras. En mi ofuscamiento estaba deseando enfrentarme con Díaz. Le buscaría y si él era fuerte yo era más joven y sabía boxear lo suficiente para darle una lección. Zoila me hizo volver en mí preguntándome en qué lugar quedaría Carlos entonces. Lo nuestro no debía saberlo nadie en el mundo. Era una locura que había consentido en su desesperación y que era todo lo que tenía, pero por bien de Carlos especialmente, nadie debería enterarse jamás.

Fue Díaz el que habló del niño aquella noche del debut de Zoila. Cuando cerró la sala de fiestas, Valina nos dijo que en casa de Zoila había un desayuno preparado para la familia y los íntimos. Éramos bastantes la familia y los íntimos. Y no sé de dónde habría sacado Zoila aquellos dos criados tan despejados y dispuestos a servirnos chocolate con churros, o café a quien lo prefiriese. Díaz me pareció un hombre extraordinariamente amable y bien humorado. Era ancho, fuerte, ya mayor, pero su cara de indio tenía atractivo. Resultaba muy cortés y simpático. Habló mucho con el señor Corsi, que estaba contento. Díaz le había tranquilizado acerca de la publicidad de Zoila. Por el momento no se revelaría que estaba casada con Alexis. Era posible que Carlos viniese a Europa con Rilcki. Entonces le haría Zoila una visita y se diría que estaban casados si era conveniente para Carlos. Eso lo decidiría Rilcki. Pero no tenían que temer molestias los Corsi.

Pude acercarme a Zoila un momento. Casi la abordé en el instante en que ella dejaba una taza sobre un mueble. Recuerdo el gran espejo que completaba el mueble: en aquel espejo me veo reflejado junto a Zoila y también la mirada vigilante de ella hacia las demás personas de la sala que aparecían en el campo visual.

—Zoila, tengo que advertirte contra esa señora Valina. No es tan amiga tuya como crees. Ha estado hablando conmigo...

Zoila palidecía bajo su maquillaje. Me dio pena cuando la oí murmurar: «Ahora no, Martín, ya te contaré... No te puedes figurar lo que es mi vida».

Sólo eso.

Anita se reunió conmigo. Salimos a la terraza a ver la aurora, que era tranquila, sin el frío desapacible de la noche. El cielo daba impresión de calor con aquel rojo diluido, aquel rojo hacia el Este, que Anita descubrió llevándome a otro rincón de la terraza. Allí estaba Díaz. Fumando. Solo. Dio los buenos días a Anita llamándola señora Rilcki. Anita sonrió. «Díaz, sabes muy bien que yo no me llamo así.» «Porque no quieres. Italo te recuerda con mucho cariño. En su departamento de México tiene tu foto expuesta a todas las miradas.» «¿Dónde? ¿En el rincón de los recuerdos, junto a la de sus otras dos ex mujeres?» Díaz se reía cordialmente. «Sí, allí, pero tu foto es más grande. Y ya sabes que no se ha vuelto a casar.» «Bueno, Díaz, pues yo soy Anita Corsi por ahora.»

Anita allí hablando con Díaz, tan viva, con los ojos brillantes, sin sueño. Podía resistir una noche entera de pie, cada vez más despejada. No llegué a preguntar a Anita si se habían conocido antes aquel señor y ella. Era muy posible. Hablaban como viejos amigos.

—¿Qué te parece la mujer de Carlos, Anita?

—¿Zoila? Muy simpática.

—¿No te sorprendió la boda?

—No sé... No. Ya no me sorprende nada de lo que haga Carlos. Ella es muy agradable, ¿verdad? Y canta muy bien.

—¿Sabes que te va a dar un sobrino?

Así fue. Lo dijo Díaz. Se lo dijo a Anita. Zoila no le había dicho nada y como no se le notaba, pues no, Anita no sabía. ¿A Anita no le gustaban los niños? «Pues bueno, no sé tampoco. Cuando son muy pequeños no me fijo nunca.» Nada más.

Al marcharnos hubo que buscar a Frufrú, que se había dormido acurrucada en un silloncito en la alcoba de Zoila. Estábamos contentos aquella mañana. Anita me era muy querida. Ahora la veo en la última instantánea de aquel amanecer: está junto al portal de la casa de la Avenida de Menéndez Pelayo. Es día claro. Anita con su traje blanco, el chal sobre los hombros, la mirada curiosa, empuja la puerta, que ha quedado entreabierta para facilitar el trabajo de los basureros. La veo empujando la puerta con ciertas precauciones, como si esperase encontrar allí, en el interior, algo distinto, una sorpresa en el día nuevo. En aquel momento noté mi cariño por ella como algo vivo, natural y fuerte. Como notaba mi propio corazón dentro de mí.

XVII

Sé que tengo que dejar a un lado los diferentes juicios que me han merecido a lo largo de la vida esos personajes que el destino mezcló conmigo en la época que el señor Luis llama mi «desaparición». Así trato de hacerlo cuando llegan sus imágenes en estos clichés, en estos sobrantes olvidados en la película de mi memoria. Pero nunca creí que el material desechado fuese tan abundante y que, aun antes de terminar de fijarlo por escrito, me produjese tantas sorpresas. Daba por descontado que mi propia imagen me parecía borrosa y poco convincente, pero ¿por qué un personaje como el doctor Tarro me hace sonreír a veces? A lo largo de mis recuerdos conscientes, mis juicios sobre él no dejaron el menor resquicio para verlo desde un punto de vista humorístico.

Sin embargo, aquí está, paseando de un lado a otro con su sahariana azul, de mangas cortas, que descubre sus brazos musculosos bajo la piel, que apenas ha perdido blancura con el sol. Ha bajado a cenar con nosotros «de esa guisa» como podría decir Anita, a quien le gusta bromear con palabras poco usadas. Pero Anita no ha bromeado del aspecto veraniego del doctor. El señor Corsi le contempla con una pensativa envidia por el frescor del atavío. El señor Corsi tiene sus normas y nunca le he visto sentarse a la mesa sin chaqueta y sin corbata, y aunque hoy su traje es ligero, no deja por eso de imponerle disciplina para aguantar el calor. Nadie me ha dicho jamás en esta casa cómo tengo que vestirme, pero yo me doy cuenta de que imito a Corsi por respeto, cuando tiene invitados sobre todo. Otras veces estoy en casa con camisa abierta y de manga corta. Esta noche me permito llevar una de esas camisas, sin corbata, y calzo sandalias, pero como sé perfectamente que a Tarro no lo considera Corsi de la familia, llevo puesta una chaqueta veraniega sobre la camisa.

No se trata de una cena protocolaria desde luego. Creo que hoy día los mismos personajes que estábamos reunidos en el cuarto de estar lo hubiéramos hecho en traje de baño o poco menos. Pero entonces Corsi levantaba una ceja mirando a Tarro y sus ojos chispeaban divertidos.

Kikú nos dejó en cuanto empezó a suavizarse la fuerza del sol al inicio del largo crepúsculo. Se fue de paseo. Pepa nos abandonó tres días antes para irse con «unos señores de verdad» que la llevaron de veraneo. Se fue lanzándonos reproches innecesarios, ya que nadie pensó en retenerla. Nos gritó nuestras costumbres desordenadas y dijo a Anita que no era señora para ella. Pepa era una muchacha decente y en esta casa «mucho presumir, pero a una chica la dejaban hacer lo que le diera la gana». No teníamos orden ni días de salida fijos. Desde que se fue doña Froilana, Pepa se había sentido abandonada sin que le recordasen sus deberes y sin que la riñese nadie recordándole que tenía que volver a casa a sus horas, como era decente hacer. Con sus maletas preparadas en el vestíbulo principal y la puerta abierta ya, Pepa tenía arrinconada a Anita, que la escuchaba con exasperación. Decidí ayudar y me llegué a Pepa, con pasos cautelosos, a sus espaldas. La sorprendí con una llave de judo y la elevé, muda de asombro por verse volando, a la escalera. Cerramos la puerta y lloramos de risa después que hube sacado también las maletas.

La marcha de Pepa, que en los últimos días había estado gruñona y disparatada en sentido ascendente, nos proporcionó un alivio inesperado pero corto. Fue como si sintiésemos menos calor en la casa. Comimos fuera todos juntos; Soli hizo las camas conmigo porque Anita declaró que ella no sabía y que daba lo mismo dejarlas como estaban, ya que la asistenta las haría al día siguiente —por esta circunstancia localizo en domingo la marcha de nuestra doméstica— y en fin, nos sentimos cómodos hasta que por la noche de aquel mismo domingo apareció don Carolo en compañía de *mademoiselle* Brigitte y cargado, además, con la maleta de esta señorita. Don

Carolo balbució algunas justificaciones. La traía temporalmente, sólo para probar si nos convenían sus servicios hasta que en octubre un diplomático que había localizado el nieto de la marquesa, la llevase a Nguma. Los nietos de la marquesa no se atrevían a mandarla sola, ya que el viaje era complicado y Agus tenía conciencia de su responsabilidad: se había hecho cargo de aquella joven hasta devolverla al bungalow paterno. La marquesa se iba a su finca. Todos se iban con la marquesa a Galicia y, en fin, si Kikú no nos servía de ayuda, el señor Corsi al cabo de dos o tres semanas se iba a Galicia, también al balneario de Mondariz, donde pasaría sus vacaciones en compañía de la misma marquesa y otras amistades que habían hecho sus reservas de habitación para las mismas fechas. Don Carolo se comprometía en caso desfavorable a viajar acompañando a *mademoiselle* Brigitte para entregarla a la familia de la marquesa. Si nos era conveniente, en cambio, Kikú podría sustituir «ventajosamente» a Pepa. Le habían informado de que no era trabajadora, pero «llevándola bien»... Y tenía un carácter excelente.

Anita, con cara de fastidio, buscó sábanas limpias para Kikú y le enseñó la habitación que acababa de dejar Pepa y la obligó a transportar ella misma su maleta a su cuarto. Y eso lo hizo *mademoiselle* con gracia y habilidad poco comunes: cargó la maleta sobre su cabeza y, sin necesidad de sujetarla con las manos, la llevó. Minutos más tarde la vimos aparecer en el cuarto de estar envuelta en una de las sábanas que le había dado Anita para que hiciese su cama y que ella usaba como túnica; dejando los hombros al descubierto se enrolló la sábana con una destreza maravillosa. Anita no le comentó la impresión que nos producía ese atuendo, pero como Brigitte-Kikú bailaba un poco alrededor de la mesa del comedor donde ya estaban dispuestos los platos y cubiertos, la hizo ir con ella a la cocina, le enseñó los misterios de la nevera y le preparó un plato con viandas frías. Después le explicó pacientemente, en dos idiomas, que Kikú debería cenar antes que nosotros todos los días, a cualquier hora que le apeteciese, con la ventaja de que después podría hacer lo que quisiera: o bien dejar la sábana y vestirse con uno de sus bonitos trajes y calzarse con un par de sus bonitos zapatos y marcharse a la calle y volver para acostarse cuando le placiese, o bien encerrarse en su cuarto y dormir sin aparecer más delante de la familia. Por las mañanas Kikú debía comer igualmente en la cocina y obedecer a la asistenta en lo que ésta le pidiese.

Yo admiré las habilidades de Anita para el mando. Pepa había sido injusta al decir que en aquella casa nadie llevaba las riendas. Anita me pareció un prodigio de diplomacia y de entereza.

Así que estábamos libres de Kikú por el momento. Y escuchábamos las diatribas del doctor Tarro contra los curas y los frailes y su intromisión en todos los detalles de la vida particular de las gentes. El doctor Tarro había prohibido al señor José, el portero de la finca, que dejase subir a su piso a los frailes que acudían diariamente a molestar, con el pretexto de hacer compañía a su mujer.

Anita corrigió con naturalidad:

—A tu madre, Tarro.

—Bien, es cierto, pero es que ya me confundo. Los frailes dicen que van a visitar a mi mujer porque mi pobre madre tiene la manía de que es mi esposa. Ella los recibe, pero trastornan su cabeza creyendo lo que ella les cuenta en sus delirios y hablándole además de la muerte. Quieren que confiese, quieren traerle al Viático. Quieren meter las narices en todo. Mi madre no está a la muerte y si yo puedo evitarlo no morirá ahora. Yo no le prohíbo que practique su religión, pero que vengan esos señores sin ser llamados y que el portero diga que a un sacerdote él no puede impedirle que entre en casa, le irrita a uno. También las monjas, siempre llamando a la puerta, siempre pidiendo. Ya sé que no se cumplen las medidas tomadas contra la mendicidad o se cumplen muy pasivamente, pero a cualquier mendigo, si el portero le echa la vista encima, le impide subir a los pisos; en cambio, frailes y monjas tienen la puerta franca.

—¡Sí! —dijo inesperadamente Soli—. Las monjas son muy listas.

Anita se fijó entonces en la niña y la mandó a su cuarto a acostarse. El señor Corsi preguntó si la criatura había cenado, porque Soli se resistió a esta orden de Anita y miraba los emparedados y fiambres que había dispuestos y que Soli había ayudado a colocar en el cuarto de estar. «Sí, papá, el Gnomo ha comido ya.»

—Pero falta mi helado.

Yo acompañé a Soli a la cocina para servirle un vaso de helado, aunque la niña sabía preparárselo perfectamente; pero el señor Corsi había comentado que Soli echaba de menos a Froilana. Quizá fuera el momento de pedir a su papá que se la llevase. Decidí convencerla de que se portase bien. «¿Quieres ir con tu papá, Soli?»

La niña tomaba golosamente su helado sentada sobre la mesa de la cocina y balanceando las piernas. Inesperadamente me dijo que sí.

—Pero no voy con mi papá. Iré al colegio, pues ya tengo plaza. Mi papá lo dijo el otro día. Después del verano. Y con mi papá no voy. —Hizo otra pausa para tomar helado y me miró luego, descarada—. Pero tú no vas a casarte con Anita tampoco, no te creas. Anita se va a casar con el doctor Tarro cuando se muera la mujer del doctor.

—¿Sabes que estás diciendo muchos disparates? Anita no se va a casar con nadie y el doctor no está casado. Y tú no debes decir esas tonterías. Parece que andamos todos locos desde que empezó el calor.

—Ya, ya. El doctor sí que tiene mujer. Es la señora esa que no sale nunca y que da tanto miedo, que antes era su madre. Ayer, cuando fui a la tienda a un recado porque Kikú no sabe, estaba la criada gallega contándoselo a todo el mundo. Decía que el que dijera que su señora era la madre del doctor Tarro era un infame, que su señora estaba casada con el doctor, pero que antes era su madre, y que ella lo sabía muy bien, su señora era una santiña y el doctor había sido muy malo y que cuando la señora era la madre le pagó los estudios para cura y él no quería ser cura, y la madre se casó con él y luego el doctor no quiso besar el suelo por donde ella pisaba y se escapó a América y se hizo doctor allá lejos, que antes no era doctor. La madre, que es su mujer, se quedó abandonada la pobriña y él volvió, porque es su mujer y tenía un papel que don Serafín quiere que no se lo dé a los frailes, y cuando la señora estaba mala el año pasado vino el doctor y dijo que la curaba y se la trajo a Madrid y la está volviendo loca con el testamento, y ella dice que si él es bueno le dará el testamento que si no, pues no, porque la señora no está loca y él quiere que se muera para casarse con otra y ahora van a la aldea por el calor y porque la señora también tiene aquí frailes amigos y Tarro, que es don Serafín, se pone furioso cuando vienen a verla y está furioso porque no puede vender nada, ni tocar el dinero de la madre, que es su mujer, porque los frailes lo tienen todo muy bien arreglado. Ya ve, Martín. Se llama Serafín y no le gusta llamarse Serafín. Y la gallega no le llama casi nunca doctor Tarro, sino don Serafín.

No interrumpí la charla de la niña porque me daba cuenta de que por mucha imaginación que tuviese Soli, aquel galimatías no podía haberlo inventado del todo ella, y sin saber bien por qué me interesaba. Le dije solamente que se apresurase con el helado, que la acompañaría después hasta su cuarto, como hacía antes doña Froilana, y que no hiciese caso de las habladurías de las sirvientas en la tienda. A nosotros no nos importaba la historia del doctor Tarro. Luego recapacité.

—Y sobre todo esa historia de que Anita se va a casar con el doctor. ¿De dónde la has sacado?

—Pues sí, porque se quieren. Se dan muchos besos.

Me enfadé con Soli. Esto sí que lo había inventado ella, y no se daba cuenta de que era algo muy feo decir eso de Anita. Anita era una señora, una persona buenísima. De Anita no se podían inventar historias de esa clase y si yo me enteraba de que Soli, aun en broma, volvía a decir una cosa así, vaya que la llevaba yo mismo con su papá a pasar el verano en la pensión de los enfermos, como llamaba Soli al hospedaje de su padre; la llevaba cogida de una oreja...

La niña se encogió ante mi tono y mi cara seria, mientras le amenazaba. Prometió débilmente no decir nada a nadie y súbitamente cambió el gesto mirándome y lanzándome la afirmación de Galileo.

—Pero se besan.

—Estás chiflada. ¿Cuándo has visto tú que se besen, di?

—Muchas veces. Tú no estás nunca y por eso no los ves. Se besan y se besan y se besan. Hablan mucho en el cuarto de estar y se besan. Hoy, cuando llegó el doctor Tarro y estaban solos en el cuarto de estar, se estaban besando cerca del mirador, como en las películas. Mucho. A mí no me vieron. Nunca me ven. Pero yo no digo nada si no quieres... Yo quiero irme con mi papá. Yo no quiero dormir con Kikú. Que sí, que anoche se metió Kikú en mi cuarto y durmió en la cama que era de Frufrú y yo me desperté y me dio miedo... Y me voy a esconder y no me encontraréis nunca, nunca...

Soli dejó a medias su helado y echó a correr. La seguí y la vi entrar en su cuarto. Y me encogí de hombros.

Anita apareció por el pasillo y me llamó. Sólo veía yo su silueta sobre el fondo de luz que, al final del pasillo, llegaba desde el cuarto de estar. Ese momento mío también lo he olvidado; ese momento mío en que contra toda razón pensé en que si Anita se dedicaba a esos juegos de que hablaba Soli, con un hombre mayor, con un tipo que se introducía en la casa fingiéndose amigo, que si Anita era capaz de un disimulo así, si era capaz de ser «una cualquiera», jamás volvería yo a creer en la pureza de ninguna mujer.

Ese momento, en que me sentí poco menos que con los derechos de un marido oriental para matarla si la encontraba besándose con Tarro, fue, afortunadamente, una brevísima locura que no llegó a manifestarse ni en gestos ni en palabras y que me cuesta admitir. Pero hoy sé que esa locura aguda pasó por mi cabeza aunque duró menos que lo que Anita tardó en decirme que dejaré de hacer de niñera, que me esperaban para cenar. Contesté algo y sentí necesidad de lavarme las manos con el fervor con que Tarro lo hacía tan a menudo. No había agua en los grifos a causa de las restricciones. Teníamos un jarro lleno junto a los lavabos y lo utilicé de mal humor. Me serené y volví a la sala donde Tarro explicaba que iba a llevarse a su madre a su aldea gallega, pero que no dejaba el piso, que tenía alquilado con muebles, por el momento, pues no estaba seguro de que no hiciese falta traerla otra vez para un nuevo tratamiento.

Anita nos servía a todos con alegría y sin escuchar demasiado a Tarro. Llevaba un traje muy ligero, sin mangas, y estaba morena porque a menudo iba a una piscina. Tarro no iba a la piscina. Tarro no hablaba para Anita en aquel momento, sino que le contaba estas cosas a Corsi. Decía que no estaba seguro de poder comenzar en serio el psicoanálisis que deseaba Anita que le hiciese. Probablemente tendría que dejar a su madre o marchar a su clínica de Beirut. Era demasiado tiempo el que llevaba fuera de sus ocupaciones. Si su madre mejoraba, incluso estaba dispuesto a llevarla con él para no abandonarla, pero no podría quedarse definitivamente en España.

Me olvidé de Soli con el descanso que me producía la actitud cortés, y a un tiempo distante, de Anita con Tarro. Con la repentina preocupación por Anita inspirada por las palabras de Soli, me olvidé también un rato de la atroz impaciencia que estaba sintiendo aquellos días en que Zoila debía llamarme y no me llamaba.

El doctor preguntó a Anita si ella también iría a Mondariz con su padre. Su aldea no estaba lejos de allí. Anita contestó con naturalidad e indiferencia que a ella los balnearios la aburrían mucho, y me miró como consultándome y terminó diciendo que aún no habíamos hecho proyectos para salir fuera de Madrid.

Me olvidé de los histerismos de la niña. Fue una cena plácida y bastante aburrida aquella en que Tarro se despidió de nosotros. El balcón y las ventanas de los cristales del mirador estaban abiertos y no entraba un soplo de aire. Llegó un momento en que todos deseábamos que se fuera Tarro y acostarnos. Nos sentíamos cansados. Yo, al menos, me sentía cansado.

Sobre el Retiro, en el azul de la noche, flotaba una polvareda que parecía enrojecerse con los puntos de luz eléctrica. Anita, cuando Tarro se despidió, me dijo algo de salir, y yo no quise. Estaba muerto de cansancio: como si estuviera enfermo. Quería tumbarme en la oscuridad y pensar largamente en Zoila. Si no me llamaba, no creía yo que hubiese ningún mal en ir a verla y saludarla en la sala de fiestas y preguntarle qué había ocurrido. Yo sabía que Díaz no estaba ya en Madrid. Sabía que se había despedido de don Carolo por teléfono diciendo que se iba a América. Zoila no iba a dejarme así, sin una explicación. Lo nuestro era muy serio. Ella me había dicho que estaba loca por mí. Que nadie, nunca... Sólo yo. Y yo estaba loco, obseso por ella. Teníamos que hablar. Si Carlos no sabía protegerla, si estaba tan tranquilo dejando a su mujer en peligro de que cualquiera pudiese abusar de ella, yo, en cambio, estaba dispuesto a llevarla a cualquier lado del mundo. A luchar por ella. Yo no era un hombre indeciso y sin estímulo. Estaba dispuesto a hablar con Carlos cara a cara. El matrimonio de ellos era sólo un contrato civil, no un verdadero matrimonio. Zoila no sabía lo que era sentirse realmente protegida y deseada, considerada como algo importante.

Me tranquilicé al ver en el pasillo la luz debajo de la puerta del cuarto de Anita. Probablemente estaría escribiendo a su amiga la enfermera polaca de París. Anita era, a pesar de su edad, una criatura. Y yo sabía mejor que nadie lo fría y lo casta que era Anita a pesar de su presunción constante de coqueteos con chiquilicuatros, nada peligrosos cuando se los conocía. Anita, sobre todo, tenía la manía de contarme a mí todos esos coqueteos que ella llamaba «éxitos». Nunca me hubiera ocultado que le gustaba el doctor Tarro en caso de gustarle. Pero ¿cómo le iba a gustar aquel hombre? Exagerando muchísimo pensé que casi podía ser su padre. Lo que no se me ocurrió pensar es que Anita no era mi mujer, ni tenía por qué contarme todos sus asuntos mientras a mí hubieran podido matarme antes de dejarle adivinar los míos. Eso no se me ocurrió.

Me tranquilicé al ver la casa a oscuras, seguro de que Anita estaba en su cuarto lo mismo que don Carolo en el suyo. Me tranquilicé. Volví a utilizar agua de un jarro y de un barreño. Y me olvidé de que había dejado abiertos dos grifos de los lavabos a los que había puesto el tapón. Me tumbé sobre las sábanas y dejé balcón y puerta abiertos para establecer algo de corriente en la oscuridad que me permitía pensar en Zoila. Y me dormí hasta que me despertó un grito de Soli debajo de mi cama. Al cesar la hora de las restricciones, los grifos abiertos hicieron rebosar los lavabos y el agua se extendió por el suelo del baño y del pasillo y entró en mi cuarto alcanzando a Soli, que se había dormido en el suelo escondida bajo mi cama sin que nadie pensara que teníamos que buscarla. Ahora se me ocurre que quizá fue esa noche a la que se refiere ella en uno de sus «cuentos» de la infancia.

La dejaban sola. No la quería nadie. Solamente la quería su papá, pobrecito, que decía que ella estaba muy bien allí hasta que fuese al colegio. Pero no estaba bien allí y se iba a esconder y la buscarían y no la encontraría nadie y cuando todos estuvieran dormidos se escaparía y todos llorarían mucho y entonces verían lo que pasaba, porque a su papá tendrían que darle mucho dinero porque habían perdido a Soli y cuando su papá fuese rico como ellos, entonces aparecería

Soli con su hucha, que tenía también mucho dinero y se comprarían un coche como el de Martín. Soli, cuando fuera mayor, tendría un traje de noche como el de Anita y collares como Frufrú y sería mucho más guapa que Anita, que no era guapa. Doña Froilana dijo que Anita no era guapa y dijo que Soli era guapa. Frufrú se despidió de Soli llorando mucho, y le regaló una hucha de barro y le puso dentro de la hucha un duro. Soli había metido dentro más pesetas y más duros, y Martín metió dentro un billete que debía de valer muchísimo; pero no le hacía caso Martín. Ahora ya no era su amiga Soli. Pero cuando ella fuese mayor se casaría con Martín y tendría automóvil y se reiría de Anita, que no tenía automóvil, y el doctor Tarro tampoco tenía automóvil y era más feo que Martín. Y si la echaban a vivir con su papá, ella sabía cómo ganar dinero porque estaba creciendo mucho y en cuanto fuese alta como una mujer, Soli sabía muy bien lo que iba a hacer para ganar dinero. Antes no pensaba en esas cosas porque era pequeña, pero ya se había vuelto más lista y podía pensarlas. A Frufrú se lo dijo un día y Frufrú se echó a reír, a reír, y la besó y dijo que era muy graciosa y no lo creyó. Pero era verdad. Fue el día en que hablaron de una noticia que traía el periódico, un día que estuvo su papá a verla a ella y se pusieron todos a hablar en el cuarto de estar porque el papá de Soli había ido a hacer una interviú al «mendigo de cuello duro», que era un señor que había hecho una promesa de pedir limosna para comprarse un hábito, que llevaría durante un año, en agradecimiento a la curación milagrosa de un hijo suyo. Martín dijo que era absurdo que publicasen esas cosas los periódicos y que si se prohibía la mendicidad y se alentaba por otra parte a los frescos para que con el achaque de las promesas a los santos pidiesen libremente, resultaría la calle como un retablo de miserias pintorescas. El papá de Soli dijo que era un gran mérito el de aquel hombre, que humillaba su dignidad pidiendo. Y se armó una discusión grande. Frufrú decía: Pero ¿qué mal hay en pedir? Uno es libre de dar o no dar, ¿no es eso? El que pide es que lo necesita. Por la noche, cuando doña Froilana la llevó a acostarse, Soli le dijo un secreto: «Yo he pedido limosna disfrazada de monja y me dejaban entrar en todas partes y me decían: "Perdone, hermana", cuando no me daban limosna y casi siempre me daban para las niñas que teníamos recogidas». Y doña Froilana se echó a reír y la besó.

No era toda la verdad, pero era verdad. La que se disfrazaba de monja era la más gorda de las Emes: doña Matilde. Doña Matilde iba vestida siempre con hábito, que era un traje negro de lana hasta los pies y zapatos como de monja y cinturón.

Una tarde llevó a Soli con ella a la calle y le dijo que tenían el secreto juntas, porque Soli se escapaba a la calle y doña Matilde se callaba y Soli robaba el jabón de don Vicente y doña Matilde se callaba y Soli se callaría lo del disfraz de monja.

Doña Matilde tenía guardada la toca y el crucifijo y todo lo que faltaba para completar el hábito, en casa de una amiga que vivía en una buhardilla. Allí se disfrazó y luego salió con Soli. Tomaron el tranvía y las dejaban pasar delante de todos en la cola que estaba esperando para tomar el vehículo. Hacía mucho frío, pero Soli con su abrigo nuevo y la monja con su traje grueso y un jersey bajo, iban abrigadas. Iban lejos del centro, a un barrio donde no conocían a doña Matilde, y subieron a las casas en ascensor, cuando había ascensor, hasta el último piso y doña Matilde llamaba a la puerta de cada piso y decía que si querían recibo de la limosna y cuando le decían «Sí, haga el favor, hermana», doña Matilde sacaba un talonario y rellenaba los espacios en blanco y lo daba. Pero casi siempre le decían que no, hermana, no hace falta. Algunos preguntaban de qué Orden era doña Matilde y ella decía la Orden y daba el nombre de la superiora y todo, y la gente a veces se fijaba en la cabeza de Soli y preguntaban algunos si rapaban a todas las niñas que recogían. «Ya ve, pobrecitas. A muchas les hace falta cuando llegan. Hay tanta miseria...»

Después, doña Matilde, ya en la calle y soltando humo por la boca al hablar de tanto frío que hacía, criticó mucho a los ricos de aquel barrio: que eran muy finos, pero no daban casi nada. Si ella se hubiera atrevido a pedir donde ella se sabía, más habría ganado con gentes menos «aparentes» pero de más corazón; aquellos a los que habían ido eran unos miserables y si daban una peseta les parecía que ponían una pica en Flandes y si la orden tuviera que esperar a sacar a las niñas adelante con las limosnas, aviada estaba.

Doña Matilde jugaba tan bien al juego de la monja que hasta Soli se creía de verdad que ella era una niña recogida en el convento de aquella orden. Después le decía a Soli:

—Tú a mi amiga no le digas nada. Si te pregunta cómo nos ha ido, dile que no sabes, pero que nos despedían en casi todas partes sin darnos. Mi amiga es una avara. Y tiene escondido un «gato» en el colchón que no sé cómo no le da miedo de que alguien se lo robe. Trabaja en la limpieza de una casa de baños y no creas que gasta un céntimo del sueldo. Tiene propinas y, además, los vecinos de la casa, como la ven vivir en la buhardilla con tanto frío y sin luz eléctrica, le dan las sobras de la comida y la protegen, y de cuando en cuando le regalan un traje viejo, y así va tirando y sin gastar. Fíjate si es avara que teniendo ese «gato» que tiene (yo no sé si dentro de un colchón o bajo un ladrillo, pero lo tiene) se tiñe las canas con un corcho quemado para no gastar en tinte y cuando tiene dolor de cabeza si uno, por pena, le regala una aspirina, no toma más que la mitad. Así que no es pecado engañarla y darle poco de lo que traemos. Ella no se lo gana.

A Soli lo que más le interesaba era el gato. Se imaginaba a aquel animalito metido en el interior del colchón de aquella vieja amiga de doña Matilde y debajo de un ladrillo.

—¿Es un gato como *Carabina*? ¿Se está quieto y no maúlla cuando lo encierra ella?

—No seas boba, hija. El «gato» es una bolsa llena hasta arriba de dinero. Está bien parecer que uno es bobo, hija mía. Ya ves, mi hermana dice que yo soy medio tonta. Y yo me río por dentro y me digo: «Bueno, bueno, puede que esta tonta tenga que mantenerte algún día».

Soli admiraba a doña Matilde y cuando le daba consejos la escuchaba con mucha atención. Doña Matilde era muy lista y eso era un secreto para todos menos para la niña. También se justificaba a veces ante ella.

—No creas que es pecado lo que hago. Pedir limosna no es pecado si uno lo necesita; se lo consulté a mi confesor y le dije que yo pedía limosna vestida con mi hábito porque tenía promesa y que lo necesitaba y no le pareció mal, siempre que mi necesidad fuese apremiante. No le dije lo de la toca y lo demás porque eso no tiene importancia, hija, lo importante es la intención, y mi intención es buena porque pido para los pobres y yo soy pobre y tú también eres una niña pobre y casi te tenemos recogida en casa, porque lo que puede pagar don Amando no da para nada.

Aparte de aquella frase «eres una niña pobre» que le daba angustia todo lo que decía doña Matilde le parecía muy bien a la niña.

A Soli le gustaban aquellas calles distintas a las del centro, a pesar de que la Gran Vía era más importante, con más luces y anuncios, y los cines y las aceras estaban más animados.

Las tres veces que la niña acompañó a doña Matilde disfrazada de monja, fueron a distintas calles, pero todas del mismo barrio, que tenía árboles en las aceras —árboles descarnados, negros, y que uno de los días estaban blancos de nieve endurecida—, y le gustaba el color del cielo que parecía más limpio y le gustaba que la gente que se cruzaba con ellas o se detenía a ver los escaparates, diera la impresión de no tener prisa, de estar siempre de paseo y de no tener frío, aunque las mujeres especialmente parecían menos abrigadas que doña Matilde y que la misma Soli, que además de su abrigo verde llevaba una gran bufanda que le tapaba hasta la nariz. Soli pensó que aquellas gentes parecía que llevasen dentro la calefacción de sus casas.

En la buhardilla de la avara, a la que volvían al final del recorrido, sí que se notaba frío y estaba oscurísima. Cuando entraban, la avara, que las había esperado metida en la cama y envuelta en una toquilla, encendía un cabo de vela para ver bien el dinero que doña Matilde sacaba de una bolsa escondida en un profundo bolsillo de su falda. Soli se divertía porque parte de aquel dinero lo había puesto doña Matilde en otra bolsita que guardaba la niña en su propio bolsillo. La avara, que se llamaba Blasa, se mostraba poco conforme al hacer las particiones. Era muy flaca y con un perfil agudo que se doblaba en una sombra enorme proyectada en el techo y la pared. Tomaba la mitad de las monedas y gruñía que doña Matilde merecía que la denunciase, por engañarla. Doña Matilde se echaba a llorar y la otra se tranquilizaba. Cuando salían a la calle, el llanto de doña Matilde se había disipado. Volvían a casa muy contentas y con las mejillas encarnadas por el aire frío, y explicaba doña Matilde que habían ido a llevar tal o cual santo —como otras veces hacían de verdad—. Y doña

María le decía a su hermana que no eran horas de llevar a la criatura de paseo con tanto frío, y doña Matilde volvía a soltar lágrimas y en seguida doña María se calmaba. Doña Matilde le explicó a Soli un día que las lágrimas son un don de Dios porque ablandan los corazones y que si se quiere lograr algo en este mundo hay que llorar mucho y reír muy poco. Sí, sí, llorar aunque no haya ganas de llorar.

Soli estaba llorando bajo la cama de Martín, para que la encontrasen allí, llorando. Pero nadie llegaba a buscarla. El suelo estaba fresco y poco a poco, entre hipos, Soli se quedó dormida. De pronto empezó a sentir frío y soñó que Anita quería tirarla a nadar a la laguna de Peñalara y se despertó gritando. Porque estaba mojada y no sabía dónde estaba y gritó con verdadero terror hasta que se enteró de que Martín se había dejado un grifo abierto y que al volver el agua se había producido una inundación.

Dos días después de la despedida del doctor Tarro, Zoila me llamó. Anita y yo corrimos al mismo tiempo hacia el teléfono. Lo alcancé yo antes y al oír la voz que esperaba hice un gesto a Anita y ella se retiró con aire desilusionado. Zoila hablaba en voz baja preguntando si estaba yo solo, como de costumbre. Me dijo que tenía que apresurarse por teléfono porque estaba muy vigilada. Había tenido que aceptar la hospitalidad de los Valina por unos días, pero dos o tres más tarde volvería a su casa, y teníamos que hablar. Mi emoción me anudaba la garganta; no sé ni cómo acerté a preguntarle si no importaba que fuese al espectáculo de la sala de fiestas con Anita y otros amigos. A Zoila le pareció que en eso no había ningún peligro y me prometió que incluso estaría con nosotros algún rato, ya que ella no estaba actuando continuamente.

Fuimos a ver a Zoila Anita y yo con Asís aquella noche. Sentí un alivio tan grande al ver a Zoila risueña y notar alguna de sus miradas, que me volvió el buen humor perdido en días anteriores. Con el buen humor perdido, recuperé también la alegría de tener a Anita a mi lado, y a Soli, y a los perros incluso. Algunos días acompañé a Anita por las mañanas para bañarme con ella en casa de unos amigos que tenían piscina en un chalet de Arturo Soria, y nuestra camaradería aumentó. Pero aunque las noches estaban tan hermosas, siempre que salíamos mirábamos la hora, y como si Anita se hubiese puesto de acuerdo conmigo, regresábamos pronto a casa. La luz de ella permanecía encendida. Yo apagaba la mía en seguida por mi necesidad de pensar así, a oscuras, en Zoila. Don Carolo y Soli andaban mustios y Kikú estorbaba en la casa. A veces la encontrábamos en alguno de los pasillos —que eran lugares frescos— tumbada en el suelo durmiendo. Don Carolo suspiraba de aprensión al pensar que tendría que llevársela de viaje.

Por fin, una noche pude ir a visitar a Zoila. Fue una visita amarga porque me anunció que muy pronto Carlos llegaría a Madrid y pasaría unos días en la ciudad. Y yo comprendí que lo nuestro acabaría entonces para siempre. Esa emoción hizo que la noche terminase desastrosamente, como de costumbre: volví a casa de madrugada y con una sensación de asco de mí mismo y de mi bestialidad, que casi no podía soportarme.

El piso estaba a oscuras. Sólo entraba la luz de la noche por los balcones abiertos. El balcón de mi cuarto estaba abierto también y no pensaba encender la luz, pero tuve como un vago aviso de que algo extraño pasaba allí y me detuve. Escuché una risita mientras buscaba el conmutador. La luz me ofreció el espectáculo de Kikú vestida con el traje con que la había dotado la Madre Naturaleza al nacer, echada en mi cama y mirándome risueña mientras se estiraba. Tuve una reacción mecánica: dije «Buenas noches». Después cerré la puerta furioso y huí pasillo adelante a meterme en una habitación que llamábamos «el cuarto de Carlos», por más que Carlos no lo había utilizado nunca. Cerré la puerta con pestillo, abrí el balcón y desdoblé el colchón, que desprendió un fuerte olor a naftalina. Me tiré sobre aquel colchón como si me tirase a un pozo, y confieso que estuve llorando de rabia antes de dormirme.

A la mañana siguiente reaccioné con energía. Planteé a don Carolo la cuestión de *mademoiselle* Brigitte y de su marcha, y me encargué de todo. Saqué nada menos que una cama individual a *mademoiselle* —la pagué por la urgencia en reventa no autorizada y me costó casi el doble de lo que debía ser—. Preparé un cartel que colgué al cuello de aquella señorita en donde avisaba su lugar de destino y, por si acaso, la dirección de la finca de la marquesa. La llevé a su hora a la estación y la recomendé al encargado del coche cama.

Cuando llegué triunfante y exhausto aquella noche a casa, Anita me tenía preparada una sorpresa: se había molestado en preparar la mesa del comedor con la mejor mantelería y cubiertos, con un precioso centro de flores frescas sobre el cacharro plano de plata y cristal de las grandes ocasiones, y dos candelabros con velas de cera: se había vestido con mucho esmero y a Soli la tenía preparada con sus mejores galas veraniegas. Me llevaron al comedor cuando ya las velas estaban encendidas. Al ver que sólo estábamos allí los cuatro, pensé que a lo mejor se celebraba el cumpleaños de don Carolo, que era quien tenía el aire de estar más contento.

—No, no. Todo es en honor tuyo, *figliolo*... Obedece a los caprichos de nuestra locuela particular.

Obedecí y me arrodillé según quería Anita, delante de ella, que con un abanico me dio un golpecito en la cabeza al mismo tiempo que Soli me echaba una toalla por los hombros como si fuese una capa, y me proclamó «Comendador de la gran Orden de grandes despedidores de servicio doméstico». Don Carolo me estrechó la mano y confesó que, aparte de la brillantez de aquella ceremonia que se me había ofrecido, necesitaba darme las gracias particularmente.

Unos días después apareció Carlos. Fue a la hora de la comida de mediodía, antes de sentarnos a la mesa. Yo abrí la puerta y mi aturdimiento era tan grande aquellos días que no reconocí al pronto en la sombra del vestíbulo aquella alta figura, aquella sonrisa. Carlos hablaba con un marcado acento mexicano que yo no recordaba en él.

Fue una visita muy alegre. Nadie se había enterado de la llegada de Alexis a Madrid. Iba a estar pocos días, papá no tenía por qué retrasar su viaje a Galicia... Aparte de aquella visita lo más probable era que se viese mucho con la familia aquel año, porque Rilcki tenía el proyecto de trabajar en París aquel invierno. Estaría la familia al alcance de la mano. ¿No era una suerte? Rilcki también estaba en Madrid, pero no vivía con Carlos y Zoila. Ya sabían todos cómo se las arreglaba Rilcki: le habían prestado un chalet fuera de Madrid para sus días de estancia, claro que no estaba solo, siempre viajaba Rilcki con tres o cuatro personas como sabía muy bien Anita. Nos veríamos todos. ¿Y la selva? Ah, pues la selva...

Viví sinceramente la alegría familiar en aquella visita de Carlos. Sinceramente. Mientras lo tuve delante no pude asociarlo en absoluto a Zoila. Carlos era nuestro hermano. Y había vuelto. Hasta comenté con Anita, con la misma preocupación que ella, que le habíamos encontrado excesivamente delgado y, bajo la piel tostada, pálido. Pero estaba de buen humor y contentísimo de no ser Alexis aquellos días. La vanidad no lo había estropeado.

Del encuentro con Carlos, de mi disociación de emociones aquellos días, tengo ideas claras en la película principal de mis recuerdos, así que no debo insistir. Sólo ahora una imagen perdida y recobrada: la expresión de Carlos al mirar a Anita de frente teniendo sus manos en los hombros de ella.

—¡Qué barbaridad! —le dijo—. Estás guapísima. Tienes cara de enamorada. ¿Sucedió el milagro? ¿Te enamoraste?

Y entonces ocurrió algo extraordinario: Anita se ruborizó tan visiblemente que, toda confusa por aquel rubor, se apartó de su hermano y corrió fuera de la habitación pretextando que iba a ver algo en la cocina.

XVIII

Conocí a Italo Rilcki una de aquellas calurosas tardes de verano y en su propio reino, que según mis noticias era el de los chalets grandes y lujosos que le prestaban o que le alquilaban sus amigos dondequiera que iba, porque tenía amigos en todas partes del mundo, a decir de Anita.

En el cuento o película de mi vida, en mis recuerdos no olvidados, la entrevista que tuve a solas con Rilcki antes de que llegasen los demás invitados para la cena, tiene una importancia grande y nefasta. Durante veinte años o más he pensado en Rilcki como un personaje diabólico, un inductor al mal, alguien que con su simpatía e insinuaciones sobre otras personas me dio una llave para cerrar mi conciencia a la noción del mal y del bien; tan profundamente fue calando en mí esta idea, que he llegado a creer sinceramente que mi entrevista con ese hombre precedió en orden cronológico a la primera llamada que me hizo Zoila para mostrarme su abandono y las huellas de la brutal paliza que le había propinado Díaz. Los datos que me proporcionan las notas que escribo según aparecen los recuerdos desechados, me convencen de que he amañado por alguna razón oculta el orden de los sucesos. No puedo dudar ahora de que en la mañana en que Carlos subió a casa, a mediodía, para invitarnos a la cena que daba Rilcki aquella noche, el señor Corsi ya no estaba en Madrid: le habíamos despedido todos solemnemente dos días antes dejándole bien instalado en el *single* que le llevó a Galicia para tomar las aguas en Mondariz y pasar sus vacaciones en el antiguo balneario en compañía de la marquesa y otros amigos. Pero aun sin este dato, por esas notas que he ido tomando según se han proyectado en mi memoria las imágenes, no hay duda de que aquella llamada de Zoila a que me refiero, ocurrió bastante antes de que Carlos apareciese en Madrid. Lo único cierto es que, después del día que conocí a Rilcki, como si éste me hubiera hechizado, desaparecieron las inquietudes y los buenos propósitos que tenía de aclarar un estado de cosas que me parecía monstruoso respecto a Carlos, y que me metí en una época de disipación y amoralidad totales, con la ligereza y alegría de quien se desprende de un fardo pesado que les estorba. Por eso me sorprende al poner en marcha la banda sonora que recoge mi conversación con Rilcki encontrarme con que es singularmente pobre en sugerencias malignas. Me sorprende tanto, que la detengo un momento. Necesito volver a evocar todo el ambiente, todo lo que yo sabía de Rilcki antes de conocerle, necesito saber por qué he culpado a ese hombre de haberme dicho cosas que no me dijo nunca.

Me veo conduciendo mi querido Citroen 11 por la carretera de Burgos, buscando la desviación a la izquierda —hacia las estribaciones montañosas— que Carlos me había indicado en el plano, y al meterme por esa desviación veo el colorido en rojo, sobre el azul de los montes: el sol de frente que me molesta y a un tiempo el alivio cada vez más sensible del espantoso calor ciudadano.

Voy solo en el coche. Carlos no esperó la llegada de Anita —en cuyo honor daba Italo su cena íntima—, dando por supuesto que su hermana aceptaría la invitación. Pero no fue así. Anita, que por cierto llegó a casa después de comer, dijo que Italo había hecho mal en no avisarla con tiempo. Ella tenía un compromiso aquella noche y no podía dejarlo. No pudimos avisar a Rilcki de que no iríamos —yo decidí no ir sin ella— porque Carlos no nos había dejado el teléfono del chalet y a Carlos no hubo manera de localizarle, y en el departamento de Zoila sonó inútilmente el teléfono varias veces aquella tarde. Anita me convenció al fin de que aceptase yo la invitación y que llevase unas líneas suyas a Italo. «No quiero que crea que estoy enfadada con él. Italo ha sido siempre muy bueno conmigo.» Adónde pensaba ir Anita aquella noche se negó a decírmelo, a pesar de que insistí en saberlo rompiendo las normas de discreción familiar. Anita me tenía muy preocupado. La notaba demasiado independiente, alejada e irritantemente alegre en contraste con mis tormentosos estados de ánimo.

Carlos me había advertido que no llegásemos después de las ocho. «De siete a ocho, Italo ha insistido en eso.» Carlos estaría allí con Zoila, naturalmente. No había ningún mal en ver a Zoila en terreno neutral, entre otras personas, ningún mal más que el dolor que eso me producía y que incomprensiblemente estaba deseando sentir.

¿Qué sabía yo de Rilcki? Sabía, muy superficialmente y a base de anécdotas sueltas, la historia de su matrimonio con Anita. Fue poco después del último verano de nuestra amistad de chiquillos cuando el señor Corsi decidió vivir en Tánger una temporada que se fue alargando. Cuando la guerra europea terminó, ellos seguían viviendo allí. Carlos había entrado a trabajar en un banco. «A aprender algo», decía su padre. Y desempeñaba su trabajo cuando el señor Corsi resolvió aceptar una invitación de sus hijos mayores —los del primer matrimonio— y llevar a Anita a Venezuela. Frufrú había tenido que marchar temporalmente a París para hacerse cargo de bienes y asuntos que le habían dejado sus parientes desaparecidos, de cuya muerte fue informada por el notario *monsieur* Dupont. Sin hacer caso de las súplicas de Anita, el señor Corsi dejó a Carlos en Tánger al cuidado de una familia francesa. Una familia sencilla, con muchos hijos, el mayor de los cuales era compañero de Carlos en el banco y tenía su misma edad. A la vuelta de Venezuela, que don Carolo y Anita hicieron en barco, conocieron a Rilcki, que hacía el mismo viaje y que era una figura brillante, un pasajero que llamaba la atención y viajaba como un rey con su séquito, un grupo de colaboradores y empleados suyos. Anita fue recibida en aquel grupo de «gente de cine» que en su mayoría era joven y animada. Anita tenía veinte años y su entusiasmo y alegría de vivir le resultaban muy simpáticas a Italo. Se hicieron muy amigos. Cuando Italo, después de haber pasado unos días en Casablanca, llegó a Tánger, invitó en seguida a sus compañeros de travesía, y Anita se reunió muchas veces con el grupo de cineastas. Carlos tenía sus propios amigos y no acompañaba a su hermana. Italo le conoció cuando ocurrió aquella tragedia que Zoila y Anita me contaron de distinta manera. La versión de Zoila era que Carlos, teniendo diecinueve años, se enamoró con pasión de una mujer mayor, fascinante, que enloqueció también por aquel muchacho increíblemente guapo que era Carlos. Enloqueció hasta el punto de querer divorciarse del marido tirando su porvenir, poniendo en ridículo a aquel hombre hasta exasperarle, y él le tendió una trampa y la mató delante de Carlos, lo que al muchacho, comprensiblemente, le trastornó hasta enfermar, hasta casi enloquecer.

Según Anita, aquella señora no era fascinante ni guapísima. Era la madre del compañero del banco en cuya casa vivió Carlos cuando el señor Corsi y ella estuvieron en Venezuela: una señora menudita, muy buena ama de casa, muy diligente, muy ahorradora, muy honesta, muy «normal». Según Anita, Carlos encontró en ella lo que le faltaba, por primera vez en su vida: un apoyo, un mimo, un afecto y predilección constantes. Carlos, aunque ya era hombre, seguía siendo un chiquillo y Anita aseguraba que el psiquiatra amigo de Italo que le trató después, se lo había explicado de manera convincente para ella, que conocía a su hermano mejor que nadie. Carlos no era un conquistador, a pesar del éxito que había tenido siempre entre las chicas de su edad; necesitaba en la intimidad a alguien que se extasiase en su belleza, en sus gracias y cualidades, y le protegiese como había hecho siempre Frufrú y como en cierta manera hacía también Anita. Él se había enamorado de aquella señora de la edad de Froilana, pero no estaba ciego de pasión. Ella sí. Y el marido era un ser de una pieza, un hombre horrible, también según Anita, que tenía alma de asesino y era incapaz de comprender ni de compadecer a aquella mujer con la que había vivido tantos años. Carlos ocultaba en casa sus enredos. Frufrú seguía ausente. Anita tenía su vida, sus fiestas y sus amigos, y Carlos seguía fiel a los suyos, aquellos chicos jóvenes con los que había vivido. También había niños de por medio. La señora decidió separarse del marido. Carlos se disponía a pasar las vacaciones con ella y los niños en la montaña cuando el marido habló con él pidiéndole que influyese en su mujer para que pudieran tener una conversación a solas. Carlos entendió que eso era razonable. Fue a buscar a la pobre mujer, la convenció, tranquilizando sus temores, y la condujo a su casa, que era un pequeño chalet frente a la playa, lejos de la ciudad, y la esperó en la calle junto al coche, para que el matrimonio hablase a solas. Cuando sonaron los disparos en el interior de la casa, Carlos tuvo una reacción magnífica: entró inmediatamente. Ella estaba en el suelo, herida de gravedad. El marido había vuelto el arma contra sí mismo, aunque cuidadosamente se había disparado en un brazo, que se sujetaba en una especia de estupor. Carlos cargó con la mujer a hombros, la colocó a su lado en el automóvil y emprendió la marcha desesperada haciendo sonar el claxon, apartando así vehículos y gentes, hasta un hospital. Ella murió en el camino.

Italo intervino después. Su ayuda fue inestimable para todos. Logró que el señor Corsi, en cuanto fue posible, permitiese aislar a Carlos en la casa particular —una villa en el Monte— del psiquiatra amigo suyo y Anita se instaló allí también con su hermano. Italo los visitaba diariamente mientras estaba en Tánger entre viaje y viaje. Al fin, Carlos superó su depresión y su terror gracias a todos aquellos cuidados. Italo tenía que hacer un viaje largo: tenía que ir a Hollywood y retrasó una y otra vez su marcha hasta la época en que Carlos podía ya acompañarle. Carlos estaba ilusionado con las cualidades de actor de cine que Italo veía que se podían desarrollar en él (al contrario que Anita, a la que Italo había desengañado, era muy fotogénico), pero el señor Corsi no consentía ese viaje de Carlos. «Italo estaba enamoradísimo de mí —me había explicado Anita con la volubilidad y falta de tono convincente con que había contado siempre cualquier cosa que se refiriese a su matrimonio—, yo no estaba enamorada de Italo, pero éramos amigos; él me convenció de que podíamos hacer un matrimonio de "prueba". Casándonos en el consulado de su país el divorcio sería muy fácil cuando lo deseásemos y si después de vivir juntos yo no lograba enamorarme de Italo, nos separaríamos. Recíprocamente, si a él no le compensaba nuestra unión, la daríamos por terminada en cualquier momento.» El matrimonio se efectuó así, y según Anita fue bueno para todos. Se llevaron a Carlos en todos sus viajes, Italo se preocupó del porvenir de Carlos. Le hizo actor poco a poco. Cuando el gran triunfo de Carlos en *Pulque*, en que el nombre de Alexis se hizo famoso, Anita ya se había separado de Italo.

—Pero le estimo mucho. De verdad. Conmigo cumplió siempre sus promesas. Es un hombre extraordinario.

Zoila tampoco me había hablado mal de Italo. Acaparaba demasiado a Carlos, pero no sólo era su director sino también su manager. Había que comprenderlo.

A mí todas aquellas historias me habían preparado para encontrar a un hombre que intuía iba a resultarme odioso. Y además me había inventado una imagen de su físico que había ido variando hasta dejarla a mi gusto: un viejo terrible con barbas rojas, siempre bebiendo, siempre rodeado de tipos raros «que le gustan», como decía Anita. Yo no creía que aquel matrimonio hubiera sido bueno para Anita en ningún sentido. Estaba muy dispuesto a contestarle y a defender a Anita si acerca de ella hablaba con alguna de «esas ironías suyas» que había oído le gustaba emplear. Anita significaba mucho para mí.

Pensaba en todo esto al acercarme al chalet que reconocí en seguida: el único que tenía un jardín grande, con arbolado, en la carretera secundaria indicada. Me recibió un criado que yo sabía por Carlos que se llamaba Juan y que era «una maravilla» de sirviente. Juan me condujo a la parte trasera del edificio, donde se veía la piscina en la que se estaban bañando un grupo de chicos y chicas que luego desaparecieron porque no estaban invitados a la cena, sino amigos del dueño del chalet que en aquel año de grandes restricciones de agua se sentían muy contentos de ir a bañarse allí. Italo estaba solo, descansando, contemplando la luz de la tarde y los juegos de los bañistas. Cuando Juan le indicó que la señora Corsi no podía asistir, yo le di la nota de Anita. La leyó sonriendo. «Siento mucho que no haya venido. Pero tiene razón. Siempre me olvido de que es una mujer importante y ocupada.» Y luego: «Me alegro de conocerle a usted, Martín. Me han hablado tanto de usted...».

Veo a Italo Rilcki ahora tal como lo vi entonces, sorprendido, y sobre todo cautivado por la inesperada y fuerte atracción que sentí hacia él. No sé en qué consistía su magnetismo, su atractivo, pero los sentí de tal manera que mientras estuve a solas con él apenas pude darme cuenta de lo que me rodeaba, sólo veía a aquel hombre. Y es curioso que, observándole tanto, no me fijase en seguida que era mucho más bajo que yo; me parecía que su personalidad lo llenaba todo. Mientras él quiso que le atendiese, le escuché; cuando quiso hacerme hablar de mí mismo, lo hice en una especie de estado de hipnotismo según pienso ahora. Ni siquiera sé cómo y en qué momentos nos trasladamos de lugar para estar más tranquilos mientras llegaban los demás invitados. Me encontré bebiendo algo fresco sentado junto a Italo en la terraza de la mesa de ping-pong, desde donde no se veía la piscina, sino el arbolado del jardín. Estábamos hablando de Anita. Italo me hizo hablar de Anita. Creo que logré quitar de su cabeza la equivocada idea que tenía «por lo que había oído» de que Anita y yo nos queríamos. Esta idea era una constante en las conclusiones de la gente que nos trataba, constante que yo no podía comprender. Dije aquello de que éramos como hermanos... aquella idea que Anita había metido en mi cabeza encajaba perfectamente con mis sentimientos hacia ella. Pero esto fue algo en lo que Italo no insistió lo más mínimo. Sólo quiso darme la seguridad del afecto que le inspiraba a él Anita, y me habló de algunas cualidades suyas que yo coincidía en apreciar y otras con las que no estaba conforme. Yo sabía, por ejemplo, que Anita valía más de lo que parecía al oír sus charlas sobre sí misma viéndose como heroína de aventuras en el papel de «mujer fatal». Italo dijo que la fantasía de Anita, tan poco de acuerdo con su personalidad real, era muy curiosa, no parecía latina aunque por lo que él sabía «los chicos» tenían orígenes latinos por los cuatro costados. Pero yo, que estaba de acuerdo en que Anita era una persona tan natural, tan limpia de alma y tan fría de temperamento (yo decía «casta») a pesar de todas sus coqueterías, no lo estaba en cuanto el gran carácter que veía Italo en ella aún no totalmente definido pero ya visible en la mucha voluntad que tenía, ayudada por una inteligencia mayor de la que se podía sospechar. Anita —dije yo— era encantadora, pero no inteligente. Y era algo loca. Y necesitaba protección y unas riendas más firmes que las que el señor Corsi sostenía en las manos. Una muchacha buena y alocada como ella no podía tener tanta libertad, sin peligro.

Italo sonreía. No era una sonrisa de burla. Era una sonrisa simplemente. No me molestaba. Me alentaba más bien. Yo me sentía orgulloso de que me escuchase con atención. Ya he dicho que no sé en qué consistía su atractivo. Físicamente era todo lo contrario de lo que había esperado: delgado, de pequeña estatura, no fumaba, no bebía alcohol y su barba muy cuidada no tenía nada de terrible. Aunque en conjunto le recuerdo muy bien, no puedo recordar cómo tenía la nariz ni de qué color eran sus ojos. Tenía una cara triangular, unas orejas algo faunescas. No sé más. Aunque sólo le vi una vez en mi vida, no he podido olvidarle.

—Las mujeres —dije yo— necesitan ser protegidas.

—Bueno, Martín, ¿por qué especialmente las mujeres? Algunos seres humanos sí necesitan más protección que otros. Pero Anita especialmente no es ya una chiquilla. Tiene derecho a su libertad.

Yo no estaba de acuerdo con eso. Sabía que no era muy joven Anita, pero seguía siendo una chiquilla, y el señor Corsi no la llevaba bien.

—Mire, Italo, espero que no se ofenda, pero yo en lugar de Corsi no hubiera consentido un matrimonio como el que ustedes hicieron, algo que en realidad no fue un verdadero matrimonio. Anita no recibió ningún beneficio con eso.

—¿De veras?

Dos palabras y sentí la frialdad que podía poner Rilcki como una muralla, repentinamente, después de haber animado la charla con una intimidad cordial. Me sentí azorado, confuso. Comprendí que había dado un paso en falso.

—Admito —dije aturullado— que estoy influido por mi educación y mi ambiente. Yo no soy una persona creyente, pero estoy acostumbrado a ver en el matrimonio algo muy serio, un sacramento, una unión para toda la vida, algo en que hay que pensar mucho, algo que compromete mucho. Para otra cosa no hace falta darle el nombre de matrimonio: una unión legal que se deshace a capricho... Y bueno, perdóneme, ya no hablo más que en general de ese asunto. No sé si son acertadas mis reacciones, pero son así. Mire, cuando algunas personas chismosas me hablaron del matrimonio de Carlos con Zoila como de algo poco serio que ofendía a Zoila, sentí ganas de pegarles.

—¿De veras?

Rilcki empleó por segunda vez la frase, pero sin la frialdad anterior.

—¿En qué puede Zoila ser ofendida por un matrimonio legal con Carlos?

—Bueno... Me hablaron de ese Díaz. Desde luego, chismes, pero creo que si su matrimonio fuese de otra manera, Carlos pensaría más en los peligros que corre una mujer como Zoila, a quien antes ha querido otro hombre. Por eso mismo él debería estar constantemente a su lado, demostrarle su cariño...

—Creo que no sólo se preocupa usted por Anita. También le preocupa Zoila. Veo que le preocupan muchos las mujeres. Muchísimo puede decirse.

Se reía a su manera agradable.

—Usted tiene algo de árabe. Aparte de Anita y Zoila, ¿vive inquieto por alguna otra señora más? Me parece que encerraría usted con gusto a todas las mujeres que le interesan en un harén para librarse de inquietudes.

—Yo, no. Yo... Bueno, Zoila es la mujer de Carlos...

—Ya. Más vale que ellos arreglen sus propios problemas. ¿No es cierto? Díaz es un buen amigo de Carlos y de Zoila, ¿sabe? Y yo tengo entendido que la conducta de Zoila ha sido intachable hasta ahora. Piense usted que tanto Carlos como Zoila trabajan, y ella, a pesar de que según creo está algo delicada esta temporada, ha soportado valientemente los compromisos de su contrato. Mientras tanto, Carlos no ha estado con los brazos cruzados, ha sido bastante dura la filmación que hicimos últimamente. Es posible que no estén apasionadamente enamorados (yo no lo sé), pero ha habido muchas cosas buenas en esa unión y ahora parecen muy ilusionados de poder disfrutar juntos de unos días de vacaciones. Después de todo, si usted piensa un poco en la vida que están obligados a hacer y sus continuas separaciones, más vale que el matrimonio de ellos sea fácil de deshacer. Si Carlos quiere a otra mujer o Zoila quiere a otro hombre, se lo pueden decir uno a otro y arreglar sus vidas de manera civilizada si llega el caso. Zoila tampoco es una niñita. Es bastante mayor que Carlos y que usted. Sabe muy bien bandearse en la vida. Y no digo estas cosas criticándola: es una muchacha muy agradable... Además, no me gusta hablar de las intimidades de mis amigos. Es uno de mis prejuicios. Yo también tengo prejuicios a mi manera. Me parece mal.

Sigo con el oído atento al recuerdo. La banda sonora no registra más. No registra las palabras de incitación al mal, al egoísmo juvenil, al goce de la vida sin pensar en las consecuencias de los actos, que he dado por descontado pronunció Italo. No hay nada. Nada más. Sonidos confusos. Sí, Italo, ya atento a los ruidos del jardín porque creía oír un automóvil, me dijo que yo era muy joven, muy apasionado, que veía las cosas desde un solo punto de vista, pero que le resultaba extraordinariamente simpático. Todavía la cinta sonora registra unos murmullos míos —que Italo ya no escuchaba— asegurando que yo no era hombre apasionado, que sabía dominar perfectamente con la razón mis instintos. Y mi voz se apaga al fin, mientras llega a lo lejos la voz de Carlos. Y otras voces de otras personas que entraban entonces en la casa.

El aire, que comenzó a agitar las ramas de los árboles, amenazaba convertirse en un ventarrón cálido y desagradable y se decidió que la cena se haría en el interior de la casa. Mientras se completaba el número de comensales, nos instalamos en el salón, agrupándonos cerca de la gran chimenea, que naturalmente estaba apagada y sólo servía de adorno en aquel tiempo, pero junto a la cual se podía organizar cómodamente la tertulia. Al fondo del salón veíamos el comedor con la puerta corrediza abierta de par en par y las luces encendidas. Al comedor iban y venían dos sirvientas bajo la dirección de Juan. Todas las ventanas estaban abiertas. Se veían algunas estrellas en el cielo, aún claro.

Creo que los primeros en llegar fueron Zoila y Carlos a los que acompañaba Obdulia mi conocida-desconocida de la noche toledana. Casi en seguida aparecieron dos muchachos jóvenes, morenos y simpáticos, cuyos nombres he olvidado totalmente, aunque los vi mucho y casi conviví con ellos unos días del verano. Eran gente de la que Italo llevaba con él en sus viajes y que se dedicaban a asuntos cinematográficos. Eran mexicanos, o quizá de algún otro país de América, porque ni en los recuerdos olvidados fijé detalles de sus nombres y nacionalidades. Siguiendo el auto de ellos llegó, para mi sorpresa, el de Asís, mi amigo, que apareció con una pariente suya ya mayor, una señora rubia y desvaída muy nerviosa y tímida que en tiempos muy lejanos debió de ser una belleza. Rilcki me había comentado antes que la ausencia de Anita se iba a notar mucho en aquella reunión improvisada. «Se va usted a aburrir, Martín: las señoras están en minoría. No sé por qué sospecho que además ninguna de las que vienen, aparte de Zoila, coincide con sus gustos. Pero tal vez me equivoque. Con los jóvenes de ahora nunca se sabe. Y son damas muy necesitadas de protección...»

La parienta de Asís se sobresaltaba a cualquier ruido extraño, a la aparición silenciosa de los sirvientes en el comedor o en el salón, o si alguien volvía la cabeza inesperadamente.

—Amelia —le decía Asís—, te has pasado la vida temblando por miedo a tu marido. Ahora eres viuda y libre, y tiemblas por miedo a tus hijos. No he visto un caso igual.

—Es que no sabes cómo son... No les dije que venía a esta casa.

—No tienes por qué decirles nada.

Me hubiera gustado decirle a Rilcki que no hacía falta que yo me preocupase por Amelia. Asís se tomaba ese trabajo.

Cuando Italo comenzaba a impacientarse por la falta de puntualidad de un tal Madeira, que en otro tiempo había sido colaborador suyo, apareció al fin este personaje, cuyo aspecto me sorprendió tanto que apenas me fijé en un jovencillo rubio que le acompañaba y al que presentó a todos con el nombre de Diego, seguido de una serie de apellidos españoles muy sonoros.

Madeira era más menudo que Italo y se veía en él una mezcla de colores que me fascinaron. Zoila cuchicheó a mi lado que presumía de blanco, pero era medio negro, medio indio y medio amarillo. Lo que resultaba un exceso de mitades. Por un momento se me ocurrió pensar que en otros tiempos, en otra vida, unos meses antes, me hubiera parecido que todos los que estábamos allí componíamos un grupo extraño. Yo mismo... Si me hubiera visto en un espejo rodeado de todos ellos, en otro tiempo me había encontrado extraño también. Al menudo mestizo de tantas razas, que tenía unos modales muy untuosos, le oí disculparse con Italo de haber llevado a Diego sin avisar. Era un joven amigo que conocía desde hacía más de un año —Madeira había pasado el año anterior en Barcelona— y se había sorprendido tanto de encontrarlo en Madrid, tan desorientado, y Diego admiraba tanto a Rilcki, que pensó que podía llevarlo.

A pesar de mi turbación al encontrarme junto a Zoila me di cuenta de que Rilcki se alejaba con Madeira mientras nos disponíamos todos a pasar al comedor, y oí unas palabras de Rilcki en un tono para mí desconocido e irritado: «absolutamente prohibido traer a...». En la mesa Italo no demostraba irritación alguna, era un anfitrión estupendo. A todos nos hizo hablar. También al jovencito, de quien tuvimos que escuchar unas historias tontísimas sobre su familia y la importancia de ésta y los planes matrimoniales que tenían para él con una chica distinguidísima de abolengo aristocrático, aunque no rica, porque su familia apreciaba sobre todo la nobleza, la distinción y la raza. Madeira no hablaba mucho y sólo lo hacía con Obdulia, a quien tenía al lado. Parecía que no se fijase en otra cosa que en su compañera de mesa, a la que atendía con un esmero casi excesivo.

La cena fue agradable. Carlos estuvo muy simpático contando algunas sandeces al estilo Corsi sobre el matrimonio Valina, a los que imitó en los gestos que habían hecho cuando quisieron impedir que Alexis se dejase ver en la sala de fiestas donde actuaba Zoila. Querían que se escondiese detrás de una cortina.

—Yo les propuse que me dieran un quimono y un abanico, y si les parecía bien les dije que hasta les haría un número «extra» en el espectáculo como geisha y que así me camuflarían mejor.

Descubrir, gracias a esta conversación, la personalidad de Alexis provocó un admirado entusiasmo en Diego. Rilcki, en una maniobra de diplomacia, trató de desorientar al muchacho explicándole que aquel Alexis no tenía nada que ver con el que él creía; se parecían algo, y por ese motivo a Carlos se le llamaba así en la intimidad.

Bebimos bastante y la animación creció y cuando terminamos la cena pasamos al salón de la chimenea.

Aquella reunión la he recordado muchas veces y consta en mis recuerdos, no sólo no olvidados sino pensados, transformados, censurados y observados desde todos los ángulos posibles. Por eso las imágenes están gastadas, son confusas. Sé que se llevaron guitarras y Zoila y también Obdulia cantaron acompañadas por los jóvenes de cuyos nombres no me acuerdo; sé que Madeira se ausentó varias veces y su aspecto cambió y se volvió sombrío y dejó de atender a Obdulia y sus ojos se volvieron extraños, fijos en algún punto desconocido del universo. Zoila levantaba en mí un oleaje de recuerdos y de felicidad y de angustia al mirarla, y de cuando en cuando me sonreía con la mirada. Cuando esto sucedía yo no me fijaba ya en nada más que en mi emoción, aunque las miradas de Zoila eran discretísimas.

Después de una de las ausencias de Madeira, Carlos salió también. Yo veía el movimiento porque frente a mí estaba la puerta del salón que llevaba a la parte de servicios de la casa, pero naturalmente no me fijaba. Mi atención estaba en Zoila. Y no sólo Carlos salió, sino también el pequeño Diego, que volvió en seguida por la puerta del comedor mientras Madeira se marchaba de nuevo por la del salón. Diego se sentó en el suelo frente a Obdulia y Zoila, que iban a cantar otra vez. Fue entonces cuando oímos un estropicio de platos rotos y se sobresaltó tanto la prima de Asís. De pronto, interponiéndose en el espacio que mediaba entre Zoila y yo, vi a Madeira que de un golpe seco rompía una copa de las que se habían dejado sobre la mesa junto a la chimenea y agarraba por los cabellos al muchacho sentado en el suelo, haciendo ademán de ir a cortarle el cuello con el trozo de cristal afilado que le había quedado en la mano al romper la copa. Todo sucedió tan de prisa que apenas tuve tiempo de reaccionar. Fue algo increíble. Carlos, que llegaba corriendo detrás de Madeira, tuvo tiempo de sujetar aquella mano y todos ayudamos en seguida a reducirle. El tipo se había convertido en un energúmeno, con una fuerza increíble. Italo pidió una cuerda para atarlo. Era un ataque de locura. A varios hombres fuertes nos llevaba de un lado a otro, debatiéndose, el mestizo aquél. Fue una tarea dura el sujetarlo y dejarlo atado, pero vigilado por los jóvenes sudamericanos en la alcoba de Juan, que estaba en aquel piso de la casa, y volvimos los demás a tranquilizar a las mujeres, que estaban aterradas. La prima de Asís lloraba. Decía que si allí se hubiera cometido un crimen, ella estaba perdida. Sus hijos la encerrarían en un manicomio. Rilcki la tranquilizó y le pidió perdón por el espectáculo, que para él había sido una ofensa también y manifestó que desde aquella noche sus relaciones con Madeira habían terminado. Asís dijo: «Ha debido de drogarse. Iba al baño a inyectarse». Carlos asintió. Madeira, según Carlos, había sido un tipo espléndido, pero hacía tiempo que Rilcki tenía la sospecha de que se drogaba. Diego, que se había quedado con las mujeres, estaba temblando y les juraba que él no tenía nada que ver con el asunto, que él no hacía nada, que aquel hombre le tenía asustado, que le perseguía por Barcelona, le hacía chantaje con la amenaza de dar un escándalo y, sin embargo, era otras veces un perfecto caballero, fino, distinguido...

Diego no hacía más que contradecirse en sus relatos sobre las relaciones amistosas que le unían al mestizo. Obdulia le dijo:

—Mira, niño, más vale que te calles; nadie te pide explicaciones.

Rilcki le oía con disgusto. Hizo que tomase una copa y dejó a Asís la tarea de interrogar al muchacho. Asís le explicó que tratábamos de ayudarle y Diego dijo al fin que sí, que había recibido un aviso de Madeira. Por teléfono le llamó a Barcelona. Le invitó a pasar unos días de vacaciones en Madrid. Y era un buen amigo, tan correcto... No, sus padres no sabían que estaba allí. Le creían en el campo, en casa de unos amigos. No, él no sabía que Madeira era invitado de Rilcki. Habían tomado una habitación en un hotel...

—Madeira no vive aquí —dijo Rilcki—, pero tú no puedes volver a ese hotel. Tú volverás a tu casa.

No sé cómo tranquilizamos a la prima de Asís, que quería marcharse inmediatamente. Asís consultó con Rilcki y con Carlos si no le necesitaban y Carlos le pidió que acompañase también a Zoila y a Obdulia; precisamente se lo pidió cuando yo me ofrecía a hacerlo.

—A ti, Martín, quiero pedirte otro favor de parte de Italo.

Mi favor era el más desagradable: debía acompañar a aquel jovencito asustado al hotel donde se había alojado con Madeira, recoger su equipaje y luego facturarlo en avión a Barcelona. Si eso no era posible hasta el día siguiente, debía llevarlo a lugar seguro, porque en cuanto Madeira se repusiese y se tranquilizase ellos tendrían que soltarle, desde luego. Carlos se acercó a mí.

—No creas, Martín, que aquí ocurren esas cosas a menudo. En absoluto. A Rilcki le daba pena ese Madeira, que por otra parte es un hombre muy listo, y en la época que estaba con nosotros Anita trabajó con Italo. Italo quería ayudarle, y como conocía a Anita le invitó esta noche.

—Pues me alegro de que no haya venido tu hermana.

—Yo también, aunque Anita es estupenda. Nunca se asusta de nada. Mira, quizá lo mejor de todo, ahora que no está papá, es que te lleves a Diego a casa después que recojáis las cosas en el hotel. De allí, al aeropuerto. Nosotros creo que podremos retener aquí a Madeira hasta mañana.

Italo me hizo esperar unos minutos y ordenó, con suavidad, al muchacho, que tomase un trago más, que se repusiese. «Con este señor —este señor era yo— estarás tranquilo.» Tome usted también algo, Martín. Siento mucho haberle invitado por primera vez haciéndole participar en un incidente tan desagradable.

Rilcki no tomó nada para tranquilizarse. Estaba tranquilo. Salió a despedir a las mujeres y a Asís, y luego se sentó con nosotros hablando con calma de cosas intrascendentes, como si nada hubiera ocurrido. Y nada había ocurrido en verdad, pero sólo gracias a la intervención tan rápida de Carlos.

Juan se acercó a Rilcki para decirle que salía a las ocho de la mañana un avión para Barcelona y ya estaba encargado un pasaje a nombre del joven.

—Pero yo —dijo Diego— no tengo dinero. Él, Madeira, me invitó y...

—No importa —dijo Carlos—. ¿Verdad, Italo?

Yo no quise ofrecerme a pagar el billete de avión de aquel muchacho. No tenía la menor gana de ayudarle. Carlos me dio el importe del pasaje y me echó el brazo por el hombro al despedirse de mí.

—Eres estupendo, Martín. De verdad. Y no te preocupes por Anita. Anita estará encantada de ayudar al chiquillo éste. Ya sabes cómo es.

Sí. Yo sabía. No importaba que llevase a aquel chico o a un oso blanco a dormir a casa. Anita nunca se sorprendía de los huéspedes que pudieran aparecer. Sin embargo, no me hacía gracia presentarme a media noche con aquel chico tembloroso y contar aquella historia del mestizo. Pero Anita no vio al muchacho.

Llegamos muy tarde a casa. Recuerdo el runrún de las historias contradictorias que me contó Diego durante el camino a Madrid, y después de recoger su equipaje, durante el camino a casa. Una lata el tal Diego.

Era muy tarde cuando entramos en nuestro piso, pero el cuarto de Anita estaba vacío. No había nadie en casa exceptuando los perros, que andaban desorientados, gimiendo porque Soli tampoco estaba. Para que no se quedase en la casa vacía, Anita había dispuesto que bajase a dormir a casa del señor José, el portero, que tenía dos o tres hijas poco mayores que la niña. Indiqué a Diego uno de los cuartos vacíos y me negué a quedarme acompañándole en su inquietud.

—Hijo mío, con tu pan te lo comas. Yo no soy una hermana de la caridad. Bastante hago con poner el despertador a las seis y llevarte a tiempo al aeropuerto. Yo creo que has tenido suerte de que ese tipo te haya llevado a casa de Rilcki en vez de a otro lugar cualquiera. Espero que te sirva de escarmiento el susto que te has llevado.

—Pero él aparecerá, me seguirá...

—No aparecerá. Y si más tarde te sigue, es cosa tuya. Denúnciale a tu familia.

—No puedo porque...

—Buenas noches.

A las seis y media, cuando con tiempo de sobra salimos de casa para el aeropuerto, Anita no había regresado. La puerta de su alcoba seguía abierta de par en par. Me sentí muy inquieto. Y los temblores del muchachito que iba a mi lado me molestaban mucho. Me importaba muchísimo más Anita que él. «Veo que a usted le interesan todas las mujeres. Muchísimo.» Todas no. Solamente Anita. Es decir: Anita y otra persona. Rilcki se había dado cuenta.

No me había parado a afeitarme, y el joven Diego me contemplaba con una expresión entre aterrorizada y admirativa de la que pude darme cuenta en el espejo que servía de fondo al anaquel del bar del aeropuerto, donde tomábamos café. Mi aspecto con la sombra de la barba era poco tranquilizador. Me eché a reír y di una palmada en la espalda del chico.

—Otras cosas debían asustarte más que una barba sin afeitar. Si no eres valiente y no hablas con tu familia, o con uno de los curas de tu colegio, o con quien sea, te veo asesinado.

—Yo no voy al colegio. Parezco más joven de lo que soy. Tengo veintidós años.

—Es que si fueras más joven entonces sí que te acompañaría yo y sería yo quien hablase con ese padre tuyo que te inspira tanto terror. Quizá debiera hacerlo.

Esa idea le inspiraba más miedo aún que el pensamiento de que volviese Madeira a buscarlo. Me pareció que incluso esperaba y deseaba que Madeira volviese a «pedirle perdón». Me tranquilicé al decirme que era cierto aquello de los veintidós años: nos había enseñado su documentación.

—Rilcki estaba muy enfadado. Madeira tenía celos de Carlos, pero yo te juro que Carlos no tenía nada que ver. Carlos no se preocupó de mí en absoluto. Yo tampoco de él, te lo juro.

¡Qué tipo! Yo tenía ganas de vomitar. Estaba deseando que llamasen al pasaje del avión de Barcelona. «Me escapé por la ventana. No tuve ganas de cruzar por el interior de la casa. Carlos, Italo y sus amigos estaban en la biblioteca.» Comprendía que Anita se hubiese escapado de toda aquella compañía. Sobre todo si Madeira estaba con ellos. Pero Rilcki era un hombre tan extraordinario... Había conservado su calma, su amabilidad, en todo momento. Era un incidente debido a la droga ingerida por aquel tipo extraño.

Cuando llegué a casa, de vuelta del aeropuerto, allí estaban Soli y la asistenta y los perros y el calor y la vida. Pero Anita no había regresado. Me aseé y me volví a la cama pidiendo a Soli que me llamara cuando apareciese Anita. Me llamó en seguida, pero no a causa de esa llegada, sino porque Carlos estaba al teléfono para informarse de si todo había ido bien y el chico estaba ya fuera de Madrid. La voz de Carlos, tan sosegada, y su tono risueño me molestaron. Estaba yo irritable, descentrado. Y tenía ganas de saber si Zoila estaba tranquila, si había tenido miedo aquella noche, sola en su casa, mientras Carlos se había quedado con el loco furioso de Madeira en el chalet de Rilcki. Como no me pareció conveniente preguntar eso a Carlos, me desahogué comunicándole que Anita no había aparecido aún por casa.

—Bueno, saldría fuera de Madrid. Anita sabe muy bien lo que hace. No seas tan gallina clueca con Anita. Ya me he dado cuenta de que la vigilas. Asís lo ha notado también.

—¿Asís? ¿Tienes tanta confianza con Asís como para hablarle de esas cosas?

—Claro. ¿No te ha dicho Anita que nos conocemos desde niños, desde las etapas que pasamos de niños en Madrid? ¿Qué te pasa hoy, Martín?

Me sentí algo ridículo. Pero me faltaba Anita y el comentario con ella de los incidentes de la noche. Y había pensado demasiado en aquel pobre diablo y sus obsesiones por un sádico —le había tenido una tarde atado, según me dijo, para que no pudiese acudir a una reunión donde su familia le esperaba— medio loco, para que la desaparición de Anita no me tuviese inquieto también.

Soli, al verme pasear por el pasillo, se acercó a mí y me contó las novedades de su estancia en la casa del señor José.

—Y ¿sabes? Ha vuelto don Serafín, que es el doctor Tarro. Esta mañana iban a arreglarle el piso las hijas del señor José porque ha venido sin la gallega y sin la señora que sí que es su madre y también es su mujer. Dicen que se marcha en seguida otra vez.

Las historias de Tarro y sus idas y venidas me tenían sin cuidado. Yo quería saber dónde había estado Anita. Dónde estaba. ¿No habría ocurrido algún accidente?

No supe dónde había estado porque se negó firmemente a ser interrogada más allá de la vaga explicación que dio de haber pasado la noche en la Sierra con unos amigos. También había pasado la mañana allí, bañándose en la piscina; por eso se había quedado a comer. Lo había pasado muy bien. Eso era todo. No, no podía decirme quiénes eran sus amigos. Yo no los conocía. Tenía muy buen aspecto, los ojos más brillantes que nunca. Le conté lo que había ocurrido en la cena y no se impresionó en absoluto. No recordaba quién era el mestizo aquel llamado Madeira.

—Conocí a tanta gente de todas clases cuando vivía con Italo...

Luego pensó en aquel muchacho asustado que a mí me había fastidiado tanto y dijo que se alegraba mucho de que Rilcki siguiera siendo generoso y bueno con todo el mundo, como de costumbre.

—No toda la gente es así, Martín. Italo no había invitado a ese Diego, ¿no es verdad? No tenía por qué preocuparse de que volviera a su casa o se quedase en Madrid. Pero siempre hace esas cosas. Y tú también te has portado bien —concedió generosamente—, pero si tuviste el impulso de acompañarle a Barcelona debiste haber seguido ese impulso.

—¿Qué querías? ¿Que le denunciase a su padre?

—No. No sé. Eso no. Pero siempre se puede hacer por los otros más de lo que hacemos. Estoy casi segura de que en tu puesto el doctor Tarro le habría acompañado y habría buscado el medio de solucionar la situación. Es así, impulsivo. Mucho más que tú.

—¡No digas disparates! No sé qué tiene que ver Tarro con todo esto. ¿Por qué comparas conmigo a ese don Serafín? ¿Sabes que se llama Serafín?

Anita me miró risueña ante el tono ligeramente vengativo con que pronuncié el nombre.

—Sí, lo sé. Y me parece un nombre estupendo, aunque a él no le guste que se le llame así. Pero desde luego Tarro no tiene nada que ver con este asunto. Me parece que el calor nos está volviendo tontos a todos, ¿no? A ti, a mí, a todos. ¡Tenemos que marcharnos de vacaciones!

Y empezó a reír francamente. A reír, hasta que me hizo reír a mí también.

XIX

Se decidió en dos días. Carlos y Zoila nos invitaron a cenar en su terraza para enseñarnos la fotografía de dos casas nuevas, blanquísimas, una junto a la otra, unidas por el terreno que sería algún día un solo jardín. En las fotos se veían algunas plantas: geranios florecidos junto a la casa y luego caminillos de grava blanca entre arriates vacíos o de los que salía una planta espinosa y salvaje de tierras marinas y resecas. Delante de aquel jardín, la carretera; detrás de las casas, la arena de una playa solitaria.

—Están muy cerca del pueblo las casas, pero al mismo tiempo es como si estuvieran en el desierto. Son las primeras de una urbanización que se comienza ahora. Las estrenaremos. Tienen todas las comodidades. Se ocupa de ellas un amigo de Italo que es el dueño de la urbanización. Supongo que vosotros podéis alquilar una de ellas, ¿verdad? Hemos comprometido las dos. Los polacos, esos amigos de Anita, estarán encantados de solearse un poco.

El entusiasmo de Carlos se nos contagió. Anita empezó a enviar telegramas a Galicia y a París. El señor Corsi, por su parte, únicamente se comunicaba con nosotros por telegramas. Por ejemplo: «Marquesa juega fuerte estoy arruinado stop urge socorro stop abrazos Corsi». Enviamos el socorro por telégrafo.

Anita, después de los días en que prácticamente desapareció de casa, en que pasaba las noches con amigos desconocidos para mí (todos los conocidos comunes habían empezado su desfile hacia playas o montañas) y dormía toda la mañana (sin que por eso desaparecieran sus ojeras y su palidez, pero tampoco, a pesar de mis advertencias de que iba a enfermar, aquella irritante belleza que había florecido en ella con el calor veraniego) quedó como sonámbula, dejando que María y otra asistenta preparasen las maletas y comprasen a la niña el equipo de playa. Continuamente se oía en la gramola un disco impresionado por Zoila, y la cálida voz de mi amante parecía adormecer a Anita. «Sufro mucho tu ausencia, no te lo niego. Yo no puedo vivir, si a mi lado no estás...» Al grabar esa canción, Zoila había pensado en mí. Me ponía nervioso que Anita la hiciese suya. Y los telegramas iban y venían. Anita, con aquella languidez que le había entrado, tumbada en el sofá del cuarto de estar, me los dictaba a veces para que yo los transmitiese por teléfono.

—Anita, yo no sé bastante francés para dictar estos telegramas de París.

—No importa, Froilana se los traducirá a Jan y Hanka si los dictas en español. Viven muy cerca de ella.

Eran telegramas para los Piasecki: el estudiante de medicina y su mujer, la enfermera amiga de Anita, que seguía pagando con su trabajo los estudios del marido. «Son admirables. Te gustarán.» Los esperábamos para llevarlos con nosotros a la playa.

Una mañana, cuando se levantó Anita —siempre más tarde que los demás— encontró un montón de telegramas junto a su taza de desayuno. «Lee, Martín, por favor, anda.» Por las mañanas estaba más sonámbula Anita que el resto del día.

Aparté uno que venía en francés desde París. Me dediqué a los de Galicia. El señor Corsi se había desmandado: tres telegramas desde Pontevedra. Uno decía: «Marquesa vencida recuperado lo perdido abrazos Corsi». Anita se reía al oírme comentar que nos habíamos apresurado demasiado al enviar socorros. El otro telegrama no lo entendí. Lo estudié leyéndolo para mí, dos veces, antes de comentarle a Anita que Corsi hacía mal en mezclar tantos idiomas por telégrafo. Éste comenzaba en inglés.

—Es raro —Anita, con indiferencia, extendió mermelada en las tostadas de su desayuno—, papá no emplea el inglés nada más que cuando va a Inglaterra o a Estados Unidos, pero deletréalo, Martín.

El telegrama decía: «For you for ever stop incendio Miramar veinte».

Anita no dejó que terminase la lectura. Me arrebató el telegrama. Los ojos le chispearon de furia y se puso encarnada hasta las orejas. «¿No ves que este telegrama es para mí?» «Todos son para ti —dije a mi vez, furioso—, léelos tú.» Y continué con la voz cargada de sospechas: «¿Qué clave es la que emplea tu padre ahora? ¿Algún secreto del estado de Nguma?».

Anita, apaciguada, me envolvió en una mirada cariñosa y me retuvo cogiendo una de mis manos, cuando me levantaba para salir del comedor.

—Perdona, Martín, querido... Sí, perdona. No te vayas, lee el otro telegrama de papá, por favor.

Leí: «Enterado nueva dirección veraneo agradecido pronto socorro stop mucho cariño Corsi». El telegrama que Anita me quitó guardándolo en el bolsillo de su bata veraniega no iba firmado. ¿Querría decir algo ese detalle? Pero tenía que ser de Corsi. Venía de Pontevedra como los demás. Pienso que el calor debía de entontecerme y que ya entonces debí comprender. Comprendí más tarde, pero entonces no. El último telegrama, el de París, anunciaba la llegada, al día siguiente, de Hanka y Jan.

Hubo que poner baca al coche para las maletas. No todas. Parte del equipaje lo llevaba facturado Zoila con el suyo, en el tren. Carlos decidió de pronto que él iría en nuestro coche con la niña y Anita y los perros. A Hanka y a Jan los llevaban los mexicanos —tenían dos autos grandes mucho mejores que mi Citroen y uno de ellos era de Carlos, pero a Carlos le gustó aquella de escaparse con la familia—. Unos días más tarde llegarían a Málaga Zoila, una actriz amiga suya y el novio de la actriz. Zoila estaba agotada, dijo Carlos; necesitaba descanso y viajar cómodamente, en cama. Yo sabía que Zoila no estaba agotada. Había pasado con ella toda una tarde en que se quedó sola en su casa.

Fue un viaje caluroso, polvoriento. Carlos logró sacar a Anita de su ensimismamiento. Soli se portó bien. Los perros jadeaban y se precipitaban a beber agua en cada alto del camino. Llegamos de noche a las casas blancas, cuyo jardín de piedras, geranios, chumberas y pitas por la parte de detrás, sólo estaba separado de la arena de la playa solitaria por un pequeño muro de contención blanco. Salimos del coche para meternos en el mar Anita, Carlos, los perros y yo. Soli se quedó en la terraza, dormida en una tumbona.

Sale de los recuerdos olvidados aquel primer baño en la noche, en la solitaria playa. Nuestras risas, nuestras carreras después de salir del agua descansados del viaje y felices. Casi con la misma impresión de dicha y de compañerismo con que nos habíamos bañado así, de noche, en la época en que éramos chiquillos. Por unos momentos mágicos estuvimos los tres solos en el mundo: Carlos, Anita y yo. Por lo menos yo me sentía solo con ellos, sin que Zoila se interpusiera en mi pensamiento. A lo lejos veíamos las luces de Fuengirola; al otro lado, y también en el mar, otras luces lejanas; el brillo del cielo nos alumbraba casi como si se hubiera encendido para nosotros. Mi espíritu se expandía, sin atadura alguna; me sentía tan capaz de entregar mi amistad y con ella lo más puro, lo más generoso, lo mejor de mí a los dos hermanos, cuando volvíamos juntos hacia la casa, como si aún no la hubiese empañado ni el tiempo, ni el olvido ni otros sentimientos espinosos como zarzas.

Debo cerrar por un momento el cajón de imágenes olvidadas y seguir esa línea de mis recuerdos tal como se solidificaron en mí durante años, cuando traté de explicarme aquellas vacaciones. Quiero constatar más tarde qué novedad traen a mi memoria esas otras instantáneas vivas y desechadas de la memoria. En mi recuerdo fijo todas mis vacaciones fueron un puro y desordenado arder por Zoila. Una locura correspondida y alentada hasta el delirio, un fuego acrecentado por la indiferencia y el descuido absoluto de Carlos hacia su mujer. Mi corazón y mi cuerpo no tuvieron reposo. Zoila no me dejaba pensar. Entre la gente que nos rodeaba era como si estuviésemos solos en el mundo con nuestros encuentros secretos, increíblemente inadvertidos para los demás. Nos abrazábamos en las horas de la noche en que Zoila se las ingeniaba para hacer creer a los de mi casa que había salido con Carlos y sus amigos, mientras éstos creían que yo había ido con Anita y sus amigos, en los largos paseos nocturnos que daban por las playas. Me avisaba Zoila durante el día, cuándo debía ir a su cuarto, y yo pasaba las horas esperando el momento. Nos volvimos insaciables. Nos abrazábamos en cualquier instante de soledad que tuviésemos por peligroso que fuese hacerlo. En el cuarto de al lado, cuando Carlos tuvo fiebre y temblaba en su cama; en cualquier rincón si nos parecía propicio. A todas horas aprovechábamos la más mínima ocasión. Siempre ocurrieron estas cosas dentro de la casa de Zoila, porque a pesar de mis ensueños románticos de largos paseos y escapadas con ella, nunca consintió en esas «fantasías» del aire libre donde podían vernos, según ella, donde podíamos ofender a Carlos si nos veían. Sólo veo esa pasión correspondida por Zoila en mis recuerdos de esas vacaciones. Sólo esa herida por donde mi sangre quería escapar en busca de ella como única cura. Sólo esa obsesión de fundirnos uno con otro todos los días luminosos, todos los minutos de descanso, de luz y de sombra hasta que llegó el cenit, y un descenso en celos y recelos de ella, y por mi parte, de un juego en que Zoila no era la mujer única, increíble y perfecta y toda mía, sino que me ataba y desataba con ligaduras que no debían comprometerla a ella. Y al fin, el brusco tirón final de su escapada, en un vacío, en un dolor, en una vuelta a mi ser, a mi orgullo, mi dignidad, mi hombría para soportar mi propia fuerza moral tirando de las riendas de mi espíritu. Un pozo de agua helada al que me arrojé de cabeza y que apagó las llamas; un hierro candente para curar una llaga que se había enconado. Y, durante años, he sentido en el recuerdo una mezcla de disgusto y de inconfesable vanidad también por aquella locura luminosa y amarga de juventud desenfrenada. Y nada más. ¿Para qué más? Ésas fueron mis vacaciones. Y todo aquello fue. Lo viví en un disfrute que condensaba años en días y también en decepción. De esto he formado mi película, mi cuento, mi historia completa. De lo que acabo de narrar no hay apenas imágenes en los recuerdos olvidados. No necesito fijar en palabras esa historia ya fija, ese pasado cerrado en su marco, en su momento, en su pasado. No me emociona recordarlo. Nada nuevo me enseña. No me señala equivocaciones que yo no haya comprendido. Pero sobre ese fondo, sobre ese motivo, extiendo ahora las fotografías veladas o la secuencia de anécdotas que he rechazado por inverosímiles o por apaciguadoras, o porque me hacen verme con una inseguridad en que quizá mis impulsos, girando como un molinillo de papel a muchos aires, deshacen mi figura, la mueven y también, me la transforman. Sin comentarios y sin orden, tal como vayan apareciendo, pienso y anoto ahora todo ese material desechado del recuerdo.

«Por los campos de mi Andalucía, los campanilleros en la madrugá. Me despiertan con sus campanillas y con sus guitarras me hacen llorar...»

Trini canta. Trini es una de las dos muchachas jóvenes que vienen a servirnos. Llegan muy temprano desde el pueblo. La otra se llama Carmela. Llegan temprano antes que el calor haga fatigoso el recorrido de los dos o tres kilómetros, y se van de noche. A veces, cuando una de ellas tiene el día libre, la que viene se queda a dormir. Las dos chicas son bonitas, graciosas, llevan jazmines en el pelo, siempre bien recogido, esos jazmines que huelen aquí tan intensamente. Trini es la que canta mejor y la más bonita. Me gusta despertarme oyéndola cantar. Está baldeando la terraza trasera, que se une a la de casa de Carlos y donde tenemos dos mesas y sillas de jardín y donde cenamos siempre y a veces hasta comemos a mediodía bajo el largo sombrajo de hojas de palma que nos protege del sol de justicia, frente al mar. Yo también tengo un sombrajo sobre mi cabeza y noto los ardiente lunares del sol que se filtran por el entretejido de las palmas. Estoy sudando. Me da pereza abrir los ojos. «Me despiertan con sus campanillas...» Esta canción cruza como una línea nostálgica por el ambiente de aquel verano. Nunca he podido oírla sin recordar el azul, la arena, el sol y el olor a jazmines.

En la casa de al lado, en vez de sirvientas, tienen dos muchachillos jóvenes, afeminados y graciosos que son sirvientes magníficos. También cantan a veces aunque no con ese irresistible gusto de Trini por el canto. Hanka dice, con su hablar pausado, que Trini es inconsiderada con el sueño mañanero de Anita cuando canta mientras limpia la casa. Pero Anita no dice nada. Ni se entera. Y a mí ese canto me va llenando el alma como agua que cae lentamente, agua de alegría y de ensueño.

A un extremo de la casa, al terminar la terraza que da a la playa, hay una escalera exterior que lleva a un terradillo abierto pero también protegido por el armazón de un sombrajo de hojas de palma. He subido un colchón al terradillo esta noche para dormir allí, al aire libre, sin más ropa que los calzones de baño. He pedido a Zoila que suba a esa terracilla. Me hubiera gustado tenerla allí, con la luz de las estrellas. Las estrellas son tantas, con tal brillo, que parecen rodearle a uno por completo: se ven entre las rendijas del sombrajo, se ven a los lados, llegan hasta los ojos, acarician la cara con la brisa templada. Pero Zoila no ha venido.

Al despertar en un mundo azul y blanco veo la terraza sembrada de colchones inflables que hemos creído necesarios en nuestro equipaje, para el mar. Anoche, cuando subí la escalera, me siguió Anita y dio un grito de entusiasmo. Se vino con Hanka y Jan y también con Soli. El matrimonio polaco puso su colchón algo más lejos, pero Anita arrimó el suyo al mío para tenderse con la niña. No sé qué hora sería cuando decidieron bajar los otros a sus alcobas. Sé que Anita estuvo mucho rato despierta junto a mí y que se me fue pasando el fastidio de aquella intrusión en mis dominios, y que en un momento determinado ella se quedó dormida, su mejilla junto a mi hombro y me gustó sentirla allí a mi lado. Yo, despierto; ella, dormida. Más tarde desperté yo cuando la niña y ella se marchaban y el matrimonio seguía pacíficamente dormido en su rincón. Quizás Hanka y Jan no hubieran bajado a su alcoba. Es posible que se hubiesen despertado en su colchón inflable, levantándose entonces para dar un paseo como todos los días al alba.

Trini reanuda su canción, siempre la misma por la mañana. «Me despiertan con sus campanillas...» La oigo luego hablar y reírse y dar un beso sonoro a Soli, que la sigue por donde ella va. Me desperezo y siento un vacío a mi lado, el vacío de un cuerpo querido que no es el de Zoila. «Y con sus guitarras, y con sus guitarras me hacen llorar...»

Hemos ido todos, en tres coches, a las cuevas de los gitanos. Nos llevaron unos amigos de Carlos, andaluces, y los mexicanos. Soli se ha quedado con Carmela esta noche y los demás hemos visto flamenco auténtico. Anita me dice que envidia la gracia de esas mujeres gitanas, sobre todo las más viejas. Anita, los Piasecki y yo volvemos antes que los de la otra casa. Zoila ha bebido demasiado y ha coqueteado mucho con Carlos. La señora Piasecki me dice en su francés, lento y comprensible para mí, cosas que nada me interesan mientras conduzco. Me dice que todo lo de aquí es fascinante, pero muy salvaje: el baile debe tener un ritmo preciso, casi matemático, y ese baile no lo tiene según ella. Su marido acerca la cabeza y la besa, y niega que este país sea salvaje. Anita y yo nos quedamos un rato charlando en la terraza de atrás. Luego Anita me propone dar un paseo. Lo damos por la playa y la luna nos acompaña y nos tranquiliza, y es Anita la que me dice que sólo conmigo se siente ella misma, sólo conmigo acompañada. Que sólo se siente segura cuando piensa que soy de la familia y siempre estaré a su lado.

Estoy nadando junto a Carlos en la primera hora, antes del desayuno. Nos hemos encontrado en la terraza. Me dice que el calor no le ha dejado dormir. Carlos se cansa, sale y se tumba en la arena. Me acerco a su lado, me echo de espaldas al sol junto a mi amigo. Se han ido hace unos días la actriz amiga de Zoila y su novio, y Carlos ha salido todas estas noches con los amigos sin llevarse a Zoila. A pesar del baño hay huellas de cansancio en su cara. Me dice: «He tenido un sueño. Una pesadilla de muerte. Estaba solo. Absolutamente solo en un desierto». En el brillo de la arena herida por el sol bailan partículas ante mis ojos. Mi amigo se ha incorporado un poco apoyándose en un brazo, para hablarme. No sé por qué recuerdo una estatua de gladiador vencido. Siento una gran opresión. Yo no puedo luchar con él más que frente a frente. Le digo que si no cree que abandona demasiado a Zoila, que si sentiría ese vacío del sueño si ella se marchase, si prefiriese a otro hombre que la protegiese más contra otros hombres, contra ese mismo Díaz... Carlos es cariñoso, amable con Zoila, pero ella es mujer de mucho temperamento. No puede estar tan sola. Carlos me sonríe.

—Martín, no seas inocente. Zoila tiene la libertad que quiere. Yo también. Probablemente nuestro matrimonio se deshará pronto. Durará lo que sea necesario. ¿Díaz? No, Díaz no persigue a Zoila más de lo que ella quiere que la persiga. Ya sabes lo de la niña. ¿No sabes? No es ningún secreto. Al casarnos legitimé a una hija de Zoila. No, no es mía. Yo no conocía a Zoila cuando esa niña nació. No hubo engaño alguno. Esa niña que tiene ahora tres años es lo que une más a Zoila con Díaz. Zoila dice que es hija de Díaz, y yo lo creo, pero ha habido mucha gente empeñada en que Díaz se convenza de que eso es mentira. Díaz está casado hace muchos años con una mujer a la que, a su manera, quiere y respeta mucho. No ha tenido hijos de su matrimonio ni con ninguna de sus muchas amantes (porque es hombre desatado en cuanto a mujeres); con ninguna logró tener hijos. Solamente esa niña. La mujer de Díaz siempre ha preferido ignorar las historias de faldas del marido, pero se inquietó con la historia de la niña y del interés de su marido por esa criatura y de la dote espléndida con que, dentro de lo posible, ha asegurado el porvenir de la chiquilla. Zoila estaba en un momento malo cuando yo la conocí y Díaz también. En gran parte nos casamos por eso. Díaz es un gran amigo y estaba conforme. La niña tiene nombre, y padre legítimo, y Zoila se vino lejos, una temporada, hasta que esas cosas de antes se olviden un poco. Cuando nos divorciemos no habrá pena por ninguna de las dos partes. ¿Tú entiendes? No hay problemas, Martín —Carlos sonrió de nuevo con cansancio—. Si tú, por ejemplo, quieres casarte con Zoila y ella quiere también, nuestra amistad no sufriría por eso. Y vamos a dejarlo. ¿Sabes que tengo frío? Oye, estoy tiritando. No es nada. Es la fiebre. Se me pasará. Ya me estoy curando de esos ataques de fiebre. Casi nunca los tengo ahora. Ayúdame a ir a casa. Van a creer que estoy borracho. No, no hace falta médico. He traído los medicamentos. Los chicos saben, tienen el tratamiento... No es nada. Pero, Martín, te digo que... preferiría que fueses mi hermano. Anita vale más. No sé lo que digo. ¿Por qué diablos estoy hablando de Anita?

Carlos está ya bueno. Se ha recuperado. Ríe como un salvaje. Quiere compensar el tiempo perdido en su enfermedad.

Ha salido en coche con Anita esta mañana, los dos solos. Por la tarde me doy cuenta de que Carlos ha vuelto, pero Anita no está. Los Piasecki hablan conmigo, despacio. Habla ella: cuenta su vida de París, su trabajo. Se levantan los dos a las cinco, en invierno. Jan trabaja mucho. Pronto se licenciará. El profesor dice que es excepcional, un ayudante de laboratorio como no hay otro. Y ella, Hanka —dice Jan—, está sacrificando su talento en el empeño, pero la compensará más tarde. Ella continuará sus estudios y su investigación cuando Jan pueda costeárselos. Al parecer, la cree una madame Curie. Son dos seres honestísimos, unidísimos. Ella me produce a mí un invencible sopor, pero él es más simpático y más guapo y tiene una mirada inteligente que se le enciende cuando habla de su trabajo. Siento deseos yo mismo de entregarme a una tarea. De hacer algo. Tengo que hacer algo. Estoy de vacaciones. Deseo intensamente, por un minuto, que se acaben las vacaciones. Anita, según Hanka, es igual que ella: para un hombre de ciencia sería la compañera ideal. Voy a protestar, pero no me entenderían. Mi francés es demasiado malo. Anita es la perezosa más grande que he conocido en mi vida —pienso—, pero por fortuna no se parece a Hanka en otras cosas tampoco. Pero está empeñado el matrimonio este, como doña Froilana, en que Anita vale mucho intelectualmente. Jan también la considera inteligente.

Y Anita no está. Carlos aparece y le pregunto por ella. Dice que la ha llevado a Málaga porque ella tenía que ver a unos amigos.

—Pero bueno —digo yo—, ¿cuándo vuelve? Mañana tiene que estar aquí para despedir a Jan y Hanka.

—¡Oh, no! —protesta Hanka—. Nosotros sabíamos que tenía que irse hoy. Ya nos hemos despedido.

—Pero... ¿quién la esperaba en Málaga? ¿Por qué ha hecho eso?

Jan y Hanka se callan. Se miran uno a otro como escandalizados de mis preguntas. Carlos se ríe. Aparece Zoila y me mira. La conversación se cambia. Ya no hablamos de Anita. Zoila afirma que no saldrá esta noche, que está cansada... Carlos se ha vuelto incansable desde que se ha puesto bueno. Los Piasecki nos miran con esperanza de que los llevemos a alguna parte. Un rato más tarde descubro que Jan tiene carnet internacional de conducir y les dejo el coche para que el matrimonio se pasee solo. Por el momento no pienso más en Anita. Estoy demasiado ocupado.

La juerga. ¿Cuándo vi aquella juerga? Lo olvidé. Pero aquí están las imágenes. Carlos y yo fuimos a despedir al matrimonio polaco, que tomó el tren en Málaga. Carlos no quiso volver a casa. Vendrían los demás a reunirse con nosotros. Vinieron sus amigos. Zoila, no. Nos reunimos después con otros muchachos malagueños, con otros más entre los que había alguno de Madrid. Estuvimos recorriendo muchísimos sitios. Yo no sé dónde estuvimos. Veo un «tablao» y «bailaores y bailaoras». En otro lugar, alguien canta muy triste cante «jondo». Veo caras como nubladas entre la risa y los deseos. Llevo bajo el brazo una caja de medias de nailon americanas legítimas, que he comprado para una «bailaora». Carlos se ríe a mi lado, me echa el brazo por el hombro y dice que nada de «bailaoras». Esto lo recuerdo. Lo demás es confuso. Tengo una curda imponente. Canto en valenciano. Recuerdo mi voz cantando. Me corean voces masculinas. Ya no me acuerdo de cómo se escribe el valenciano, en realidad nunca supe escribirlo. Ni siquiera recordaba la canción. Aquí está: mucho me temo que con mala ortografía. «*Per això te vull, perquè ets forastero y m'as pegat l'ull...*» Mi último recuerdo hasta el despertar en una alcoba desconocida y revuelta, es el de mi canción coreada. Me duele la cabeza. Estoy atravesado en la cama y la cabeza cuelga. Veo el suelo de ladrillos brillantes, un suelo que parece que respira y se levanta hacia mí. Debajo de la cama encuentro la caja de medias de nailon, americanas, legítimas, que no he regalado a nadie. Vuelvo a casa con la caja de medias. Anita no está. Sonrío a Zoila bobamente cuando la encuentro en el porche. Zoila, en traje de baño —aunque no se mete nunca en el mar, porque le da miedo, o le estropea la piel, o el cabello, o no sé por qué—, se está puliendo las uñas. Me acerco a ella y me mira con enfado.

—Podía esperarte —me dice muy de prisa—, y no te acerques; hasta que no te afeites y te bañes no te acerques a mí. Y después, veremos. Conmigo no se juega. ¿Entiendes?

Está enfadada. Su enfado dura todo el día. Para reconciliarse conmigo me exige que le cuente con quién he estado, qué es lo que he hecho. Y yo no puedo decírselo. No lo recuerdo. Ni siquiera en el fondo de los recuerdos olvidados puedo encontrar recuerdo alguno desde la canción valenciana. Le juro que yo, antes de este incidente, no creí posible que una borrachera pudiese producir amnesia. Pero que ahora lo creo. Le juro que nunca más volveré a salir con Carlos y la «panda de sinvergüenzas de sus amigos» si no va ella. Zoila, antes de perdonarme, me hace una escena de lágrimas.

Anita no está. No le perdono a Anita que no me haya dicho que pensaba marcharse. Siento una gran tristeza por la tarde cuando me llevo a Soli a la playa y la ayudo a construir un castillo de arena. Soli charla, está adquiriendo acento andaluz de tanto charlar con Trini y con Carmela. Me cuenta que Trini tiene un niño y que lo trajo un día para jugar con ella. Es un niño pequeño, pero no un bebé, sabe andar y hablar y obedece a Soli en todo. Cuando se enfada dice: «Ya no me ajunto contigo, ¡ea!». Y Soli lo dice también.

—Trini es soltera, pero tiene un niño porque las mujeres pueden tener niños aunque sean solteras. Los hombres no. ¿Tú sabes cómo vienen los niños?

Una pregunta clásica a la que contesto con fastidio que sí que lo sé. Estoy pensando en Anita. Hago a mi vez la pregunta que no me atrevo a hacer delante de Zoila. Soli, que lo sabe todo, ¿sabe dónde está Anita?

—Está en Málaga con su novio. Y si sabes lo de los niños, pues eso es un pecado muy grande.

—No digas sandeces de pecados y no digas tonterías de un novio de Anita. Me disgusta que digas eso. Sabes muy bien que Anita no tiene novio.

—Sí tiene. Es el doctor Tarro. Y yo también tengo novio. ¿Sabes quién es mi novio?

Veo la cara de Soli, sus cabellos cortos, su aspecto de sirenilla del mar, sus ojos brillantes y su risa.

—Mi novio eres tú, tonto. Tú eres el más guapo de todos. Dice Trini que eres el más guapo. Más guapo que Carlos. Dice que tienes más salero y más «aquel». Por eso eres mi novio.

Los de la casa de al lado han salido todos. Zoila y la inglesa, que ha venido con su marido, también han acompañado a la panda masculina. Zoila me pidió que no aceptase si me invitaban. Dice que se puede notar lo nuestro y delante de algunas personas no le gusta que se vea.

Cae la tarde. Nuestra casa está iluminada. Trini plancha en la cocina con la ventana abierta. Es muy bonita Trini. Me gusta ver a las mujeres trajinando rodeadas de ropa limpia. Las mujeres que cosen, las mujeres que planchan me dan una impresión de paz, de vida quieta y tranquila, siento que me protegen contra la melancolía y las pasiones. La tristeza de las barcazas que vuelven por la tarde con las velas arriadas queda atrás. Voy a buscar la caja de medias, que sigue intacta en un cajón de la alcoba que tan pocas veces utilizo para dormir, y le digo a Trini que le quiero hacer un regalo. Se sofoca, se niega a aceptarlo, se ríe. Al fin acepta, ve que yo lo hago por bondad pura, «porque soy así». Y me da las gracias. Y se entusiasma. Luego: «Señorito, por Dios, esto tiene que haberle costado un disparate...».

«Anita, tengo que hablar contigo.» «¿Sí, Martín? ¡Qué alegría! Ya no hablas nunca conmigo.» Yo le iba a decir lo mismo y me quedo cortado. Anita ha regresado anoche y esta mañana, para mi desconcierto, cuando salgo a la terraza de los sombrajos veo que llega de la playa, el cabello mojado, los ojos sonrientes y luminosos. Se sienta a desayunar frente a mí en traje de baño. No sé qué me pasa. Nunca me he fijado tanto en los cuerpos de las mujeres como ahora. El cuerpo de Anita me parece precioso. Carmela coloca sobre la mesa unos lebrillos llenos de fruta. Me da alegría verla comer la fruta. «Anita está en Málaga con su novio.» No puedo soportar la idea de que ningún hombre se atreva a poner una mano sobre el cuerpo de Anita. Es una idea que me parece inconcebible, un sacrilegio nada menos. Con asombro oigo mi voz que pregunta:

—¿Cómo está el doctor Tarro, Anita?

Podía haberse echado a reír. Pero no se ríe. Se atraganta con la ciruela que está comiendo. Se pone roja. Al fin suspira de alivio. Retira la fruta y se acerca la tetera y las tostadas.

—El doctor Tarro, bien —me mira retadora—. Supongo que está en Galicia con su madre.

¿Por qué siento tanta rabia?

—Con su madre o con su mujer. Hay quien dice que esa señora misteriosa con la que vive es su mujer.

—Eso —dice Anita seriamente— es mentira.

¿Por qué le importa tanto el doctor Tarro a Anita? Ella me contesta que es a mí a quien me importa. ¿Por qué me importa a mí? Pero ya que hablamos de eso, el doctor Tarro para Anita es el hombre más extraordinario que ha conocido.

—No me vas a decir que te parece atractivo, ¿verdad?

—Claro que es atractivo. Más de una mujer se ha enamorado de él hasta perder la cabeza, hasta dejar su casa y seguirle a donde sea.

—Eso es lo que cuenta Tarro, no la realidad; la realidad es que es viejo y gordo y miente mucho. Que confiese, Anita, la verdad. ¿No hemos pillado a Tarro mil veces diciendo mentiras?

—¿Quién? ¿Tarro?

Zoila acaba de aparecer. Entra en nuestra conversación, nos quita nuestra intimidad. Es la que ha hecho esas preguntas y continúa:

—Tarro no es viejo. Un muchacho que no llega a los cuarenta y es muy buen gallo, ya lo creo. Pero no les gusta a los hombres, nos gusta a las mujeres. Si yo no estuviese casada, me lo conquistaba.

Habla en broma, claro, pero siento que me pongo pálido. Es ridículo lo que me sucede. Zoila empieza a jugar conmigo y con mi irritación, que le divierte, y Anita se escapa de la mesa del desayuno sin decirme con quién ha estado en Málaga.

Después de la siesta, salgo de mi cuarto y encuentro a Carlos, que está en mi casa. Se ha instalado en la sala grande al fresco y en la penumbra de las persianas entornadas y está escribiendo algo. Me sonríe. Le sonrío. Se despereza como relajándose después de una tarea penosa.

—Chico, qué cosas. ¿Cómo dirías tú de la manera más corta «estoy cansado»?

—«¿De la manera más corta?» ¿Para un telegrama dices? No se me ocurre nada. Bueno, pues eso: estoy cansado.

—Vaya, menos mal, creí que me había vuelto idiota. ¿Vienes a Málaga? Tengo que poner un cable... ¿No? ¿Te da pereza? Bueno. Oye, Martín: no lo tomes a mal, es por curiosidad. ¿Qué pasa entre tú y esa muchacha, Trini? Zoila nos ha llenado la cabeza hoy con acusaciones de que te persigue Trini, de que tú persigues a Trini, de que es una sinvergüenza, de que Anita tenía que despedir a esa chica, de que gastas el dinero en comprarle cosas a la criada... Bueno, chico: veo que no sabes nada del asunto. Zoila se siente puritana a veces. Y aprovecha, hablando de tu generosidad para Trini, para decirme que debo comprarle algo a ella: una sortija con una aguamarina rodeada de «brillantitos» que se le ha antojado. La vio en Málaga. Le he dicho que se la compre ella. Estamos casados con separación absoluta de bienes. Las mujeres son incomprensibles a veces, ¿no es cierto? Creo que les da envidia si alguien regala algo a otra mujer. Bueno, al menos a Zoila le ocurre eso. Así que no hay nada: ni te has desmandado con el servicio ni hay malos ejemplos para la niña Soli, ni nada de nada, ¿verdad? Bueno, hombre, a mí me daría lo mismo. Te pregunto por preguntar.

Me quedo solo en la gran habitación cuando Carlos se marcha. Sin darme cuenta de lo que hago, estiro una cuartilla arrugada que ha quedado sobre el escritorio. Sonrío porque allí veo el fruto del trabajo para resumir un telegrama. «Estoy cansado. Necesario vengas.» Y en líneas sucesivas, ordenadamente: «Estoy cansado ya. Harto de todo, necesario estés aquí, necesario vengas». En la penúltima línea subrayada sólo una palabra: «Ven». Y debajo, como rindiéndose a la buena educación, el texto que quizá sea definitivo: «Ven por favor».

Quedo pensativo un instante con el papel en la mano. ¿A quién llama Carlos? ¿Qué nuevo personaje aparecerá entre los muchos que llegan y se van de la casa de al lado?

Me doy cuenta de mi indiscreción. Rompo la cuartilla en pedazos menudos y mi pensamiento va hacia Zoila y sus enfados y mi rabia de que esté calumniando a esa pobre muchacha, Trini, que no hace más que alegrar nuestra vida con su canto de pájaro mañanero y servirnos. ¿Qué clase de mujer es Zoila? Ella, por su parte, no hace más que amargarme la vida nombrando a Tarro. He terminado por no poder tener una sola conversación con Zoila sin hablar agriamente de Tarro, que estará bien ajeno a eso, por cierto, dondequiera que esté. Y mientras más lejos esté, mejor. Zoila me mortifica con sus celos absurdos de Trini, cuando sabe que me sería imposible pensar en otra mujer que no fuese ella. Imposible.

En Málaga con Zoila. Un día de terral. Un día de calor espantoso. Sé que le compré la sortija. Eso no pertenece al recuerdo olvidado porque la sortija «que no valía nada», para mí era mucho. Mis reservas económicas se estaban agotando. Y tenía que tirar hasta enero. Lo que surge del recuerdo olvidado es esta palabra: «Miramar». Dice Zoila que debemos comer en ese hotel. Es el mejor, y con este día de calor sólo allí, con los techos altos y los suelos de mármol, podemos tener algo de fresco. A Zoila le gustan los hoteles «más modernos», pero ése es agradable. Siempre que vienen ingleses van Carlos y ella allí, con los ingleses, aunque sea para tomar un refresco. A los ingleses les gusta mucho ese hotel. Miramar. «Incendio Miramar, veinte.» ¿Qué día trajo Carlos a Anita a Málaga? ¿El veinte? El telegrama de Galicia. «Anita está en Málaga con su novio.» «Su novio es el doctor Tarro.»

Se van. Los de la casa de al lado se van. Zoila lo sabía y no me lo ha dicho. He pasado la tarde con Anita y con Zoila y con el matrimonio inglés —los huéspedes de Carlos— en el pueblo. Hemos pedido mariscos en un pequeño bar de la Plaza y el alcalde, quien no sé por qué conoce a Anita, ha venido a sentarse con nosotros y nos cuenta algo de los planes de urbanización de chalets para veraneo, que se están proyectando. Es un hombre muy cordial y a pesar de nuestras protestas nos invita a todos. Los jazmines del pueblo huelen por la tarde. Creo que esta noche podremos hablar un rato a solas Zoila y yo. El matrimonio inglés es agradable. Tienen los dos unas caras muy parecidas. Parecen dos caballos gemelos, pero son muy agradables verdaderamente. Anita dice que durante la guerra, Mary, la señora, recibió una medalla por su valor. Perteneció al Cuerpo Auxiliar femenino del ejército. Es una señora que ya no es joven, tiene por lo menos treinta años. No. Tiene que tener más de treinta años. Carlos me dijo un día que Zoila tenía treinta años, cosa imposible de creer, pero cuando Carlos lo dice será cierto. En ese caso esta señora es mayor que Zoila, tiene más de treinta años. Ahora me dice en español que al día siguiente ella y su marido se trasladarán al hotel Miramar, en Málaga, para pasar allí unos días, pero no me dice que los otros se van. Quizá da por supuesto que yo lo sé. Además, esa palabra «Miramar» me hace daño cuando miro a Anita. Más daño cuando Anita afirma con expresión que se antoja soñadora: «Es el hotel más encantador que conozco». ¿De qué lo conoce? Anita es la juventud, la pureza, el amor. Pienso la palabra amor. Estoy loco. ¿Anita y Tarro? Un disparate. Es como si me estuvieran machacando el pecho con una piedra llena de aristas.

—Me gustaría saber qué piensa el doctor Tarro de ese hotel.

Lo digo sin creer yo mismo que me hayan salido esas palabras. Anita no se inmuta. Está fumando ahora, tan tranquila. Y no rehúye la contestación. Me mira y me contesta que cree que el doctor Tarro, aunque conoce medio mundo, opina lo mismo que ella del hotel Miramar. No sé cómo se puede sufrir tanto por nada. Nos vamos. Zoila se sienta a mi lado en el coche. Su mano me hace una caricia discreta. Es como si quisiera que recordase que está ella allí. Siento un alivio infinito. Esta noche, pienso, voy a olvidar al maldito doctor ese. Esta noche.

Por la noche, a la hora de la cena, Carlos lo dice. Anita tampoco sabía nada. Está sorprendida. Sí, ha llegado un cable de Rilcki, los espera en París. Hay que trabajar de nuevo. Se van.

—Bueno, hermanita, nos veremos pronto. Froilana se casa al fin. Supongo que tú, Martín, irás también a París. Va a resultar algo notable la boda.

Esta noche Zoila canta en la sobremesa. Para variar canta una canción española. Aunque no lo dice —naturalmente— sé que me la dedica. Yo no la miro. Estoy frente al mar. La luz de nuestra casa ilumina un trozo de playa. En unas dunas cercanas crece una fila de pitas y dos de ellas, muy grandes, han florecido. De su centro salen largas varas, casi dos árboles, de flores amarillas. «Dicen que nada cuesta la despedida —canta Zoila—, dile a quien te lo ha dicho, morena mía, que te despida.»

No siento nada. No estoy para canciones. Quien inesperadamente se emociona un poco es Anita. Se acerca a Zoila, pone su cara junto a la melena pálida y sedosa de Zoila y luego le da un beso. ¿Se ha despedido Anita del doctor Tarro en Miramar? Ojalá. Fin. No puedo creer en ese asunto. Pero creo.

Nos acostamos todos pronto porque los otros se van aprovechando el fresco del amanecer. No hay esta noche nada que me haga olvidar ese obsesivo tormento que me produce imaginar a Anita junto al doctor Tarro. ¿Y Zoila? Prefiero no pensar en Zoila. ¿Es posible que todo lo que hemos vivido juntos sea una burla? Hasta última hora me ha dicho que quería a Carlos. Llegó a decirme que tenían una hija. Y que la niña se parecía a Carlos. Si no fuese por eso, se divorciaría, se casaría conmigo. ¿Por qué a mí no me molestaron esas mentiras? En el fondo yo había sentido alivio de no tener que pensar en cargar con Zoila toda la vida. Lo de Anita es distinto; ha destruido en mí la imagen de la hermana, de la juventud intocable y pura. Siento un vacío de muerte. Como Carlos en aquel sueño.

Nada de eso quedó en mi recuerdo. En mi recuerdo sólo está mi pena por la marcha brusca y sin despedida de Zoila. La otra pena fue desechada al cajón del olvido en mi memoria. Y ahora aparece. Y vive.

Nos vamos. Durante dos días nos hemos quedado descansando Anita, la niña y yo. Pero nos vamos. Soli entrará en su colegido a mitad de setiembre. Falta muy poco para eso. Y en seguida los Corsi harán su viaje a París. Yo no iré a París. Le he escrito a Asís y ha contestado que me espera. Tenemos trabajo juntos. Necesito trabajar. Las vacaciones se acabaron.

Aún no ha amanecido. Sólo se presiente la luz del día en el horizonte y ya estoy dispuesto, vestido, afeitado, de pie en la terraza que da a la playa. No sé si he soñado lo de anoche. No, no he soñado. Nos despedimos para acostarnos pronto, pero no pude dormir y me fui a la playa a bañarme. La noche empezaba a ponerse clara con la luna tardía. Me detuve a la sombra de las piteras y vi pasar a Anita, cerca de mí y sin verme, hacia el mar. La dejé ir sola, como sin duda quería ella, y al cabo de un rato me alejé y entré en el agua muy apartado. No podía verme, no sabía que yo estaba allí. Yo, en cambio, en el rielar de la luna adivinaba su cabeza, el movimiento de sus brazos al nadar. Siempre se nos ocurría hacer las mismas cosas a ella y a mí. Esperé a que saliese del agua para salir yo. Esperé a que entrase en la casa para entrar yo.

Ahora el mar tiene un tono completamente rosa. Es increíble. Más increíble aún es que ya esté Anita dispuesta, vestida, y a mi lado, contemplando el mar rosa y las piteras con sus dos árboles de flores amarillas.

—Se llaman alzabarones esas flores —me dice—, no sé quién me contó que tardan años en florecer. De pronto salen, así, como árboles. Pero la planta sólo florece una vez. Florece y muere.

Nos vamos. De pronto estamos contentos de irnos. Hasta los perros están contentos. Los perros y Soli, que tiene muchas ganas —dice— de ver a su papá y de conocer a las monjas y el colegio. Los perros y la niña van detrás y Anita a mi lado, en el coche. Soli canta con música de una vieja canción de la guerra civil.

—Adiós, casita querida, ya no te volveré a ver, a ver...

Nos reímos. Por el aire fresco que nos estimula, porque nos vamos juntos... No sé por qué. Pero nos reímos. Las casitas blancas que se quedan no despiertan nuestra nostalgia. No pensamos si las volveremos a ver o no. No nos importa.

Pero no las volvimos a ver. Al menos yo. Han desaparecido tragadas por las grandes urbanizaciones de la Costa del Sol. Hace unos años hice un viaje por esa costa y al pasar Fuengirola pensé en aquellos chalets, y fui despacio, fijándome. No los vi. Todo estaba edificado. No sé si los chalets fueron derruidos. O no pude verlos entre tanta edificación. Desaparecieron para mí aquella mañana en que ahora, para mi asombro, recuerdo que nos íbamos carretera adelante, tan contentos.

XX

Encontramos un Madrid sucio, polvoriento; una ciudad cansada después del verano más terrible que se había conocido en mucho tiempo, una ciudad aún jadeante de sed, convaleciente de enfermedades, de asfaltos reblandecidos y azoteas agrietadas por el sol implacable, pero ya activa, con noches en que la población entera parecía estar en la calle como celebrando la fiesta de las primeras brisas que la levantaban de su desmayo. En la radiogramola de nuestra casa cantaba la voz de Zoila: «Madrid, Madrid, Madrid... En México se piensa mucho en ti, por el sabor que tienen tus verbenas...». La época de las verbenas había pasado. Yo llegué a Madrid obsesionado por el trabajo y llamé a Asís, a quien encontré lleno de cordialidad. «Por favor, chico, llama a Jiménez Din, quiere verte antes de que nos reunamos los tres.» Cuando colgué el teléfono después de hablar con Asís, marqué con decisión el número del maestro y me respondió la voz de su mujer y, como en otros tiempos, me dijo cuánta alegría iba a tener Alfredo al oírme. «Hijo —me dijo don Alfredo—, me agrada mucho ese amigo tuyo Asís Alvarado. Me parece muy bien encaminado en sus proyectos y yo tengo necesidad de verte. ¿Qué te parece si vienes mañana? Ven pronto, no más tarde de las once. Sabes que comemos temprano. Espero que te quedes a comer con nosotros. Rosalía está deseando hacer el postre ese que tanto te gusta. Pero antes quiero que hablemos tú y yo.»

Anita, la niña y yo, habíamos llegado frescos, descansados y morenos de la playa, pero encontramos al señor Corsi, que ya llevaba días esperándonos, hecho un manojo de nervios según la expresión de su hija. Poco a poco sus nervios empezaron a contagiársenos a todos. Don Carolo estaba excitadísimo con el asunto de la boda de su prima Froilana, «ese Dupont o Landrú o lo que sea», decía. Y los trajes. Se había encargado trajes. «Papá, ¿para qué necesitas tú un equipo de novio? No eres tú quien se casa.» «¿Por qué no? —fue la sorprendente respuesta—. Estoy en lo mejor de la vida. No permito esas sonrisas de superioridad. Ese sastre se está estrellando conmigo. En la última prueba...»

—Papá, ¿qué es lo que te pone tan nervioso? ¿La boda de Froilana, o que Peggy haya escrito que también quiere asistir a esa boda y la encontraremos en París?

—¿Yo nervioso? Vamos *figliola,* nada de burlas. Tú sí que estás desconocida, descastada, ausente... ¿Qué os pasa a Martín y a ti? ¿Habéis reñido este verano? ¿Por qué no quiere «éste» ir a París con nosotros? Y a ese hombre, el de la capa, el papá de nuestra Soli, ¿por qué no le atendéis? No ha hecho otra cosa que llamar y llamar por teléfono. Entendí que quería ir a la boda también, pero parece que quiere llevarse a la niña no sé adónde... ¿Nervioso yo? Esta juventud de hoy no tiene educación. No comprendo.

La primera en contagiarse del estado de inquietud de don Carolo fue Soli. Ella era la que ponía los discos de Zoila en la gramola y bailaba y enredaba sin ton ni son. La tropezábamos en todas partes. El señor Pérez —según versión de Anita— había llamado para ponerse de acuerdo con nosotros en algo rarísimo: algo referente a unas sábanas que teníamos que darle. Para entonces, aquella enfermedad del nerviosismo se hacía patente en Anita también. Anita no quería acompañar a su padre al sastre. Ni intervenía para aliviarle de mil pequeños trabajos que le ocupaban con el traslado del consulado. Anita estaba pendiente del correo, Anita corría al teléfono en cuanto sonaba. Se llevaba a su cuarto el teléfono portátil por las noches. No atendía a lo que le decíamos. Si no hubiera sido por mi paciencia en poner calma y hasta en dar órdenes a María (la insustituible asistenta), creo que en aquella casa ni hubiéramos comido. Anita hasta se olvidaba de dar los recados más elementales. El viejo Pérez telefoneó anunciando que iría a vernos. Anita, según costumbre, se precipitó al teléfono y como no escuchó en el aparato la voz que esperaba, se desentendió con unos «naturalmente, naturalmente, claro que sí, muy bien» y colgó sin decirnos quién había llamado. Esto sucedió la mañana en que yo fui a ver al profesor Din. Al llegar por la tarde a casa buscando un poco de calma, encontré a Corsi enloquecido, corriendo detrás de los perros y blandiendo en una mano una cuchara y en la otra un frasco de jarabe calmante.

—A ver, Martín, ayúdame. Tú, niña, Gnomo, Soli... *figliola*, ese *Chuchi* se ha escondido debajo de mi cama. No muerde, ¡qué va a morder!

El jarabe era para los perros. Don Carolo había decidido que a los perros les había sentado mal el verano. Ladraban, querían escaparse de casa, Anita no los cuidaba... Había que darles Melisana para que todos tuviésemos tranquilidad. Anita se había marchado a la calle sin querer ayudar.

Ése fue el momento que el viejo Pérez escogió para aparecer, sudando, y envuelto en su capa. Don Carolo huyó con su jarabe y los perros y la cuchara a las profundidades de la casa y yo tuve que escuchar a Pérez.

Pérez me entregó una larga lista de cosas que necesitaba Soli para el internado: sábanas, un colchón, uniforme, ropa interior. Muchas de esas cosas podían sustituirse por dinero, pues las monjas mismas las proporcionaban, pero otras había que llevarlas. Y el lunes tenía que ingresar la niña. Y si no llevaba aquellas cosas «mi hija, mi pobre hija, pierde esta oportunidad, la única de su vida».

Me enfadé con Pérez. Le dije que nosotros nada teníamos que ver con el equipo de Soli. La niña se abrazó a su padre y me llamó malo. Pérez empezó a lloriquear y habló de su vida dantesca y de su viudez y, sobre todo, él no pedía nada, él moriría y la niña también, solos, abandonados... Pero la señorita Corsi le había prometido, le había jurado que iba a encargarse de que la niña saliese de su casa con todo lo necesario. Nunca más él, Amando Pérez, molestaría a la familia Corsi, pero Anita se lo había jurado, le había jurado encargarse de que la niña no perdiese la oportunidad después de obtener la beca. ¿Cuándo? Aquella misma mañana. Él la había llamado por teléfono...

Esta instantánea mía me sorprende: mi contestación a

Pérez. «Si Anita lo ha prometido, lo cumplirá. Basta eso de que se escape de todas sus obligaciones.» Este espíritu de «ordeno y mando» con Anita yo no puedo creer que lo haya tenido nunca: como si ella fuese una cosa mía. Pero indudablemente así fui yo en aquellos días de nervios. Me erigí en jefe de la casa.

Del recuerdo olvidado sale una imagen de Anita. Ahora me conmueve, al cabo de tantos años. Siempre pensé que lo natural fue lo que Anita hizo entonces: ocuparse en que, efectivamente, Soli tuviese sus cosas a punto, su maleta flamante, su equipo completo cuando salió de casa. Siempre pensé que todo se debía a mí, ya que yo lo había pagado y además tuve en mi recuerdo la constante convicción del despego y altanería de Anita al tratar a la niña durante los últimos días que pasó con nosotros. Pero la imagen olvidada de Anita, la que se proyecta ahora en mi memoria, es la de su cara al día siguiente de la visita de Pérez. Una cara deshecha, hinchada, fea, con los ojos enrojecidos. Y no de haber dormido demasiado. Es la cara de una mujer que ha pasado llorando toda la noche. Le di la lista del equipo de Soli y escuchó mis razones y mi impaciencia y mi imposibilidad de ocuparme yo mismo de las cosas de la chiquilla y mi convicción de que si le dábamos el dinero a Pérez no le compraría a su hija lo necesario. Anita me escuchó y me dijo que ella se ocuparía. Y se ocupó. Hasta hoy no se me ha ocurrido pensar que para ella también supuso un esfuerzo que iba más lejos de la obligación que siempre pensé tenía Anita con la niña. Durante toda una vida, sin pararme a meditarlo, cargué a Anita con ese deber hacia Soli, que además recordaba ciegamente como un deber mal llevado por aquella inconsciente Anita. Yo tenía mis preocupaciones. Y eran grandes. Pero Anita también las tenía. Esa cara suya que sale del olvido, esa cara marcada por el llanto y el insomnio, ¿cómo pude olvidarla?

En mi recuerdo quedó siempre mi visita a Jiménez Din. La clara mañana de setiembre en Chamartín, las rosas en los jardines, el pequeño chalet que fue mi refugio de tantos días en los años juveniles, aquella paz que me daba la pareja tan unida del maestro y su mujer y mis antiguos aprendizajes en el taller; todo volvió a mí al llegar a aquella casa. Y me emocionó encontrar a Din envejecido y sonriente al abrazarme. Nuestra charla en su despacho sobre los negocios que el hombre estaba dispuesto a emprender con Asís y conmigo...

—Hay una razón, tú mismo vas a verla, hijo, por eso he querido que te quedes a comer con nosotros.

Antes, pasamos al taller. Había que cruzar la casa y salir al jardincillo de atrás para llegar allí. En el jardín, bajo el emparrado, vi a Beatriz. Casi la había olvidado. Pero verla me tranquilizó en aquel momento. La encontré muy distinta a otras veces. Como si fuera otra mujer de la que me había dado miedo y me había producido insomnios y pesadillas antes del veraneo. Beatriz estaba cosiendo sentada bajo la parra. Nos miró y, sin levantarse, me dedicó una sonrisa, un saludo al paso. Me pareció que había cambiado mucho. Era una mujer muy bella y asombrosamente llena de paz la que me saludaba. Se lo dije a Din, sintiendo el alma calmada, cuando entramos en el taller. Le dije que Beatriz tenía muy buen aspecto.

—Sí... Eso. Más vale que te lo explique ahora, Martín. Si vamos a trabajar juntos, vendrás por aquí a menudo. Tú sabes nuestras cosas, no te las voy a ocultar. Beatriz ahora también puede trabajar conmigo en las restauraciones. No sé por cuánto tiempo. Quizá se haya hecho un milagro, pero quizá no. Rosalía y yo, dentro de nuestra pena, tenemos la impresión del milagro al mismo tiempo. Es algo que... —suspiró pensativo, me miró, puso una mano sobre mi hombro—. Ya sabes que Beatriz vale mucho, pero sabes mejor que nadie que hay en ella un desequilibrio que los médicos se niegan rotundamente a llamar locura, pero que a veces sí, Martín, a veces es locura, y cuando no, depresión o excitación, o lo que quiera que sea. Desde que dejó de ser niña, digan lo que quieran los médicos, estoy convencido de que hasta ahora Beatriz no ha vuelto a ser una persona totalmente normal. Por mucho que me duela, comprendí la huida de su marido. Ahora aquí, a los vecinos, los dejamos creer que el marido volvió y estuvo con ella durante el tiempo que nuestra hija permaneció en Alicante, en el sanatorio donde la visitaste. Ya comprenderás por qué. Tú la has visto y te habrás dado cuenta.

Yo no me había dado cuenta. Beatriz estaba sentada,

cosiendo, cuando la vi al pasar, y tenía una sonrisa clara, en paz. Yo no había podido fijarme, así al paso, en que Beatriz estaba embarazada.

—Es tremendo, Martín. No sabemos quién puede haber sido el canalla que en una época en que la mente de esa muchacha estaba trastornada, aprovechó la ocasión. Beatriz no recuerda nada. A veces Rosalía y yo temblamos pensando que pueda haber sido otro perturbado, un anormal, y que la criatura que dé a luz nuestra hija sea un monstruo...

Yo escuchaba. Creo que sentía el corazón como un limón exprimido, amargo, pálido, sin sangre. Cuando se sentó don Alfredo, cansado, con los ojos como ausentes, me senté yo a mi vez frente a él. Me reconfortó que volviera a mirarme moviendo la cabeza como asombrado de sus pensamientos, pero con una ansiedad esperanzada de que yo comprendiese lo que iba a seguir contándome.

—Pero Martín, lo que nos tiene entre la desesperación y, aunque parezca mentira, también al borde de la esperanza, es que ese estado de gravidez ha curado a nuestra hija. Razona perfectamente. Se ve a sí misma como una persona que estuvo loca, pero que ahora ha recuperado la razón. Y está llena de alegría por el hijo que espera. ¿Puedes comprender esto? ¿Puedes comprender que nosotros también estemos llenos de alegría insensata muchas veces? Beatriz es útil, Beatriz no quiere ser una carga para nosotros; si nos produjese, no alegría como le demostramos, sino la más mínima molestia, ella se iría de casa. Sabe trabajar. Es una magnífica restauradora, la mejor discípula que he tenido, mi orgullo en otro tiempo... Ella da por descontado de que el hijo la ha librado de todo mal, de que nunca volverá su desequilibrio, de que su vida está llena. No quiere que nos indignemos con quienquiera que sea el causante de esto, que es una desgracia y al mismo tiempo una especie de bendición en nuestra vida. Ni el director del sanatorio ni las enfermeras, ni nadie, se lo explica. Claro que ella no estaba totalmente recluida, pero no pasó una sola noche fuera y salió siempre con gentes que nosotros le enviábamos. Y es verdad que había algunos hombres allí, aparte de médicos y enfermeros; había algunos enfermos o medio enfermos de nervios, pero no es posible atribuir a nadie especialmente... no es posible pensar en la infamia de que este o aquel hombre honrado pueda ser el padre de ese niño. Beatriz dice que no recuerda, pero que sabe su manía erótica y nos confiesa que lo mismo pudo haberse acostado con un hombre que con diez y que si no fuese por el hijo que espera, lo mismo podía pensar que ciertos recuerdos muy confusos que conserva con distintos hombres, algunos desconocidos, y otros que se niega a admitir, son todos soñados. Desde luego uno al menos no lo soñó, pero es posible que al padre de ese hijo no lo recuerde ni como sueño.

»No te quiero angustiar, Martín. Perdona mi desahogo. Tú ves nuestro problema. Luego, la situación legal de la criatura cuando nazca. Se puede inscribir con el nombre del marido de Beatriz. Sí. Pero es repugnante hacer eso. Creo que no se debe y es muy fácilmente demostrable el engaño si el marido aparece. Se marchó casi un año antes de que ella quedase embarazada. Yo no deseo esa farsa. Tengo que consultar a un abogado. En fin, hijo, ésos son problemas menores. Lo importante, lo que deseo es lo que no he deseado nunca porque lo que tengo, hasta ahora, me ha bastado. Necesito ganar algo de dinero. Quiero aprovechar el tiempo que me queda de vida, que creo será corto, en asegurar el porvenir de Beatriz y mi nieto. Quiero que si Beatriz queda otra vez imposibilitada, otra vez sin discernimiento, otra vez necesitada de protección, ella y la criatura estén respaldados. Tú has venido pidiéndome que te ayude en tu trabajo. Quiero decirte que eres tú quien me ayudará a mí con tu juventud, con tu entusiasmo, con tu valía. Beatriz, cuando está así, como ahora, como Dios quiera que siga siempre, es inteligentísima y te aseguro que mucho más inteligente, más aguda que yo para ver un negocio. Cuando me oyó hablar de ti me dijo que eras una gran persona. Ella te conoce poco, pero tiene a veces intuiciones asombrosas. Se puede confiar en ella (ahora te parecerá una chochera, ya ves, soy tan viejo que a veces se me saltan las lágrimas), yo ahora le consulto todo a Beatriz y ella me indica. Ve claro lo de Alvarado y lo tuyo. Le parece muy bien. Cuando ha desconfiado de otras gentes, siempre ha tenido razón.

No. Estas confidencias de Jiménez Din no pertenecen al sobrante de mis recuerdos. Ni por un momento he olvidado ni he querido olvidar estas cosas. Si las mezclo entre estas notas de lo que vuelve a mi memoria después de haber estado encerrado y perdido en ese rincón secreto que la doctora Leutari me ha hecho descubrir, es para explicarme a mí mismo otros olvidos.

La comida en casa de Din transcurrió en una paz absoluta en apariencia. El profesor se sentía aliviado de que no hubiera secretos entre nosotros y su mujer también, y Beatriz, a quien, en efecto, se le notaba su estado de gravidez, contribuía a aquella paz. ¿He dicho que era una mujer muy bella? Nunca me había gustado, pero era alta, hermosísima y sus facciones, en vez de estar afeadas por el embarazo, tenían una serenidad, una dulzura que humanizaba su perfección. No me atrajo nunca. Ni entonces me atraía como en aquella dislocada época me habían atraído casi todas las mujeres que encontré en mi camino; me producía respeto mirarla y comprendía su belleza como la de una estatua. Pero dentro de mí la paz se había terminado. No creía yo que el hijo de Beatriz fuese mío. Me negaba tercamente a verme como «aquel canalla» que se había aprovechado de la perturbación de Beatriz. Pero al salir de aquella casa sí que empecé a pensar que si no era probable podía ser posible que la criatura fuese el fruto de nuestro breve y vergonzoso momento de desvarío. No quería admitirlo. Pero lo admitía. Deseaba huir de Jiménez Din, que había aceptado ayudarme diciéndome que yo le ayudaba. No podía detener mi pensamiento y desentenderme del asunto.

En ese estado de ánimo llegué a casa cuando encontré a don Carolo queriendo hacer tragar una cucharada de Melisana a cada perro y apareció el viejo Pérez con la historia del equipo de la niña.

Aquella noche... Sí, esto es memoria de cosas olvidadas, esos detalles nimios o importantes, pero olvidados. Me había citado con Asís después de cenar y eso me parecía una suerte. Lo fue porque por un rato me olvidé de todo menos de los proyectos de trabajo. Pero antes de salir de casa presencié una escena desagradable de Anita con la niña, escena que Soledad me ha recordado a veces, a su manera, desde su recuerdo sincero, pero que ahora veo en otra perspectiva. Ocurrió después de la cena cuando aún estábamos en la mesa. Soli se empeñó en enseñarnos algunas cosas que llevaba en los bolsillos de su delantal: un carrete sin hilo, un collar encontrado «tirado en el suelo», recortes de tebeos... Y puso sobre el mantel todas esas cosas y un sobre cerrado: una carta que Anita vio en seguida. Soli no sabía cómo tenía aquella carta en el bolsillo, tal vez sí le abriera ella la puerta al cartero y se la dio y la guardó, olvidándola. Anita hizo lo que nunca había hecho. Le dio un par de bofetadas a Soli. Don Carolo se enfadó seriamente con su hija. Yo también. Nos quedamos consolando a la niña mientras Anita salía del comedor furiosa, con su carta en la mano. Soli lloraba inconsolable. Tuve que retrasarme en mi cita con Asís para calmarla. Anita se había encerrado en su cuarto y no salió cuando la llamé para que tranquilizase a la niña.

Al fin se fueron. Primero, Soli a su colegio, adonde le prometí que iría a visitarla. Se lo prometí sinceramente y la niña se agarró a mi cuello besándome al despedirse. Se lo prometí y nunca cumplí esa promesa. Don Carolo también prometió. Anita no. Anita dijo solamente: «Adiós, Gnomo». Y lo dijo como de pasada, como si la niña no existiese para ella. Este recuerdo sí lo he conservado: Anita en el vestíbulo con su desprendido egoísmo, su ligereza de costumbre, pensando en sus cosas mientras la chiquilla se iba hacia su destino desconocido entre los dos viejos... Porque don Amando había ido a buscarla con don Vicente el carlista. Yo los acompañé hasta el taxi que envié a buscar. Don Vicente encontraba que aquello del taxi era mucho lujo, que podían llevar las maletas a mano y tomar el tranvía. Yo pagué el taxi. Soli me dijo adiós desde la ventanilla del coche.

Poco después se fue la familia. Don Carolo, Anita y los perros. Lo de los perros motivó discusiones pintorescas. Don Carolo se oponía al viaje con *Tali* y *Chuchi*. Era demasiado —decía—, estaba harto de complicaciones. Se dirigía a mí y me ponía por testigo de esas complicaciones que habían amargado su vida en los últimos días: lo de *mademoiselle* Brigitte, por ejemplo. Era una locura. Había motivado el enfado de la marquesa, que demostraba un rencor y una indiferencia por don Carolo que a éste le tenían desazonado. En la finca de la marquesa se había producido el idilio entre un viejo jardinero viudo y Kikú. Querían casarse y a todo el mundo le había parecido un disparate. Habían secuestrado casi a *mademoiselle* Brigitte arrastrándola a Madrid a viva fuerza. Se pensaba que aquel hombre que apenas había salido de la finca en toda su vida, daría por terminado el asunto al desaparecer la bella Kikú. Pero el jardinero se había presentado en Madrid reclamando a su novia y no sólo había ido a casa de la marquesa, sino a ver a don Carolo como cónsul de Nguma y bien asesorado jurídicamente además: *mademoiselle* era soltera y católica y mayor de edad. El cónsul tuvo que intervenir muy a su pesar. Los papeles de *mademoiselle* tenían que venir de Nguma y don Carolo tuvo que arreglar el asunto escribiendo a la Misión donde se había educado Brigitte. La respuesta sería favorable, no tardaría en llegar al otro cónsul, porque una vez cumplido este trámite don Carolo traspasó sus poderes, renunció a su consulado. Eso y no la llegada de Peggy a París era lo que le había alterado tanto. Eso y el que, a su razonable opinión de que después de todo no se trataba de algo tan absurdo ese matrimonio si los novios lo deseaban, y no había por qué oponerse, había terminado su amistad con la marquesa. No quería, se negaba a ver a Corsi. No le importaba nada que hubiese renunciado ya a ser cónsul de Nguma.

Y después los perros. ¿Por qué no se podían quedar los perros en Madrid si yo me quedaba? Y aun en el caso de que no quisiera complicarme la vida cuidándolos, ¿no se habían quedado otras veces en un hotel para canes? Había uno muy bueno. Anita se encargó de la documentación y vacunas de los perros y se mostró inflexible. Y no pensaba estar en París más que quince días aunque don Carolo se quedase acompañando a Peggy todo el mes de octubre. A pesar de todo, se llevó a sus queridos perros.

Me quedé solo en la casa, entre las cortinas blancas, las puertas blancas, los pasillos de rosas azules y de rosas rojas. Sentí alivio un día: el día en que volví tranquilo y descansado después de acompañar a la familia hasta la estación.

Luego empezó aquella melancolía. El aire se puso transparente y puro. En el Retiro, algunas hojas requemadas por el sol de verano comenzaron a caer. María venía una vez a la semana y limpiaba, y se llevaba la ropa sucia y traía la limpia y no la veía siquiera algunas veces. Me entregué con mucho ardor a realizar los proyectos que habíamos hecho juntos Alvarado y yo con la colaboración de Jiménez. Muy a menudo veía a Beatriz sin que verla supusiese ninguna conmoción para mí. Seguía ella tan llena de sensatez, tan espléndida y tan increíblemente hermosa a pesar de su gravidez avanzada. Era inteligente, como decía su padre. Hablaba con nosotros. Trabajaba a veces con nosotros e incluso me enseñó o me recordó cosas que tenía olvidadas cuando examinábamos juntos algunos cuadros. No era una amiga, pero era alguien a quien se sentía útil a nuestro lado, una compañera de trabajo en algunas ocasiones y en otras una figura joven, fuerte, que daba solidez a aquella casa de gente que iba para la vejez y que por ilusión de contar con ella se rejuvenecía.

Era en la soledad cuando yo me sentía culpable, hipócrita, indigno. Volví a pensar en mi amigo Perucho y en su claustro. Pensé en un monje que Perucho me había recomendado: «Creo que debías solicitar una visita y hablar con él. Te aclararía muchas cosas. Para mí ha sido y es un guía espiritual». Ese monje había sido durante años un simple cura, es decir, un cura en contacto con la vida, con el mundo. Había trabajado en las cárceles después de la guerra; había confesado o al menos acompañado «en capilla» cuando no querían confesar, a muchos condenados a muerte tratando de confortarlos en aquellos tiempos terribles después de la guerra civil. Había aceptado encargarse de las últimas voluntades de aquellos hombres, había aceptado la tarea de velar por los hijos que quedaran desamparados y un día se encontró con que tenía a su cargo una cantidad respetable de niños. Era un cargo de conciencia que nadie le exigía. No podía alimentarlos y educarlos a todos. Pero lo había prometido y cumplió su promesa. No se sabía cómo logró terrenos, dinero; cómo logró levantar barracones-escuela, cómo agrupó a gentes que se ofrecieron a dar clases, cómo acudió a ricos que le abrieron su crédito, cómo fundó unas escuelas y unos talleres. Cuando las cosas tuvieron volumen, unas órdenes religiosas de frailes y monjas se hicieron cargo de aquella obra con ayuda del Estado. Y él se hizo monje. Se retiró. Pero sabía mucho de problemas humanos. Pensé que le consultaría mi caso, mis dudas de conciencia. Yo no tenía nadie a quien hablar desde que Anita me había abandonado. En esos pensamientos pasaba las noches levantado, paseando a veces por los pasillos, por las habitaciones vacías, entre las cortinas que las primeras brisas de otoño agitaban suavemente. Me acostaba rendido, de madrugada. Dormía muy poco. El espejo me devolvía una cara adelgazada, unos ojos demasiado brillantes.

Fue un atardecer. Son las palabras de un poeta leído al azar en estos días de 1973 en que estoy solo con mis recuerdos, con mi trabajo del recuerdo que revive, las que repentinamente me dan el ambiente de aquel anochecer de 1950, el año de los gatos con alas y los platillos volantes en Madrid. «El vapor del otoño, la lámpara perdida, el corazón de niebla...» El día había sido nublado, cayeron chubascos por la mañana y por la tarde se levantaba niebla desde el parque. Alcé los ojos hacia la casa y vi luz en el cuarto de estar. El mirador de la esquina estaba iluminado. Me latió el corazón. Conté los miradores temiendo equivocarme en mi alegría. Era el nuestro. Había alguien en casa. Llegué, y encontré a Anita.

Nos abrazamos. La casa estaba viva con su presencia. Había flores en los jarrones y aunque no sabía ella si yo iría por allí a cenar, había preparado una mesa del cuarto de estar para los dos, y una cena.

—Tenía el presentimiento de que ibas a venir. Llegué esta mañana. Me dio tiempo de todo.

Había llegado sola. Ya había dicho al marcharse que antes del 15 de octubre tenía que regresar. Y allí estaba. Ni siquiera había traído a los perros. Le pregunté por ellos. Se los había regalado a Froilana como regalo de boda. Froilana estaba loca de alegría. Los quería mucho.

Y Anita también parecía quererlos. Tengo mil recuerdos de Anita con los animales, les hablaba como a niños, jugaba con ellos. No comprendía cómo se había desprendido de los perros.

—¿Y la boda?

No fue entonces cuando me lo dijo. No fue en seguida. Pero me dijo al fin que la boda aún no se había celebrado. Se retrasó a causa del viaje de Peggy, que no podía llegar en el día previsto, y *monsieur* Dupont había consentido en el retraso: iba a ser una boda muy solemne, en la iglesia. *Monsieur* Dupont acostumbraba a casarse así, muy solemnemente. Hasta don Carolo estaba empezando a tomar simpatía a *monsieur* Dupont. A don Carolo le gustaban mucho las personas creyentes, los buenos católicos como Froilana y *monsieur* Dupont.

Creo que todo esto me lo contó Anita más tarde, después de la cena desde luego, después (tengo que reconocerlo) de interesarse por mí, por mis asuntos, por mi aspecto demacrado, después de haberme enseñado una vieja fotografía descolorida que le había regalado Froilana.

—Es una sorpresa, Martín. Cierra los ojos. Abre los ojos.

Una cartulina en la que aparecían dos muchachillos y una jovencita entre ellos. Carlos, Anita y yo retratados por un fotógrafo de pueblo, con el fondo de un telón donde habían pintado la Giralda de Sevilla. ¿Era posible que alguna vez hubiésemos sido tan jóvenes?

—Hace mucho tiempo que nos queremos, Martín.

Anita había perdido su lejanía, estaba más cerca de mí que nunca, yo la sentía bien. Había desaparecido aquella aprensión, aquella impalpable muralla que nos separaba otras veces. Sin darnos cuenta nos uníamos. Yo estrechaba a Anita contra mí, pasándole el brazo por la espalda y ella se sentía feliz al contacto. Y me besaba mucho entre sus idas y venidas al pasar. Ninguna sensualidad en esto. Estoy seguro. Sólo necesidad de unión, una ternura inmensa, una emoción de habernos perdido y habernos encontrado. Necesitábamos unir las manos, tocarnos la cara, darnos cuenta de nuestro mutuo calor. Ahora lo veo así en estas imágenes nuestras, en nuestra risa.

Corrimos las cortinas después de cerrar el balcón porque entraba humedad. Casi hacía frío. Nos sentamos muy juntos. «El vapor del otoño, la lámpara perdida, el corazón de niebla», que dice Neruda.

—Nunca nos podremos separar. Te he echado de menos. Eres mi mujer, Anita.

—Claro que no nos separaremos, Martín; no puedo pensar que estés tramando marcharte de la familia...

Se interrumpió. Me miró como asustada. Movió la cabeza. Desvió la mirada.

—No, Martín... sí que nos separaremos, pero no será una separación así, terrible. Tú eres nuestro, siempre estaremos uno para otro. Pero es natural, no somos niños. Nos iremos a veces. Te casarás. Me casaré...

Le di un beso y la estreché otra vez contra mí.

—No. Ahora sé lo que quiero. Lo que quieres. Frufrú tenía razón. Somos una pareja, hemos nacido para eso, para estar unidos y quiero consultarte una cosa, una cosa muy grave.

Ella se apartó, se arregló el cabello y me escuchó antes de hablarme.

—¿Te parece bien que antes de casarnos yo reconozca a un niño que va a nacer? No es nada mío, pero a lo mejor sí. Se me ha ocurrido. Mira, es una familia a la que aprecio mucho.

Creo que le conté el caso. Ella tragó saliva y asintió.

—Martín, tienes que hacerlo. Me parece muy bien. Aunque no sea tuyo. Eso no importa. ¿No has dicho nada hasta consultarme a mí? Pero eso está mal. Yo siempre te diría sí, aunque fuese a casarme contigo. Porque no vamos a casarnos ahora... Quiero decir: no vamos a casarnos.

Se le llenaron los ojos de lágrimas de pronto y me abrazó llorando. Me dijo, así, llorando, tan contra su costumbre, con su cara pegada a la mía, que habíamos sido dos imbéciles ella y yo. Sobre todo yo, que la había abandonado; pero ella también. Después de mi abandono habían ocurrido cosas de las que no se arrepentía, cosas que le habían hecho conocer la vida y la verdad de una pasión, de una fuerza que podía cambiar el mundo. Ella creía que me quería a mí más que a nadie, aunque en ese momento de su vida sólo podía pensar en otro hombre. Tenía —me dijo— un amante. El único, el primero, porque su matrimonio con Rilcki, de común acuerdo, había sido un matrimonio de amistad, sin unión física. Ella no estaba enamorada de Rilcki, él había accedido a que el matrimonio fuese así mientras pudieran soportarlo o se arreglaran las cosas. Siempre le había dado vergüenza decírmelo. Era una idiota. Pero estaba loca, no sabía si lo que sentía por su amante era amor. Quizá fuera más o menos que eso, no sabía, pero era algo ciego: nadie le había necesitado jamás como aquel hombre. Ella era de él ahora.

En mis recuerdos de aquel tiempo entra la confesión aquella de su, para mí, estúpido amor por Tarro, pero había olvidado en qué momento de ternura desatada me lo dijo; había olvidado que le contesté que ella y yo estábamos casados aunque no nos hubiésemos acostado nunca, aunque nuestro matrimonio no estuviese inscrito ni hubiese sido bendecido. Y tenía que ser bendecido y nos casaríamos sencillamente o si ella quería, solemnemente, como Frufrú. Nos casaríamos en una iglesia y seríamos uno, como ya éramos en espíritu. La pasión que ella creía sentir por Tarro no era nada, yo sabía mucho de eso, tenía que olvidar ese asunto, que se pasaría en seguida; yo la ayudaría.

La veo secándose los ojos y riendo. Llorando y sonriendo. Besándome y apartándome. Al fin suspiró y se alejó de mí.

—No, Martín. No es posible. No hay nada que me detenga, nada. Prometí estar en Madrid desde hoy, esperando su aviso. Y aquí estoy. Faltan ocho días para la boda de Froilana y me vine. No sé cuándo me llamará. No sé cuándo se arreglarán sus asuntos. No sé nada. Pero aquí estoy.

No sé cuánto tiempo estuvimos juntos aquella noche. No sé si pasamos toda la noche hablando y callando a ratos, o sólo un par de horas. Eso no lo sé. Pero me convencí de su obcecación. Yo había recibido, al fin, una carta de Javier en lista de Correos y se la enseñé. No le había dado demasiada importancia entre mis preocupaciones de aquellos días, pero creí que sería importante para Anita. Javier me aseguraba que el doctor Tarro era absolutamente desconocido en los hospitales a los que le había enviado en Caracas. Incluso había inventado el nombre de los médicos a los que le recomendaba. Javier creía que el de Tarro era un caso de mitomanía.

—Es posible, Martín. Sí. Es muy posible. Miente mucho. Pero también dice verdades y realiza cosas que asombran. Si me pongo a pensar en su manera de ser, en sus contradicciones, en cómo quiere que sea yo, «formándome» dice él, como si yo no fuese una persona que le gusta porque soy como soy; cuando me pongo a pensar en eso, me admiro yo misma de que no me importe, de ser tan intensamente feliz a su lado, de sentirle tan intensamente feliz por tenerme. Es como la luz, es como la misma vida para mí. Y Martín, esto es un secreto terrible, un secreto que a nadie has de decir nunca, jamás, que yo no pensaba decirte, pero que sé que puedo decirte a ti: esto no durará mucho, ¿sabes? No por lo que tú crees, no porque sea algo pasajero como esas cosas tuyas... Sí, Martín, esas locuras que te han apartado de mí, que yo he visto y que como son tuyas yo respeto, pero que son o han sido... No, Martín, no es eso. Es peor. Tarro está enfermo. Se hace un tratamiento, porque aunque mienta en muchas cosas no hay duda alguna de que es un gran médico, pero está condenado. No se lo ha dicho a nadie más que a mí y a un médico amigo. A pesar de su aspecto saludable, tiene leucemia. Se morirá si no ocurre un milagro. Cuando está conmigo cree en ese milagro. Y yo también. Lo olvida y me hace olvidarlo a mí, ¿comprendes? Ése es el valor. Vivir día a día lo que se tiene sin anticipar la tragedia. Yo hago lo que él quiere. Trato de no pensar y no pienso, pero sé el porqué de su prisa. Él a mí no me engaña. No lo juzgues así. Antes de ir a París recibí una carta suya en la que me contaba que todo aquello que yo creí mentira, lo de su mujer, es cierto. Se casó muy joven con esa señora, que le protegió y le ayudó en sus estudios. Se escapó luego. Ha vivido mucho. Le han querido mucho y él también ha querido. Creía que no volvería a querer así hasta que me conoció. Volvió a España pensando que no sólo estaba enferma esa señora, sino él también. Luego inventó y comenzó su tratamiento, y se siente nuevo, aunque no quiere que yo me forje ilusiones. Me ha dicho otra vez, porque yo lo sabía ya, en esa carta, que está condenado, que debo saberlo pero que también, si le quiero, debo olvidarlo por completo, no volver jamás a hablar de ello. Me cree capaz de eso. Yo no sé cuándo voy a verle. No sé si logrará lo que él desea, que es poder vender algunas propiedades suyas para marcharnos juntos, o si recibiré la noticia de su muerte. No sé nada, Martín. Pero estoy esperando aquí el día que dije esperaría, y haré lo que él quiera. Y loca de alegría, Martín, si él logra lo que se propone.

Todas aquellas locuras. Hasta el día siguiente no se me ocurrió que yo tenía que proteger a Anita contra sí misma. Le pregunté qué había dicho su padre cuando su vuelta repentina, qué había dicho Carlos. A su padre no le había contado nada Anita. A Carlos sí. Carlos incluso estaba dispuesto a ayudarla dándole una cantidad de dinero para que se marchase con Tarro si Tarro no conseguía arreglar sus asuntos. Pero a última hora puso condiciones. Se enfadó porque ella no se quedaba a la boda de Froilana, y no le dijo nada. Anita cogió el avión de todas maneras. Carlos apaciguaría a su padre, le diría que Anita había regresado por cuestión de estudios, por lo que fuese. «Por no disgustar a papá, ¿sabes?, hasta saber si me voy, si nos vamos Tarro y yo o seguimos aquí. A lo mejor no podemos hacer otra cosa que seguir aquí, como antes. No, la clínica de Beirut me parece que no existe. No, Martín. Voy con los ojos abiertos. Sé lo que hago. Ojalá lo haga.»

En mis recuerdos no olvidados, queda entre una serie de confusiones sobre mi propia actitud la decisión mía de ayudar a Anita en todo, seguro de que lo que ella sentía era una locura pasajera como la que yo había vivido. Le ofrecí el poco dinero de que yo disponía en aquellos momentos si lo necesitaba.

—Martín, siempre he contado contigo. Siempre contaré contigo. Si lo necesito, te pediré. Pediré a todo el mundo. A quien sea si hace falta. Pero yo no puedo decidir. Espero sus noticias. Lo que él quiera. Lo que él diga. Nada más.

Pasaron después unos días tranquilos. Anita no quiso que hablásemos más de sus cosas. Me convenció de que era inútil hablar más. Creo que empecé a confiar que el tiempo arreglaría todo. A confiar en que Tarro hubiese huido solo para siempre. Anita se interesaba por mis asuntos. Siempre estaba ella en casa. Me esperaba. Creo que tenía miedo de salir por si llegaban aquellas noticias: una llamada de teléfono, una carta, en su ausencia. El portero me dijo que el doctor Tarro había pasado por Madrid aquel verano y había cancelado el contrato del piso: en el ático vivían ya nuevos inquilinos. Eso también me tranquilizó.

El día de la boda de Froilana la misma Frufrú llamó por teléfono a Anita. Habló con ella y habló conmigo, aunque yo no entendí ni una palabra de lo que me dijo. Habló Anita luego con don Carolo, con Carlos, con Peggy incluso. El señor Corsi no pensaba volver a Madrid hasta principios de año. Peggy se quedaba en París hasta entonces. Y Carlos y Zoila también. Enviaban dinero a Anita y esperaban que fuésemos ella y yo en Navidades. Anita decía: «Sí, papá; claro, papá». Yo la recuerdo hablando con una voz alegre, serena. Y veo sus lágrimas. Resbalaban una a una por las mejillas, caían en sus manos.

Ya no pensaba yo en casarme con Anita. Olvidé aquel disparate que se me había ocurrido aquella noche, lo olvidé tan bien que hasta hoy no he vuelto a recordarlo. Pero sí que empezaba a sentirme seguro de que la familia volvería a reunirse y que yo seguiría con todos ellos. Anita proporcionaba seguridad a mi vida con su presencia, me descansaba. Un día comenzó a salir y yo me alegré. Dejó aquella vida enclaustrada. Nos reunimos incluso una o dos veces con amigos. Le pregunté si iría a París en Navidades si las cosas seguían como estaban. Me dio un beso y me dijo que si todo seguía lo mismo, claro que iría. Que iríamos. Yo también iría con ella en ese caso.

Un día de noviembre me atreví a hablarle a Jiménez Din. Ahora sé que Anita me lo recordaba. Me recordaba casi diariamente que debía hacerlo. Le dije a mi maestro que quería reconocer a su nieto y que además me ocuparía del niño o la niña siempre. Le conté todo. Jiménez se negó en principio a aceptar lo que le parecía un favor. Acabó diciéndome, después de negarse, que ojalá fuera mío aquel niño, pero que por desgracia no podía saberse. Que había que esperar.

Otro día hablé con Beatriz y ella me contestó en el mismo sentido que su padre. Después me confesó que se acordaba de lo nuestro, pero que creía lo había inventado en su imaginación enferma, y me impresionó cuando, mirándome con mucha serenidad y dulzura, me pidió que la perdonase y que no volviese a pensar en el asunto. Pero seguí insistiendo. La idea iba calando en Jiménez Din, abriéndose en su espíritu como una esperanza. Y aquel día de Navidad de 1950, que tan desolado se presentaba para mí, tan frío y tan oscuro a mis ojos, Jiménez me llamó por teléfono emocionadísimo. «Ven,

Martín, ven a la clínica. El niño ha nacido. No quiero decirte nada hasta que lo veas. Pero ven en seguida.»

Aquel día conocí a mi hijo. Era mi hijo. Yo sentí esa seguridad al ver al bebé. Era muy hermoso, con el pelo oscuro, y la forma de la frente, de los ojos, eran las de mi abuelo Martín, y eran las mías. Jiménez Din también lo había notado, pero creía que eran ilusiones suyas. Quería comprobar el efecto que me hacía verlo. Estaba chocho de emoción. Y yo también.

Fue el principio de una recuperación. Sentir aquella emoción ante el niño me volvió a la realidad después de aquel tiempo solitario, loco, entre los pasillos abandonados de la gran casa vacía. Era como si hubiese caído en un abismo y de pronto encontrasen mis manos unas raíces fuertes para agarrarse. Volví a saber en qué día vivía, qué hora era, para qué vivir, para qué quería trabajar y luchar. Beatriz seguía tan serena, tan llena de belleza y plenitud, y verla con el niño en los brazos hizo que se me humedeciesen los ojos. Me dijo que aceptaba que le diese mi nombre al niño aunque ella no podía darle el suyo. Que ella también tenía la convicción íntima de que era mi hijo y se llamaría Martín, como yo. Pero estos recuerdos no pertenecen a las imágenes desechadas de la época de mi desaparición. Quizá no he debido de mezclarlos aquí. Aún hay una pequeña secuencia que aguarda a que yo la proyecte en mi memoria antes de vaciar por completo el cajón de los recuerdos desechados de aquella época de mi desaparición.

Un día de noviembre, aquél en que hablé por primera vez con Jiménez Din de la posibilidad de que yo fuese el padre de su nieto y que, de todas maneras, quería reconocer al niño que naciese.

Volví a casa al anochecer. Ya estaban las luces de la ciudad encendidas y reflejándose los colores de los anuncios luminosos en el aire frío. Dejé el coche en el garaje y fui andando hacia casa siguiendo la verja del Retiro. Caían sobre mí hojas secas. Mi corazón estaba descargado de un gran peso. Tenía necesidad de comunicárselo a Anita. Caían hojas secas, pisaba hojas secas, se preparaba una helada, se presentía en el crujir de aquellas hojas. Levanté la mirada hacia los miradores. No había luz en los balcones. Anita había salido. Traté de distraer mi decepción pensando en otras habitaciones donde podía estar ella con las maderas de los balcones cerradas. También podía estar en la cocina. En aquella temporada le gustaba mucho preparar la cena para ella y para mí.

El piso estaba a oscuras y vacío. Pero llamé a Anita al encender la luz del vestíbulo. No sé por qué lo hice. No estaba. Pero encendí todas las luces, todas las habitaciones de la casa, los pasillos, todo. Y la iba buscando en cada cuarto que dejaba iluminado. Las lámparas encendidas parecía que me quitaban algo de la negrura que sentía en el alma. Por un instante, entre tanta luz, soñé que oía a los perros acudiendo a mi llegada, los pasos de la niña, la voz de don Carolo, la risa de Anita.

Encontré una nota que había escrito ella muy de prisa. La había dejado sobre la mesa frente al sofá de cuero del cuarto de estar. «Martín querido. Tiene que ser ahora mismo. No puedo despedirme de ti. Sobre la mesa del despacho he dejado una carta para Carlos. Envíasela, por favor. Dentro va otra para mi padre. No tengas miedo por mí. Soy tan feliz que no puedo expresártelo. Os daré noticias cuando pueda. Es posible que lo haga pronto o que pasen meses. No os inquietéis. Martín: será una alegría cuando nos encontremos otra vez.»

Creo que estuve mucho rato sentado al borde del sofá con aquella cuartilla entre las manos, en la habitación iluminada, entre el vacío y las cortinas blancas...